GW00673708

COLLECTION FOLIO

Cesare Pavese

Le métier de vivre

Traduit de l'italien
par Michel Arnaud

Gallimard

Titre original :

IL MESTIERE DI VIVERE

Le 27 août 1950, dans une chambre d'hôtel, à Turin, Cesare Pavese se tuait en absorbant une vingtaine de cachets de somnifère.

Il venait de recevoir un prix littéraire, la renommée lui souriait, il était en pleine maîtrise de son talent. On a avancé plusieurs « raisons » possibles de cet acte : le déboire sentimental que l'écrivain venait de connaître dans une intrigue avec une jeune actrice de cinéma américaine, ses déceptions politiques et son éloignement progressif du communisme.

A la vérité, toutes ces raisons ont dû jouer, et renforcer une détermination qui était dans la volonté du poète, comme un mal secret.

Sur le suicide de Pavese, il n'y a pas de meilleure explication que le journal intime découvert après sa mort : Le métier de vivre.

On y voit l'écrivain monologuer sans cesse avec soi-même. Il ne cite presque pas d'événements, ni de noms de personnes. Il s'analyse et, tout au long de ces quatre cents pages, on voit s'affirmer la tragique impossibilité de communication humaine qui est à l'origine du propos longuement mûri du suicide.

Les réflexions sur le difficile métier de vivre, qu'on lira ici, sont d'une qualité exceptionnelle. L'homme était vraiment à la mesure de l'écrivain, lequel est reconnu comme l'un des plus grands.

Cesare Pavese était né à Santo Stefano Belbo le 9 septembre 1908. Il a passé son enfance et son adolescence à Turin, où il a fait ses études. Diplômé d'études supérieures de lettres sur Walt Whitman, il enseigne pendant quelque temps. Dès la fondation des éditions Einaudi en 1933, il en devient un des principaux collaborateurs et s'intéresse tout particulièrement à la littérature américaine. En 1939 il traduit *Moby Dick,* d'Herman Melville. Arrêté en 1935, il est exilé en Calabre pendant un an.

Son premier recueil de poèmes, *Travailler fatigue,* sort en 1936.

Son œuvre comprend des poèmes, des essais, des romans comme *Le Bel été* ou *La Lune et les feux,* des nouvelles, un dialogue philosophique, *Dialogues avec Leuco* et ce journal.

AVERTISSEMENT DE L'ÉDITEUR ITALIEN

Les amis de Pavese connaissaient depuis longtemps l'existence de ce journal et il avait exprimé à certains d'entre eux le désir qu'il soit publié après sa mort.

Le manuscrit de ce journal a été trouvé parmi les papiers de Pavese après le suicide de celui-ci. Outre le titre Le métier de vivre, *il portait la mention entre parenthèses (Journal 1935-1950). Le présent volume reproduit presque intégralement le manuscrit original : presque intégralement, parce que quelques coupures, peu nombreuses du reste, s'imposaient là où il s'agissait de questions d'ordre privé concernant des personnes vivantes.*

Chaque phrase ou chaque mot omis sont indiqués par des points de suspension entre crochets : [...]; *des astérisques ou des initiales ont été substitués aux noms.*

AVERTISSEMENT
DE L'ÉDITEUR ITALIEN

[illegible] de Pavese [illegible] de ce journal et il avait exprimé [illegible] désir qu'il soit publié après sa mort. [illegible] de ce journal a été [illegible] après le suicide de [illegible] il portait le titre [illegible] Journal 1935-1950. Le présent volume reproduit intégralement le manuscrit original ; presque [illegible] quelques coupures [illegible] concernant des personnes vivantes.

[illegible] chaque [illegible] entre crochets [illegible] des initiales [illegible]

SECRETUM PROFESSIONALE
Octobre-décembre 1935 et février 1936, à Brancaleone.

(*Le Métier de poète, 1934*),
publié dans *Travailler fatigue*[1], précède idéalement.

1. Titre d'un recueil de poèmes de Pavese.

1935

6 octobre

Que quelques-uns de mes derniers poèmes soient convaincants, ne retire pas de son importance au fait que je les compose avec de plus en plus d'indifférence et de répugnance. Il n'importe pas beaucoup non plus que, parfois, la joie de l'invention soit chez moi d'une excessive acuité. Les deux choses, si on les rapproche, s'expliquent par la désinvolture métrique que j'ai acquise, laquelle m'enlève le goût de creuser à partir d'un matériau informe, et, en même temps, par les choses qui m'intéressent dans le domaine de la vie pratique, lesquelles ajoutent une exaltation passionnelle à ma méditation sur certains poèmes.

Ce qui compte en revanche, c'est ceci : que l'effort me semble de plus en plus inutile et indigne ; et plus féconde que la persévérance dans ce registre, la recherche, depuis longtemps envisagée, de nouvelles choses à dire et, en conséquence, de nouvelles formes à élaborer. Car la tension est donnée d'abord à la poésie par l'anxiété de réalités spirituelles ignorées, pressenties comme possibles. Je trouve une ultime défense contre l'envie de me livrer à des tentatives violemment rénovatrices dans l'orgueilleuse conviction que la monotonie et la sévérité apparentes du moyen en la possession duquel je suis maintenant risquent encore d'être le meilleur filtre pour toutes mes aventures spirituelles. Mais les exemples historiques — si toutefois en matière de créativité spirituelle, il est permis de s'arrêter à des exemples de quelque sorte que ce soit — sont tous contre moi.

En tout cas, il y a eu un temps où j'avais bien vivant dans ma tête un stock passionnel et très simple de matériaux, substance de mon expérience, destiné à être amené par l'expression poétique à une clarté et à une détermination organiques. Et, imperceptiblement mais inévitablement, chacune de mes tentatives se rattachait à ce fonds et, si extravagant que fût le noyau de chaque nouveau poème, jamais il ne me sembla que je m'égarais. J'avais le sentiment de composer quelque chose qui dépassait toujours le fragment (du moment) (actuel).

Le jour est venu où mon stock vital a éte tout entier absorbé par mon œuvre, et il m'a semblé que mon travail n'était plus que rapetassage et sophistication. C'est si vrai que — et je m'en aperçus encore mieux quand je voulus élucider pour moi-même par une étude le travail accompli — j'excusais maintenant les recherches ultérieures de ma poésie en y voyant des applications d'une technique consciente de l'état d'âme, alors que je faisais au contraire une poésie-jeu de ma vocation poétique. C'est-à-dire que je retombais dans l'erreur qui, reconnue et fuie, avait contribué au début à me laisser tant de fraîche assurance créatrice, l'erreur de faire de la poésie, même indirectement, sur le poète que j'étais. (*Exegi monumentum...*) A ce sentiment d'involution, je peux répondre que c'est en vain désormais que je chercherai en moi-même un nouveau point de départ. Depuis le jour des *Mers du Sud*[1], où, pour la première fois, je me suis exprimé sous une forme précise et absolue, j'ai commencé de construire une personne spirituelle que, sous peine de la nier et de mettre en question tous mes futurs et hypothétiques élans, je ne pourrai plus jamais sciemment remplacer. J'obéis donc à mon sentiment d'inutilité présente quand je m'humilie en m'astreignant à n'interroger mon esprit que par les moyens qui, jusqu'à présent, lui furent naturels et fructueux, m'en remettant pour toute découverte à la fécondité de chaque cas en particulier. Étant donné que c'est par des tentatives et non par la prospection que la poésie voit le jour.

Mais pourquoi, de la même façon que, jusqu'à présent, je me suis limité comme par caprice à la seule poésie en vers, pourquoi est-ce que je ne tente jamais un autre genre ? Il n'y a qu'une seule réponse et qui est sans doute insuffisante : c'est pour des raisons de culture, de sentiment, et maintenant d'habitude, et non par caprice, que je suis incapable de sortir de ce sentier, et le coup de tête qui consisterait à changer de forme pour renouveler la substance me semblerait d'un dilettante.

9 octobre

Tous les poètes se sont tourmentés, se sont étonnés et ont connu la joie. L'admiration pour un grand passage en poésie ne va jamais à sa stupéfiante

1. Le poème liminaire de *Travailler fatigue*.

habileté mais à la nouveauté de la découverte qu'il contient. Même quand nous éprouvons une palpitation de joie à trouver un adjectif accouplé avec succès à un substantif, un adjectif et un substantif jamais encore vus ensemble, ce qui nous émeut, ce n'est pas de la surprise devant l'élégance de la chose, mais de l'étonnement devant cette réalité nouvelle mise en lumière.

Elle est à méditer la grande puissance d'images telles que celles des grues, du serpent ou des cigales ; ou du jardin, des filles de joie et du vent ; du bœuf, du chien, de Trivia, etc. Elles sont faites, avant tout, pour les œuvres de vaste construction, car elles représentent le coup d'œil donné sur les choses extérieures au cours de la narration attentive de faits d'importance humaine. Elles sont comme un soupir de soulagement, comme un regard par la fenêtre. Malgré leur air de détails décoratifs surgis, bigarrés, d'un bloc dur, elles prouvent l'austérité inconsciente de leur créateur. Elles exigent l'incapacité naturelle de sentiments régionalistes. Elles utilisent clairement et honnêtement la nature comme un moyen, comme quelque chose d'inférieur à la substance du récit. Comme un divertissement. Et cela doit se comprendre historiquement, car mon idée des images substance du récit le nie. Pourquoi ? Parce que nous, nous faisons de la poésie brève. Parce que nous, nous nous emparons, pour lui imposer une signification, d'un état d'âme particulier, lequel est en soi commencement et fin. Et il ne nous est donc pas donné de fleurir le rythme de notre récit condensé avec des épanchements naturistes, qui seraient de la mièvrerie, mais nous devons, préoccupés d'autre chose, ou bien ignorer la nature pépinière d'images, ou bien exprimer précisément un état d'âme naturiste, où le regard par la fenêtre est la substance de toute la construction. Du reste, il suffit de penser à quelques œuvres modernes de vaste construction — à des romans, je crois — et voici que nous retrouvons en elles, à travers un enchevêtrement de filtrations régionalistes dues à notre culture romantique impossible à supprimer, des exemples très nets d'imagisme-jeu.

Celui qui domine les anciens et les modernes — dominant l'image-jeu et l'image-récit — c'est Shakespeare, lequel construit vastement et est à la fois tout entier un regard par la fenêtre ; il sort, par une image jaillissante, d'une austère souche d'humanité et, en même temps, construit la scène, la *play* tout entière comme interprétation « imagiste » de l'état d'âme. Cela doit provenir de sa très heureuse technique dramatique, pour laquelle tout est humanité — et inférieure, la nature — mais pour laquelle tout, dans le langage image de ses personnages, est aussi nature.

Il a sous la main des morceaux lyriques dont il fait une structure solide. En somme, unique au monde, il raconte et chante indissolublement.

10 octobre

Même en admettant que je sois parvenu à la nouvelle technique que je tente de m'élucider, il va néanmoins de soi que se trouvent épars çà et là des fragments coulés dans des vestiges d'autres techniques. Cela m'empêche de voir clairement l'essence de mon moyen (et il faut dire avec prudence, au contraire de Baudelaire, que, en poésie, tout n'est pas prévisible et qu'en composant, on choisit parfois des formes non pas pour une raison visible mais par instinct ; et l'on crée sans savoir très nettement comment). Que je tende à substituer au développement objectif du sujet la loi calculée et régissant l'imaginaire de l'image, c'est vrai, car telle est en fait mon intention, mais savoir jusqu'où va ce calcul, ce qu'importe une loi régissant l'imaginaire, et où finit l'image et où commence la logique, ce sont de beaux problèmes.

Ce soir, sous les rouges rochers lunaires, je pensais combien il serait d'une grande poésie de montrer le dieu incarné en ce lieu, avec tous les rappels d'images qu'un tel morceau permettrait. Tout de suite, s'est emparée de moi la conscience que ce dieu n'existe pas, que je le sais, que j'en suis convaincu et que, donc, un autre et non moi pourrait seul faire ce poème. Partant de là, j'ai pensé combien devront être allusifs et *all-pervading* tous mes futurs sujets, de même que devrait être allusive et *all-pervading* la foi en ce dieu incarné dans les roches rouges, si un poète s'en servait.

Pourquoi est-ce que moi, je ne puis pas parler des rouges rochers lunaires ? Mais parce qu'ils ne reflètent rien qui soit mien, en dehors d'un trouble régionalisme sans chair, lequel ne devrait jamais justifier un poème. Si ces rochers étaient en Piémont, je saurais bien les absorber en une image et leur donner une signification. Ce qui revient à dire que le premier fondement de la poésie, c'est l'obscure conscience de la valeur des rapports, au besoin même des rapports biologiques, qui vivent déjà une vie larvaire d'images dans la conscience pré-poétique.

Certainement, il doit être possible, pour moi aussi, de faire de la poésie sur une matière non piémontaise quant au fond. Ce doit l'être, mais jusqu'à présent, ce ne l'a presque jamais été. Cela signifie que je ne suis pas encore sorti de la simple ré-élaboration de l'image matériellement représentée par mes liens originels avec mon milieu : qu'en d'autres termes, il y a dans mon travail poétique un point mort, gratuit, un sous-entendu matériel dont je ne parviens pas à me passer. Mais, après tout, un résidu objectif, ou le sang, est-il vraiment indispensable ?

11 octobre

Toutes mes images ne seraient-elles pas autre chose que d'ingénieuses variations sur cette image fondamentale : tel mon pays natal, tel je suis ? Le poète serait une image incarnée, inséparable du terme de comparaison régionaliste et social du Piémont.

L'essence de sa parole entraînerait avec soi que son pays et lui vus en fonction réciproque sont beaux. Est-ce tout ? Serait-ce là le fatal rivage de Quarto ? [1]

Ou bien est-ce que plutôt il n'y a pas entre le Piémont et moi un courant de relations, les unes conscientes et les autres inconscientes, que j'objective et que je dramatise comme je peux en images : en images-récit ? Et ces relations commencent-elles à la sympathie matérielle du sang avec le climat et

1. C'est de là que partit Garibaldi avec les Mille, pour l'expédition de Sicile. C'est une citation ironique d'un vers de Carducci. (*N.D.T.*)

avec le vent, et finissent-elles dans ce pénible courant spirituel qui nous agite, les autres Piémontais et moi-même ? Et est-ce que j'exprime les choses spirituelles par des récits de choses matérielles et vice versa ? Et est-ce que ce travail de substitution, d'allusion, d'image vaut en tant que signe de notre allusive et *all-pervading* essence ?

Pour s'opposer à la crainte que ce ne soit chez moi un *Piedmontese Revival,* il y a cette bonne volonté de croire à un possible élargissement des valeurs piémontaises. La justification ? Celle-ci : ma littérature n'est pas de la littérature dialectale — j'ai tant lutté d'instinct et par raison contre le dialectalisme — ; elle ne veut pas être fragmentéiste — et j'ai payé d'expérience — ; elle essaie de se nourrir de tout le meilleur suc national et traditionnel ; elle tente de tenir les yeux ouverts sur le monde entier et a été particulièrement sensible aux tentatives et aux résultats nord-américains, où il m'a semblé découvrir jadis un travail de formation analogue. Mais peut-être le fait que, maintenant, la culture américaine ne m'intéresse plus du tout, signifie-t-il que j'ai épuisé ce point de vue piémontais ? Je crois que oui ; du moins ce point de vue tel qu'il a été le mien jusqu'à maintenant.

15 octobre

Et pourtant il nous faut un nouveau point de départ. Quand l'esprit s'est habitué à un certain mécanisme de création, un effort tout à fait mécanique est nécessaire pour en sortir et substituer aux monotones fruits spirituels qui se reproduisent, un nouveau fruit qui ait une saveur d'inconnu, de greffe inouïe. Non qu'il faille substituer au travail mental une impulsion de l'extérieur, mais il faut transformer corporellement la matière et les moyens pour se trouver devant de nouveaux problèmes ; une fois que l'on a le point de départ, l'esprit reprendra, bien entendu, tout son jeu. Sans ce ressort matériel, je ne puis sortir de la paresseuse et, donc, elle aussi, matérielle réduction monotone de toute situation en schéma et en sensibilité d'image-récit. Il faut une intervention de l'extérieur pour changer la direction de l'instinct devenu chose extérieure et ensuite le préparer à de nouvelles découvertes.

Si j'ai vraiment vécu ces quatre années de poésie, tant mieux : cela ne pourra que me donner une plus grande « incontestabilité » et un meilleur sens de l'expression. Les premières fois, il me semblera être revenu à mes temps archaïques et il me semblera même n'avoir rien à dire. Mais je ne dois pas oublier combien j'étais perdu avant les *Mers du Sud* et que je me suis mis à connaître mon univers au fur et à mesure que je le créais. Pas avant. Non pourtant qu'aujourd'hui me manque une aggravation des difficultés. Dans *Travailler fatigue*, entrait toute mon expérience depuis le jour où j'ai ouvert les yeux, et telle était la joie que j'éprouvais à extraire mon premier or, que je ne sentais pas de monotonie. En moi, tout était alors à découvrir. Maintenant que j'ai pillé cette veine, je me suis trop épuisé et trop bien défini pour avoir encore la force de me jeter sur une mine avec de grands espoirs. Le pays est tout entier sondé et arpenté, et je sais en quoi consiste mon originalité. En outre, dans mes innombrables tentatives pré-poétiques, j'ai justement laissé tomber, les rejetant, les moyens du récit en prose et du roman. Je connais trop les obstacles de cette route à laquelle j'ai même retiré la joie tonifiante du premier contact. Et pourtant il faut la parcourir.

16 octobre

Maintenant qu'est exprimé selon mon intention le parallèle satisfaisant entre le Piémont et moi-même, quelle sera la nouvelle atmosphère de ma poésie ? La nouvelle valeur, à la fois abstraite et empirique, qui pourra unifier les divers fragments isolés ? Faire un livre d'un simple recueil ?

Cette atmosphère et cette valeur doivent être telles qu'elles me justifient dans l'histoire. Or, à quoi d'historique est-ce que je crois actuellement ? Peut-être aux révolutions ? Mais, outre que l'on n'a jamais tiré de la bonne poésie de l'idée d'une révolution en action, je ne m'enthousiasme pour elles qu'à fleur de peau. Naturellement, il ne s'agirait pas de décrire les tumultes, l'éloquence, le sang et les triomphes de la révolution, mais de vivre dans son atmosphère morale, et, à partir de là, de contempler et de juger la vie. Est-ce que j'éprouve ce renouvellement moral ? Non, et j'ai même jusqu'à maintenant manifesté une certaine tendance à célébrer dans la vie plutôt les facultés statiques et jouisseuses que les facultés actives et rénovatrices. D'où mon incapacité à faire le grand pas rénovateur, après lequel je pourrais bien entendu juger et goûter la vie, dans la nouvelle atmosphère, aussi contemplativement que cela me plairait. Je ne puis qu'espérer rencontrer d'autres valeurs historiques qui ne soient pas les révolutions violentes et faire de ces valeurs, selon mes facultés, des images.

Ce qui est très raisonnable. A ce qu'on dit, il n'existe maintenant d'impulsions que vers les révolutions violentes. Mais tout, dans l'histoire, est révolution ; même un renouvellement, une découverte imperceptibles et pacifiques. Au diable donc, également, le préjugé oratoire du renouvellement moral qui a besoin (fût-ce de la part des autres, les actifs) de l'action violente. Au diable ce besoin infantile de compagnie et de bruit. Moi, je dois me contenter de la plus minime découverte contenue dans chaque poème pris isolément, et manifester mon renouvellement moral par l'humilité avec laquelle je me soumets à ce destin qui est ma nature. Ce qui est très raisonnable. A moins que ce ne soit, au contraire, de la paresse ou de la lâcheté.

17 octobre

Ayant repris, ce matin, et terminé le poème du lièvre, dont justement à cause du lièvre, je désespérais, c'est avec une certaine arrogance que je persévère dans mon peu glorieux effort. Il me semble vraiment avoir acquis un tel instinct technique que, sans y penser délibérément, mes idées sortent maintenant de moi imagées selon cette loi de l'imaginaire à laquelle je faisais allusion le 10 octobre. Et j'ai grand-peur que cela ne veuille dire qu'il est l'heure de changer de musique ou, tout au moins, d'instrument. Sinon, j'en arriverai au point où, avant même de composer un poème, j'en esquisserai l'étude critique. Et cela deviendra une affaire burlesque comme le *Lit de Procuste*.

Et voici trouvée la formule pour l'avenir : si, naguère, je me torturais l'âme pour créer un mélange de mes lyrismes (appréciés pour leur fougue passionnelle) et de mon style épistolaire (appréciable pour son contrôle logique et imagé) et si le résultat fut les *Mers du Sud* avec toute leur séquelle, je dois maintenant trouver le secret de fondre la veine imaginaire et éthique de *Travailler fatigue* avec celle, fofolle et réalistement accordée à un public, de la « pornothèque ». Et il est indubitable qu'il va nous falloir la prose.

Parce qu'une seule chose (parmi beaucoup d'autres) me semble insupportable pour l'artiste : ne plus se sentir au début.

19 octobre

En relisant le 16 octobre, je pense que, justement parce que j'ai déjà exprimé le parallèle entre le Piémont et moi, cet élément ne devra plus être absent de ma poésie future. Car j'imagine qu'aucune de mes recherches ne peut être perdue et que le progrès consiste à malaxer de plus en plus complètement ses expériences, jetant les nouvelles sur les anciennes.

21 octobre

« ... *sicut nunc foemina quaeque*
cum peperit dulci repletur lacte... »

27 octobre

« *in gremium matris terræ præcipitavit* ».

28 octobre

La poésie commence lorsqu'un idiot dit de la mer : « On dirait de l'huile. » Ce n'est nullement là une description plus exacte du calme plat, mais le plaisir d'avoir découvert une ressemblance, l'excitation d'un mystérieux rapport, le besoin de crier aux quatre points cardinaux qu'on a vu ce rapport.

Il est néanmoins tout aussi idiot de s'arrêter là. Une fois la poésie commencée ainsi, il faut la finir et composer un récit riche de rapports, qui équivaille habilement à un jugement de valeur.

Ce serait là la poésie type, l'idée. Mais, d'ordinaire, les œuvres sont faites de sentiments — l'exacte description du calme plat — qui, par instants, se met à écumer en des découvertes de rapports. Il se peut que la poésie type soit irréelle et que — de même que nous vivons aussi de microbes — ce qui a été fait jusqu'à présent soit composé de simples fragments mimétiques (sentiment), de pensées (logique) et de rapports à la va comme je te pousse (poésie). Une combinaison plus absolue serait peut-être irrespirable et idiote.

1er novembre

Elle est intéressante cette idée que le sentiment en art est le simple fragment mimétique, l'exacte description du calme plat. C'est-à-dire une description faite avec des termes propres, sans découvertes de rapports d'images et sans intrusion de la logique.

Mais si l'on peut concevoir une description qui ne comporte pas d'images (ce que, peut-être, la nature même du langage nie), peut-il y avoir une description qui se passe de la pensée logique ? N'est-ce pas déjà l'expression d'un jugement que d'observer que l'arbre est vert ? Ou, s'il semble ridicule de voir une pensée dans une telle banalité, où finit la banalité et où commence le véritable jugement logique ? Pour le second alinéa, je renvoie à un meilleur philosophe. Il me semble en tout cas exact que décrire correctement soit du sentiment. *Utiliser* les émotions pour y découvrir des rapports est en fait déjà élaborer rationnellement ces expériences.

Et comment se fait-il que la nature du langage nie la possibilité de ne pas employer d'images ? Que *vert* vienne de *vis* et soit une allusion à la force de la végétation, c'est là un rapport aussi beau qu'indiscutable ; mais est également indiscutable l'actuelle simplicité de ce mot et sa référence immédiate à une idée unique. Qu'*arriver* ait jadis signifié *aborder* et qu'au début, ç'ait été faire une image nautique que de dire que l'hiver arrivait, ne détruit pas l'absolue objectivité de la même observation faite maintenant. Ma parenthèse était donc stupide. Tirons l'échelle.

9 novembre

La recherche d'un renouvellement est liée à l'envie de construire. J'ai déjà nié toute valeur poétique d'ensemble au recueil de poésies lyriques (*canzoniere*) qui prétend être un poème, et pourtant je me demande toujours comment disposer mes petits poèmes afin d'en multiplier et d'en compléter la signification. Il me semble de nouveau que je ne fais rien d'autre que présenter des états d'âme. De nouveau me manque un jugement de valeur, la « critique » du monde.

Il est certain que la disposition calculée des poèmes dans le recueil-de-poésies-lyriques-poème ne correspond qu'à un certain plaisir décoratif et réfléchi. C'est-à-dire, si l'on prend par exemple les poèmes des *Fleurs du Mal,* qu'ils soient disposés comme ci ou comme ça, cette disposition peut être élégante et élucidatrice, voire même critique, mais rien de plus. Cela si on les considère comme déjà composés, mais *le fait que Baudelaire les ait compo-*

sés ainsi un à un, convaincants et passionnants dans leur ensemble comme un récit, ne pourrait-il pas découler de la conception morale, jugeante, exhaustive de leur totalité? Peut-être une page de la *Divine Comédie* perd-elle sa valeur intrinsèque de note sur un tout, si on la détache du poème ou si on la déplace ?

Mais, remettant à un meilleur moment l'analyse de l'unité de la *Comédie,* est-il possible de donner une valeur d'appartenance-à-un-ensemble à un poème conçu en soi, au hasard de l'inspiration ? Que, du reste, Baudelaire n'ait pas conçu un poème isolément, mais qu'il l'ait pensé par rapport aux autres, ne me paraît pas vraisemblable.

Il y a autre chose. Étant donné que la signification profonde d'un poème n'est claire pour son auteur que lorsqu'il est entièrement achevé, comment cet auteur pourrait-il construire son livre en réfléchissant sur les poèmes déjà faits ? Le recueil-poème est donc toujours un *afterthought.* Il reste pourtant toujours l'objection qu'il a bien été possible de concevoir comme un tout — ne parlons pas de la *Divine Comédie* — mais certainement les drames shakespeariens. Il faut le dire : l'unité de ces œuvres provient justement de la persistance réaliste du personnage, du déroulement naturaliste de l'action, qui, se produisant dans une conscience non futile, perd sa matérialité et acquiert une signification spirituelle, devient état d'âme.

10 novembre

Pourquoi est-ce que je demande toujours à mes poèmes un contenu exhaustif, moral, jugeant ? Moi qui ne supporte pas que l'homme juge l'homme ?

Mon exigence n'est rien d'autre qu'un vulgaire désir de *dire mon mot*. Ce qui est très loin de rendre la justice. Est-ce que je rends justice, dans ma vie ? La justice m'importe-t-elle le moins du monde dans les choses humaines ? Et alors pourquoi est-ce que je prétends qu'elle soit prononcée dans les choses poétiques ?

S'il y a une figure dans mes poèmes, c'est celle de celui qui s'est enfui de chez lui et qui revient avec joie à son petit village, après en avoir vu de toutes les couleurs et rien que des choses pittoresque, avec très peu envie de travailler, prenant un grand plaisir à des choses très simples, toujours large, débonnaire et net dans ses jugements, incapable de souffrir profondément, content d'obéir à la nature et d'être heureux avec une femme, mais content aussi de se sentir seul et dégagé, prêt chaque matin à recommencer les *Mers du Sud* en somme.

12 novembre

Ce qui précède peut être généralisé. Il faudrait faire l'inventaire des poèmes du livre, de ceux qui n'entrent pas dans le cadre tracé. Il est évident que ce ne sera pas la diversité des événements qui différenciera les groupes, d'autant plus que mon protagoniste « en voit de toutes les couleurs », mais la diversité dans les sentiments, par exemple : capacité de souffrir profondément, intolérance de la solitude, mécontentement de la nature, prudence et méchanceté. La seule de ces attitudes proposées que je trouve exceptionnellement déjà réalisée, c'est l'intolérance de la solitude dans le domaine sexuel (*Maternité* et *Paternité*). Mais je pressens que la voie nouvelle ne sera ni dans le sens parcouru déjà en long et en large ni dans les divers « refus » imaginés par opposition ; mais dans l'exploitation de quelque moyen latéral qui, en conservant le personnage déjà réalisé, déplace insensiblement les intérêts et l'expérience. Cela est arrivé à l'époque d'*Une saison,* où, m'intéressant à la vie charnelle jusque-là méprisée, j'ai conquis un nouveau monde de formes (saut des *Mers du Sud* au *Dieu-bouc*). En somme, la recherche d'un nouveau personnage est stérile et est fécond l'intérêt humain de l'ancien personnage pour des activités nouvelles.

16 novembre

Le problème esthétique, le mien et celui de mon époque, le plus urgent est sans contredit celui de l'unité d'une œuvre de poésie. Savoir si l'on doit se contenter du lien empirique accepté dans le passé, expliquer ce lien comme une transfiguration de matière en esprit poétique ou chercher un nouveau principe ordonnateur de la substance poétique. Les pulvérisateurs actuels de la poésie, les *poètes de la précision,* ont senti ce problème et ont nié les trois points énoncés ci-dessus. Il faut revenir à la poésie de situation. En acceptant telles quelles les situations du passé ou en proposant une nouvelle manière spirituelle de situer les faits ?

La nouvelle manière que je croyais avoir réalisée — l'image-récit — me semble maintenant ne pas valoir plus que n'importe quel moyen rhétorique hellénistique. C'est-à-dire une simple trouvaille, du genre de la répétition ou de l'*in medias res,* qui a une grande efficacité occasionnelle mais qui ne suffit pas à constituer une perspective suffisante.

17 novembre

En en étant éloigné, je commence à inventer (fréquentatif d'*invenire*) une fonction conditionnante de l'art précisément dans le Piémont et principalement à Turin. Ville de la rêverie, à cause de son aristocratique plénitude faite d'éléments nouveaux et anciens ; ville de la règle, à cause de son manque absolu de fausses notes dans le domaine matériel et dans le domaine spirituel ; ville de la passion, à cause de son caractère bénévolement propice aux loisirs ; ville de l'ironie, à cause de son bon goût dans la vie ; ville exemplaire, à cause de son calme riche de tumulte. Ville vierge en art, comme celle qui a déjà vu d'autres faire l'amour et qui, en ce qui la concerne, n'a toléré jusque-là que des caresses, mais qui est prête maintenant, si elle trouve son homme, à franchir le pas. Ville enfin où, arrivant du dehors, je suis né spirituellement : mon amante et non ma mère ni ma sœur. Et beaucoup d'autres sont avec elle dans ce rapport. Elle ne peut qu'avoir une civilisation, et moi je fais partie d'un groupe. Les conditions y sont toutes.

24 novembre

Il me semble que je découvre ma nouvelle veine. Il s'agirait de la *contemplation inquiète* de choses, voire même piémontaises. Je m'aperçois qu'avant, je travaillais dans la *contemplation éblouie* (*Mers du Sud, Paysage pour Tina, Portrait de l'auteur*) et que, non seulement après le 15 mai, mais déjà dans des choses précédentes de cette année (*Travailler fatigue, Ulysse, Aventures, Extérieur*), entraient un frisson, une tristesse, une souffrance, ignorés auparavant ou durement réprimés. Il va de soi que, depuis mai-août, cela est devenu la règle. Elle fond ensemble, cette nouvelle recherche, des notes plus anxieuses, plus *spirituelles* et une matérialité passionnelle renouvelée de sûre promesse. Seraient-ce mes *whispers of heavenly death ?* En tout cas, pour avoir une idée claire du passage, confronter le *Paysage* du fusil avec la *Lune d'août :* ce qui, dans le premier, était spiritualisation de scène tout entière descriptive, est vraiment, dans le second, création d'un mystère naturel autour d'une angoisse humaine.

5 décembre

Il doit avoir une signification quelconque le fait que, en découvrant ma manière, je ne me suis en rien aidé de la facilité de la matière sexuelle. *Mers du Sud, Ancêtres, Fumeurs de papier* ignorent cette veine. Et si j'abordais ce sujet, c'était de façon dédaigneuse et pédante (se rappeler *Femmes perdues,* le *Blues des blues, Petites institutrices*). Ma nouvelle préoccupation commença avec *Chanson de route* et *Trahison,* sous la forme d'une vivante description d'expériences sensorielles. Jusqu'au moment où elle éclata comme nouvelle matière projetée dans le monde avec *Une saison.* Là, le sujet était justement l'importance et l'*all-pervadingness* du sexe, la réduction de toutes les expériences sensorielles à des équivalents du sexe (« le vent de mars sur les vêtements »). Un retour à l'abaissement « malicieux » des sensations sexuelles peut être une issue au bourbier de la monotone facilité descriptive actuelle. Mais comment s'accorderont cette « malice » sexuelle et l'inquiétude contemplative signalée le 24 novembre ? A première vue, il semblerait que malice et inquiétude s'opposent.

6 décembre

Blasphémer, pour ces types à l'ancienne qui ne sont pas tout à fait convaincus que Dieu n'existe pas, mais qui, tout en se fichant de lui, le sentent de temps en temps entre leur chair et leur peau, est une belle activité. Une crise d'asthme et l'homme se met à blasphémer avec rage et ténacité : avec l'intention très nette d'offenser ce Dieu éventuel. Il pense que, après tout, s'il existe, chaque blasphème est un coup de marteau sur les clous de la croix et un peu de chagrin fait à Dieu. Ensuite, Dieu se vengera — c'est son système — il fera le diable à quatre, il enverra d'autres malheurs, il vous mettra en enfer, mais même s'il bouleverse le monde, personne ne lui enlèvera le chagrin qu'il a éprouvé, les coups de marteau dont il a souffert. *Personne !* C'est une belle consolation. Et, bien sûr, cela démontre qu'après tout ce Dieu n'a pas songé à tout. Pensez donc, il est le maître absolu, le tyran, le tout ; l'homme est une merde, un rien du tout, et pourtant l'homme a cette possibilité de le faire mettre en colère, de le mécontenter et de lui gâter un instant de sa bienheureuse existence. C'est vraiment là le « *meilleur témoignage que nous puissions donner de notre dignité*[1] ». Comment se fait-il que Baudelaire n'ait jamais écrit un poème là-dessus ?

7 décembre

Il faudrait approfondir l'affirmation que le secret de maint grand art réside dans les obstacles que,

1. En français dans l'original.

sous forme de règles, le goût contemporain impose. Les règles de l'art, en proposant un idéal défini à atteindre, donnent à l'artiste un but qui empêche le travail à vide de l'esprit. Mais il faut ajouter que jamais la valeur des œuvres ne réside pour nous dans l'observation des règles, mais — vu l'hétérogénéité des fins — dans des structures qui se sont développées sous la main de l'artiste pendant sa recherche de ce que la règle — le goût — réclame. L'esprit surchauffé par un jeu rationnel, tel que la tentative d'atteindre certains résultats réputés de valeur, dépasse la valeur abstraite de convention de ces « goûts » et crée extatiquement de nouvelles architectures. Sans le savoir, et c'est logique, si l'on pense que le secret d'une structure artistique échappe à son créateur jusqu'au moment où, se l'élucidant, il lui enlève son intérêt. C'est ainsi que je résous le besoin d' « intelligence » en art : il y a application consciente de celle-ci, mais seulement à ces buts contemporains qui, valant pour l'artiste et pour l'époque, sont fondus ensuite dans l'éruption de poésie née du surchauffement de l'esprit. L'artiste travaille avec son cerveau à des buts qui perdront leur valeur pour la postérité ; mais ce faisant, son « cerveau » crée pré-critiquement de nouvelles réalités intellectuelles. Exemple : la manie du « *conceit* » chez les Élisabéthains et son résultat shakespearien de l'image-récit. Le goût de l'exemple concret dans le monde scientifique classique et la vision cosmique résultante de Lucrèce.

15 décembre

En ce qui me concerne, la composition d'un poème se produit d'une façon à laquelle — si l'expérience ne me le montrait pas — je n'aurais jamais cru. Me mouvant autour d'une situation suggestive informe, je me gémis à moi-même une pensée, incarnée dans un rythme ouvert, toujours le même. Les divers mots et les divers enchaînements colorent cette nouvelle concentration musicale en l'individualisant. Et le plus gros est fait. Il ne reste plus maintenant qu'à revenir sur ces deux, trois ou quatre vers, presque toujours, à ce stade, définitifs et initiaux, et à les torturer, à les interroger, à leur adapter des développements variés, jusqu'au moment où je tombe sur celui qui est juste. La poésie doit être tout entière extraite de ce noyau dont j'ai parlé. Et chaque vers qui s'ajoute le détermine toujours mieux et exclut un nombre toujours plus grand d'erreurs imaginaires. Jusqu'au moment où les possibilités intrinsèques du point de départ sont toutes individualisées et développées selon mes possibilités ; au fur et à mesure se sont formés sous ma plume de nouveaux noyaux rythmiques, identifiables dans les diverses « images » particulières du récit, et j'arrive, nonchalamment parce que maintenant l'intérêt prend fin, au dernier vers conclusif presque toujours détendu, reposé, rattaché au début et récapitulant allusivement les divers noyaux. Serait-ce là la cristallisation de Stendhal ? J'ai devant moi un ensemble rythmique — plein de couleurs, de passages, de déclics et de détentes — où les divers moments de découverte, de pas en avant — les noyaux, en somme — s'échangent, s'éclairent, perpétuellement activés par le sang rythmique qui circule partout. Là-dessus, je fume une cigarette et je tente de penser à autre chose, mais je souris, stimulé par mon secret.

16 décembre

Que ce soit ou non hasard, en expliquant ma manière, j'ai laissé de côté l'image-récit. Je parle d'une situation suggestive ; de noyaux, de sang, d'ensembles rythmiques. Et je dis que chaque noyau est une image dans le récit.

Ce qui montre clairement que l'image-récit n'a pas été autre chose qu'une tentative d'interprétation technique de ma poésie ; probablement une métaphore elle-même ; en tout cas, certainement pas un programme actuel. Que les diverses images qui « s'échangent et s'éclairent » soient le *progressus* de chaque poème est un état de fait et laisse inexplorée la question de savoir si la poésie est un récit d'images ou si elle n'est pas plutôt un jeu d'images asservies à un noyau primitif d'importance éthique et rythmique. N'y aurait-il pas plutôt lieu de faire une enquête sur la « sentenciosité » (éthique et rythme) de ces poésies ? C'est un fait que, le plus souvent, ce que j'écris saute d'image en image, s'enivre de gémissement rythmique, joue, pour conclure ensuite (et cette conclusion ne vient pas nécessairement à la fin) par une sentence, par une morale qui projette de la lumière sur le tout. Et si les nœuds de la composition étaient les *Sayings* et non les mythes ; par exemple, si, dans le dernier *Paysage,* l'accent n'était pas sur les chevaux ou sur celui qui s'est enfui de chez lui, mais sur le vers conclusif ?

J'ajoute que l'un de mes poèmes les plus simplement composés — *Raisin de septembre* — s'achève justement par cette maxime *qui unifie toutes les images :* « ainsi, les femmes ne seront pas les seules à jouir du matin ».

Me serais-je jusqu'à présent subtilement trompé ?

18 décembre

Mais alors, si le *point* de mes poèmes réside dans la morale diversement exprimée ou dissimulée, j'avais déjà obtenu beaucoup de choses que je recherchais théoriquement. Ce qui, entre autres, doit être vrai sans discussion possible, s'il est vrai que j'ai composé quelques poèmes qui atteignent au définitif. Par exemple, voici obtenu le jugement éthique sur les choses de ce monde, voici la gravité des raisons, voici la revanche sur la sensualité pure. Voici l'universalité du monde extérieur exprimé, dont je craignais qu'elle ne fût qu'un jeu littéraire. Voilà tout, en somme. Aujourd'hui est vraiment une journée à marquer d'une pierre blanche.

20 décembre

La vie sans fumée est comme le fumet sans le rôti.

Ou policiers ou criminels.

29 décembre

Des deux choses, écrire des poèmes et étudier, c'est dans la seconde que je trouve le plus grand et le plus constant réconfort. Je n'oublie pas néanmoins que si j'aime étudier, c'est toujours en vue d'écrire des poèmes. Mais au fond, l'expression poétique est une blessure toujours ouverte, d'où s'exhale la bonne santé du corps.

1936

16 février

Le hasard m'a fait commencer et finir *Travailler fatigue* par des poèmes sur Turin — plus précisément, sur Turin en tant que lieu d'où l'on revient, et sur Turin en tant que lieu où l'on reviendra. On dirait que mon livre est l'extension de S. Stefano Belbo[1] et sa conquête de Turin. Parmi les nombreuses explications du « poème », celle-ci en est une. Le village devient la ville, la nature devient la vie humaine, le gosse devient homme. A ce que je vois, « de S. Stefano à Turin » est le mythe de toutes les significations imaginables pour ce livre.

Ce qui est tout aussi curieux, c'est que tous les poèmes composés après le dernier *Paysage* parlent d'autre chose que de Turin. Le hasard semble vouloir m'apprendre à transformer mon malheur en un changement de poésie décisif.

Dépasser Turin et les jeux qui s'y rattachent, signifiera construire un autre monde dont les bases seront, comme toujours, une période bien déterminée de douleur et de silence. Car, quoi que j'écrive pendant ces mois de fiévreuse oisiveté, ce sera toujours seulement une « curiosité » pour l'avenir, c'est-à-dire du silence. Pendant ces mois, maintes valeurs du passé s'écroulent et des habitudes intérieures se détruisent que — chance extraordinaire — rien ne remplace pour le moment. Je dois apprendre à accueillir cette ruine futile, cette pénible inutilité comme un don béni — comme n'en reçoivent que les poètes — comme le grand rideau tendu devant la représentation qui devra ensuite recommencer. Je m'explique. Je retourne à un état larvaire d'enfance ou, mieux, d'immaturité, avec toutes les grossièretés et tous les désespoirs de cette période. Je redeviens l'homme qui n'a *pas* encore écrit *Travailler fatigue*.

1. Village natal de Pavese.

Passer des heures à me ronger les ongles, à désespérer des hommes, à mépriser la lumière et la nature, à être la proie de peurs enfantines et pourtant atroces, est un retour à mes vingt ans. Quel monde s'étend de l'autre côté de cette mer ? Je ne le sais pas, mais toutes les mers ont une autre rive et j'arriverai. Je me dégoûte maintenant de la vie pour pouvoir la savourer une autre fois.

Ce qui est certain, les poèmes écrits maintenant — *Paroles, Autres temps, Poétique, Mythe, Simplicité, Un Souvenir, Paternité, L'instinct, Tolérance, U steddazzu* — vont idéalement avec le *Dieu-bouc, Ballet, Pensées de Dina, Jalousie, Création, Après, Agonie* et les poèmes oubliés : ce sera un petit livre d'*Épaves,* non l'œuvre de l'avenir.

L'avenir viendra d'une longue douleur et d'un long silence. Il pré-suppose un état de telle ignorance et de telle détresse qu'il devienne de l'humilité, la découverte en somme de nouvelles valeurs, un nouveau monde. L'unique avantage que j'aurai sur mes vingt ans, ce sera d'avoir la main sûre, l'instinct inconscient. Le désavantage : la moisson précédente et l'épuisement du fonds.

Mais — il faut que je le sache — la nouvelle œuvre commencera seulement à la fin de la douleur. Pour le moment, je ne puis que rêvasser d'esthétique, rêvasser au problème de l'unité, et étudier des questions pour mettre fin à la douleur.

17 février

Il est bon de se référer à Homère. Quelle est l'unité de ses poèmes ? Chaque livre a son unité sentimentale propre, son unité de position, à cause de laquelle, harmonieusement et, aussi, physiquement, on le lit comme un ensemble. *Odyssée,* livre VIII : le réconfort de la poésie, de la danse, de la compétition, le chant, le mythe doré, badin ; la revanche de la noblesse de vie, dans une oasis de joies et de larmes idéales. *Odyssée,* livre X : l'aventure, la succession d'obstacles, les pleurs humains et le durcissement. *Iliade,* livre III : la belle femme et la guerre pour la femme, et l'amour énervant. Et ainsi de suite, Homère, ou celui qu'on appelle ainsi, pensait-il à ces définitions ? Je ne crois pas, mais il est révélateur que le livre où vit toute la Grèce soit fait de cette manière ou, ce qui est la même chose, qu'il soit possible de l'interpréter ainsi.

Mais attention ! La grande séduction de ces deux poèmes, c'est l'unité *matérielle* de leurs personnages, qui s'allume de temps en temps dans ces conflagrations de poésie. C'est-à-dire que nous avons, dès le premier exemple de grande poésie intentionnelle, ce double jeu : déroulement naturel d'événements (qui pourraient, sans dommage, être deux fois plus nombreux ou moitié moins nombreux) et illuminations poétiques successives et organiques. C'est-à-dire le *récit* et la *poésie.* L'union des deux éléments n'est plus qu'*habileté.*

Le problème qui se pose maintenant, c'est de savoir s'il n'est pas possible de recommencer ce miracle dans des poèmes séparés : pour l'unique raison que l'esprit tend toujours, dans toutes ses manifestations, à l'*unité.* Composer selon l'inspiration mais faire, avec une invisible habileté, que les divers fragments concourent à former un poème.

Le moyen le plus simple semblerait de conserver un même élément protagoniste dans les poèmes successifs. Mais cela ne va pas, car, alors, il vaudrait mieux faire carrément un poème narratif, chose démontrée absurde.

Ce qui reste, c'est de rechercher dans un groupe de poèmes les correspondances, subtiles et presque toujours secrètes, de *sujet* (unité *matérielle*) et d'éclairage (unité spirituelle).

Rechercher ces correspondances, veut dire les y mettre en composant ; et les moyens sont : s'habituer à considérer la nature (monde de sujets) comme un tout bien déterminé, céder judicieusement aux échos et aux appels venus de poèmes précédents, chercher en somme ses sujets à froid, en en calculant la place, et s'abandonner intuitivement, à chaud, à la vague rythmique du passé. Se dire, en composant un poème : je découvre un autre coin de ce monde que je connais déjà en partie, s'aider pour cette découverte, de rappels du déjà connu, voir en somme combien est bon et juste son passé. Ne jamais prétendre faire un saut dans l'inconnu, ni renaître tout d'un coup un matin. Utiliser les mégots de la soirée précédente et se convaincre que le temps — l'avant et l'ensuite — est seulement une idée fixe. Mais, surtout, ne jamais faire le serpent, ne jamais rejeter sa peau : car qu'est-ce que l'homme a en propre, qu'est-ce qu'il a de vécu, sinon ce qui est justement déjà vécu ? Mais se tenir en équilibre, parce que qu'est-ce que l'homme a à vivre sinon justement ce qu'il ne vit pas encore ?

Autre point intéressant chez Homère, les épithètes et les vers récurrents : tout ce qui en somme constitue dans chaque cas un nerf lyrique d'une valeur indiscutable, et qui est chaque fois transcrit, identique ou à peu près, sans qu'on se donne la peine de revoir l'intuition primitive. (Là aussi, il ne sert à rien de dire — ce qui est la vérité — qu'il s'agit de langue poétique, de jargon consacré, d'expressions devenues par l'usage un seul vocable, de cristallisations hiératiques d'un sentiment. C'est possible, et même c'est le cas, mais, à moi, ces expressions font un autre effet et j'ai le droit d'en parler comme si elles étaient le résultat d'un choix délibéré d'Homère. Son intention ne compte pas, ce qui compte, c'est ce que j'y vois, moi, lecteur.)

C'est pour cela que je crois qu'il s'agit d'un moyen technique très important, d'où tirer une partie de l'unité des livres isolés. Je ne sais si tous les lecteurs ont remarqué que chaque livre est caractérisé par un certain groupe d'épithètes et de vers récurrents à lui réservés. Il semblerait que la matérialité de certains gestes, de certaines figures, de certaines répétitions, se colore, de la sorte, de poésie ; celle-ci serait-elle même mnémonique et cristallisée — pour dissimuler la pauvreté d'invention obligée. Qu'en somme, le premier Grec ait tout bonnement senti l'opposition entre récit et poésie et qu'il s'efforce ainsi — pour notre plaisir, naivement — de la combler. Il va de soi que, en changeant de livre, change aussi — mais pas toujours, bien entendu — le ton des répétitions, selon la coloration particulière ou, si l'on veut, l'idée centrale de chaque livre.

Pour conclure, un moyen d'obtenir l'unité, c'est la récurrence de certaines formules lyriques qui recréent le vocabulaire, transformant une épithète ou une phrase en un simple mot. De tous les moyens d'inventer la langue (l'œuvre du poète), c'est là le plus convaincant et, si l'on y réfléchit, le seul réel. Et cela explique que, dans toute cette partie de l'œuvre où reviennent des formules semblables, circule un air d'unité : c'est le même homme — inventeur — qui parle.

23 février

Plus j'y pense et plus me paraît remarquable la facture homérique du livre-unité. A un stade, que tout devrait faire supposer enclin à l'uniformité, se manifeste au contraire le goût de la tapisserie limitée et bariolée, la recherche de l'unité différenciée. C'est en réalité un auteur de nouvelles diversement traitées (l'amour, la passion héroïque, l'aventure, la guerre, l'idylle, le retour, le monde jouisseur, le plaisir de la société, la vengeance, la colère, etc.). En cela il est comme ses collègues Dante et Shakespeare : puissants, fabuleux constructeurs qui se délectent du détail senti jusqu'à la fioriture, qui respirent toute la vie par de régulières et parfaites respirations quotidiennes. Surtout, ce ne sont pas les hommes du cri brusque et monotone, qui jaillit de l'expérience, la sous-entend et l'unifie en une sensation : mais les voyants bien disants, tout entiers choses, tranquilles et impassibles promoteurs de la variété, les sournois de l'expérience, qui la taillent et la distribuent en figures, comme par jeu, visant, très habiles, à la remplacer. Ils manquent surtout de naïveté.

Ainsi entendus, les créateurs apparaissent bien armés pour ce travail de grandiose et très subtile habileté, d'astuce, qui est nécessaire pour que soit satisfait le jeu de pont entre récit et poésie. Ils sont admirables dans le compromis, dans l'art tout entier social et fait de prudence de l'expérience. Au lieu de tirer une grandeur de la violence de leur sentiment, ils la tirent de leur art du savoir-vivre. Cette base biographique est l'unique chose qu'aient en commun les lyriques et les créateurs. Mais alors que pour les lyriques, tout s'éteint dans cette violence, pour eux, pour les *maîtres,* le savoir-vivre est un art qui sert simplement à façonner le matériel humain, libéré en soi, corrigé, *mené à terme :* mis à la disposition de tous. *Ainsi,* eux, ils disparaissent dans leur œuvre, alors que les lyriques s'y défont.

28 février

Il y a un parallèle pour moi entre cette année-ci et ma manière de considérer la poésie. De même que ce n'est pas aux grands moments (15 mai, 15 juillet, 4 août, 3 février) que j'ai connu la souffrance la plus atroce, mais à certains instants fugitifs des périodes intermédiaires ; l'unité du poème ne consiste pas dans les scènes-mères, mais dans la correspondance subtile de tous les instants créateurs. Ce qui revient à dire que l'unité ne doit pas tant au grandiose de la construction, à la charpente identifiable de la trame, qu'à l'habileté joyeuse des petits contacts, des reprises infimes et presque illusoires, à la trame des répétitions qui persistent sous chaque différence.

Qu'est-ce qui me fait souffrir chez elle ? Le jour où elle levait le bras sur le corso asphalté, le jour où on ne venait pas ouvrir et où elle est apparue ensuite avec ses cheveux en désordre, le jour où elle parlait doucement avec lui sur la digue, les mille fois où elle m'a bousculé. Mais ce n'est plus là de l'esthétique, ce sont des lamentations. Je voulais énumérer des beaux et infimes souvenirs, et je ne me rappelle que les tortures.

Allons, celles-ci serviront tout de même. Mon histoire avec elle n'est donc pas faite de grandes scènes mais de très subtils moments intérieurs. C'est ainsi que doit être un poème. Elle est atroce, cette souffrance.

15 mars

Fin du « *confino* »[1].

1936

10 avril

Quand un homme est dans l'état où je suis, il ne lui reste qu'à faire son examen de conscience.

Je n'ai pas de raison de repousser cette idée fixe qui est la mienne, que tout ce qui arrive à un homme est conditionné par son passé ; est, en somme, mérité. Évidemment, si je me trouve au point où j'en suis, c'est que je suis allé un peu fort.

Avant tout, *légèreté morale*. Me suis-je jamais posé vraiment le problème de savoir ce que, en conscience, je dois faire ? J'ai toujours obéi à des impulsions sentimentales, hédonistes. Il n'y a aucun doute là-dessus. Même ma misogynie (1930-1934) était un principe voluptuaire : je ne voulais pas d'embêtements et je me plaisais à cette pose. Combien cette pose était invertébrée, on l'a vu ensuite. Et en ce qui concerne également le travail, ai-je jamais été autre chose qu'un hédoniste ? Travailler fiévreusement, par à-coups, poussé par l'ambition, voilà ce qui me plaisait, mais j'avais peur,

1. *Confino,* résidence surveillée.

peur de me lier. Je n'ai jamais vraiment travaillé et, en fait, je ne connais aucun métier. Et un autre défaut apparaît clairement. Je n'ai jamais été le simple inconscient qui jouit de ses satisfactions et qui s'en fiche. Je suis trop lâche pour cela. Je me suis toujours flatté de l'illusion que j'avais le sens de la vie morale, parce que je passais des instants délicieux — c'est le mot juste — à me fabriquer des cas de conscience, sans me décider à les résoudre par l'action. Si même je me refuse à exhumer le plaisir que j'éprouvais naguère à cet avilissement moral à fin esthétique dont j'attendais une carrière de génie. Et cette période, je ne l'ai, du reste, pas encore dépassée.

Au fait ! Maintenant que j'ai atteint la pleine abjection morale, à quoi est-ce que je pense ? Je pense comme ce serait beau si cette abjection était aussi matérielle, si j'avais par exemple des souliers troués.

C'est seulement ainsi que s'explique mon actuelle vie de suicidé. Et je sais que je suis pour toujours condamné à penser au suicide devant n'importe quel ennui ou douleur. C'est cela qui me terrifie : mon principe est le suicide, jamais consommé, que je ne consommerai jamais, mais qui caresse ma sensibilité.

Le terrible, c'est que tout ce qui me reste maintenant ne suffit pas à me corriger, parce que — les trahisons mises à part — je me suis déjà trouvé dans le passé dans cet état identique et, déjà alors, je n'avais trouvé aucun salut moral. Ce n'est pas cette fois-ci non plus que je m'endurcirai, c'est clair.

Et pourtant — à moins que le sentiment amoureux ne me leurre, mais je ne le crois pas — j'avais trouvé la voie du salut. Et malgré toute la faiblesse qu'il y avait en moi, cette personne savait me lier à une discipline, à un sacrifice, par le simple don de soi. Et je ne crois pas que ç'ait été la vertu de Pierino [1], car le don qu'elle me faisait d'elle-même me haussait jusqu'à l'intuition de nouveaux devoirs, les *concrétisait* devant moi. Parce que, abandonné à moi-même, j'en ai fait l'expérience, je suis *certain* de ne pas y réussir. Devenu une seule chair et un seul destin avec elle, j'y aurais réussi, j'en suis tout aussi certain. Également à cause de ma lâcheté même, à côté de moi, elle aurait été un impératif.

Au lieu de cela, qu'a-t-elle fait ? Sans doute ne le sait-elle pas, ou, si elle le sait, ça lui est égal. Et c'est justement parce qu'elle est elle et qu'elle a son passé qui lui trace son avenir.

Mais elle a fait cela. Elle a fait que j'ai eu une aventure durant laquelle j'ai été jugé et déclaré indigne de continuer. Devant un tel échec, les regrets de l'amant qui sont pourtant tellement atroces ne sont absolument plus rien, pas plus que n'est quelque chose la perte de sa situation, qui pourtant est grave.

Le sens de cet effondrement se confond avec les coups de marteau qui, en 1934, avaient cessé de me frapper, mis à part l'esthétique, les poses, le génie, toutes les couillonnades, ai-je jamais fait quelque chose dans ma vie qui ne soit pas d'un con ?

D'un con au sens le plus banal et le plus irrémédiable, d'un homme qui ne *sait pas* vivre, qui n'a pas

1. Héros de nombreuses historiettes italiennes. Quelque chose comme notre Toto.

grandi moralement, qui est vain, qui se soutient avec l'idée du suicide mais qui ne le commet pas.

20 avril

Voyons si de là aussi on peut tirer une leçon de technique.

La leçon habituelle — banale mais pas encore sué à fond. Il est suprêmement voluptueux de s'abandonner à la sincérité, de s'anéantir dans quelque chose d'absolu, d'ignorer tout ce qu'il y a d'autre ; mais justement — c'est voluptueux — c'est-à-dire qu'il faut cesser. S'il est une chose qui devrait désormais être claire pour moi, c'est bien celle-ci : toutes les fois où je me suis laissé avoir, c'est venu de mon abandon voluptueux à l'absolu, à l'inconnu, à l'inconsistant. Je n'ai pas encore compris quel est le tragique de l'existence, je ne m'en suis pas encore convaincu. Et pourtant c'est tellement clair ; il faut vaincre l'abandon voluptueux, cesser de considérer les états d'âme comme des fins en soi.

Pour un poète, c'est difficile. Ou aussi très facile. Un poète se plaît à s'enfoncer dans un état d'âme et il en jouit ; voilà la fuite devant le tragique. Mais un poète devrait ne jamais oublier qu'un état d'âme pour lui n'est encore rien, que ce qui compte pour lui c'est la poésie future. Cet effort de froideur utilitaire est son tragique.

Qu'il faille vivre tragiquement et non voluptueusement, ce que j'ai souffert jusqu'à présent le prouve. Ou plutôt, ce que j'ai inutilement souffert. La relecture de mes poésies de 1927 m'a ouvert les yeux. Retrouver dans cette naïveté délayée et napolitaine les mêmes pensées et les mêmes mots que ceux de ce mois dernier m'a atterré. Neuf ans ont passé et je réponds encore aussi enfantinement à la vie ? Et cette virilité qui semblait ma chose, une chose durement conquise par mes années de travail, était-elle si inconsistante ?

La poésie, moins que toute autre chose, est responsable de cette insuffisance. La poésie, en tout cas, m'a appris à me dominer, à me recueillir, à voir clair ; la poésie m'a *servi,* au sens le plus pratique du mot. La faute en est à la rêvasserie, chose très différente, et ennemie du bon art. Elle en est à mon besoin d'éviter les responsabilités, de *sentir* sans payer.

Ce n'est pas seulement une similitude que le parallélisme entre une vie d'abandons voluptueux et le fait d'écrire des poésies isolées, petites, une de temps en temps, dont l'ensemble n'engage pas. Cela habitue à vivre par à-coups, sans se développer et sans principes.

La leçon est celle-ci : construire en art et construire dans la vie, bannir le voluptueux de l'art comme de la vie, être tragiquement. (Cela n'empêche pas, bien entendu, de faire des cochonneries de temps en temps, ou un petit sonnet et une nouvelle ; il faut même le faire. Seulement, se rappeler que, pour composer une nouvelle ou une soirée, il ne faut pas déranger ciel et terre.)

Cela expliqué et paraphé, il est humain de me laisser m'épancher et penser que personne ne m'avait jamais fait aussi grand tort. Non pas en ce qui concerne l'amour — nous en avons plein les couilles, de l'amour — mais pour cette autre raison, pour la raison que justement cette fois-ci, je cherchais à *payer,* à répondre, à me lier et à me limiter, à donner en somme une valeur tragique au voluptueux. Il est bien que le contraire me soit arrivé : on verra de la sorte si ma virilité peut se reprendre. C'est bien, c'est bien, mais pourtant ç'a été une grosse saloperie. Et si on y réfléchit, si on exclut volontiers toute passion et toute rêvasserie voluptueuses, qui peut dire si ma torture ne naît pas justement de ceci — de ce qu'une chose injuste m'a été faite — une mauvaise action ? Et est-ce qu'on ne trouverait pas, là aussi, une leçon de technique, une poétique ?

22 avril

La vérité, c'est que rien de ce monde ne m'est encore passé à travers l'esprit, se projetant en radiographie dans sa structure de réalité constitutive et métacorporelle. Je ne suis pas encore parvenu au squelette gris et éternel qui est en dessous.

J'ai vu des couleurs, respiré des odeurs et caressé des gestes, me contentant d'une joie élective et réordonnatrice. J'ai plaisanté comme avec des amis et me suis amusé tout seul.

J'ai ignoré la parole pensée. Mes paroles ont été seulement des sensations. Mes portraits ont été des tableaux, non des drames. Je me suis fixé sur des figures et je les ai tellement ruminées et contemplées que je suis arrivé à en reproduire une transfiguration satisfaisante. J'ai simplifié le monde au point d'en faire une banale galerie de gestes de force ou de plaisir. Dans ces pages, il y a le spectacle de la vie, non la vie. Tout est à recommencer.

24 avril

Il faut avoir éprouvé l'obsession de l'auto-destruction. Je ne parle pas du suicide ; les gens comme nous, qui sont amoureux de la vie, de l'imprévu, du plaisir de « raconter », ne peuvent arriver au suicide que par imprudence. Et puis le suicide apparaît désormais comme l'un de ces héroïsmes mythiques, de ces fabuleuses affirmations d'une dignité de l'homme devant le destin, qui intéressent plastiquement mais qui nous laissent à nous-mêmes.

L'auto-destructeur est un type à la fois plus désespéré et plus utilitaire. L'auto-destructeur s'efforce de découvrir en lui-même tous ses défauts, toutes ses lâchetés, et de favoriser ces dispositions à l'anéantissement, en les recherchant, en s'en enivrant, en en jouissant. L'auto-destructeur est, en définitive, plus sûr de lui que n'importe quel vainqueur du passé, il sait que le fil de l'attachement au lendemain, au possible, au prodigieux futur est un câble plus robuste — lorsqu'il s'agit de l'ultime et forte secousse — que je ne sais quelle foi ou je ne sais quelle intégrité.

L'auto-destructeur est par-dessus tout un comédien et un maître de soi-même. Il ne néglige aucune occasion de se sentir et de s'éprouver. C'est un optimiste. Il espère tout de la vie et il s'accorde pour rendre, sous les mains de l'événement futur, les sons les plus aigus ou les plus significatifs.

L'auto-destructeur ne peut pas supporter la solitude.

Mais il vit dans un danger continuel ; le danger que le surprenne une rage de construction, de systématisation, un impératif moral. Alors, il souffre sans rémission, et il pourrait même se tuer.

Il faut bien remarquer ceci : de nos jours, le suicide est un moyen de disparaître, il est commis timidement, silencieusement, à plat ventre. Ce n'est plus un acte agi, c'est un acte subi.

Qui sait si le suicide optimiste reviendra encore en ce monde ?

Exprimer sous forme d'art, dans un but de catharsis, une tragédie intérieure, seul peut le faire l'artiste qui, à travers la tragédie qu'il a vécue, tendait déjà délicatement ses fils constructifs, qui était déjà en somme le lieu d'une incubation créatrice. La tempête soufferte follement et dont on se libère ensuite par une œuvre, en risquant le suicide, cela n'existe pas. C'est si vrai que les artistes qui se sont vraiment tués à cause de ce qui leur était arrivé de tragique, sont en général des chanteurs légers, des dilettantes de sensations, qui ne laissèrent jamais rien voir dans leurs œuvres du cancer profond qui les rongeait. D'où l'on apprend que le seul moyen d'échapper à l'abîme c'est de le regarder, de le mesurer, de le sonder et d'y descendre.

Subir une injustice est d'une désolation tonifiante — comme un matin d'hiver. Cela remet en vigueur, selon nos plus jaloux désirs, la séduction de la vie ; cela nous redonne le sentiment de notre valeur par rapport aux choses ; cela flatte. Tandis que souffrir à cause d'un pur hasard, à cause d'un malheur, c'est avilissant. Je l'ai éprouvé et je voudrais que l'injustice, l'ingratitude eussent été encore plus grandes. C'est cela qui s'appelle vivre et, à vingt-huit ans, ne pas être précoce.

Quant à l'humilité. Il est si rare pourtant de souffrir une belle et totale injustice. Nos actes sont tellement tortueux. En général, on trouve toujours que nous aussi nous sommes un peu fautifs et adieu le matin d'hiver.

Non seulement un peu fautifs, mais entièrement fautifs, il n'y a pas à en sortir. Toujours.

Que le coup de couteau soit donné par jeu, par désœuvrement, par une personne sotte, ne diminue pas les élancements de douleur mais les rend plus atroces, car cela vous incite à méditer sur le caractère fortuit de la chose et sur votre propre responsabilité pour ne pas avoir prévu la chute.

J'imagine que ce serait un réconfort de savoir que la personne qui vous a blessé se consume de remords, *attache de l'importance à la chose?* Ce réconfort ne peut naître que du besoin de ne pas être seul, de resserrer les liens entre son propre moi et les autres. En outre, si cette personne souffrait du remords d'avoir blessé non pas moi en particulier mais seulement un homme en tant que créature, est-ce que je désirerais ces remords chez elle ? Il faut donc que ce soit moi précisément, et non l'homme qui est en moi, qui soit reconnu, regretté et aimé.

Et est-ce que le champ ne s'ouvre pas à une autre et durable torture, si l'on se rappelle que la personne qui vous a blessé *n'est pas* sotte, désœuvrée et légère ? Si l'on se rappelle qu'elle est habituellement sérieuse, compréhensive, crispée, et que ce n'est que dans mon cas qu'elle a plaisanté ?

Non seulement cette personne ne souffre pas du remords de m'avoir blessé, moi en particulier, mais elle se sent divertie justement dans mon cas particulier. Il n'y aurait qu'un moyen de trouver humaine la situation, et moi je me sens dans la situation opposée. De plus en plus beau.

25 avril

Aujourd'hui, rien.

26 avril

Et puis il y a aussi le genre de type qui, plus il tombe à terre et devrait seulement penser à se relever, plus il pense à voler et trouve là un motif d'exaltation. C'est avant tout le goût des contrastes et l'habitude de se contempler. Personne, s'il n'a le vice de se regarder comme un autre — un autre très important — ne peut, pendant qu'il souffre ou qu'il est préoccupé, s'exalter, en revanche, à l'idée du plaisir et de la liberté.

Un homme qui a vécu douze ans avec un idéal — et d'autant plus si cet idéal est inavoué —, se trouve inévitablement compromis dans son caractère et n'échappe plus à l'habitude de cet idéal, quand vient le réveil. Or, parmi les nombreuses choses monstrueuses, l'habitude d'un idéal est particulièrement laide. Et on se corrige de tout mais pas de cela. On pourra essayer de changer la direction de cet idéal, rien d'autre.

Heureusement que de toutes les habitudes spirituelles — passions, déformations, contentement de soi, sérénité, etc. — la seule et unique qui survive au temps, c'est le calme. Il reviendra.

Il faut y aller doucement pour communiquer les découvertes psychologiques de puissantes perversités à quelqu'un qui ignorait être tel ; car la première victime en sera le découvreur sincère. La vieille histoire du taureau de Perillos.

Celui qui révèle à une femme ce qu'elle est en puissance, en sera le premier cocu.

C'est mathématique. Oui, *mathématique.*

[...]

Quel meilleur moyen pour une femme qui veut « avoir » un homme que de l'amener dans un milieu qui n'est pas le sien, de l'habiller de façon ridicule, de l'exposer à des choses dont il n'a aucune expérience, et — en ce qui la concerne, elle — avoir autre chose à faire pendant ce temps-là, voire ces choses mêmes que l'homme ne sait pas faire ? Non seulement elle l' « a » devant le monde, mais — important pour une femme qui est l'animal le plus raisonnable qui existe — elle se convainc qu'il a été « eu » et elle conserve sa bonne conscience. Car avec l'habileté et l'expérience on arrive à cette chose incroyable : prédisposer les choses et les faits — les enchaînements de causalité — de telle façon que tout ce que l'on désire se produise sans blesser ses propres principes de comportement éthique.

[...]

27 avril

Il raconte :

« Elle m'a dit un jour comme elle me traiterait. C'était à cette époque inquiète ou rien ne s'était passé mais ou cela devait arrivé. Je la faisais parler de son passé, obsédé par l'idée d'en savoir le plus possible sur elle et d'avoir de quoi nourrir ma rêverie.

Elle parlait d'un jeune homme simple qui l'avait abordée dans le train. Elle le décrivait comme quelqu'un de décidé et de commun. Sans grand mal, elle l'avait rendu amoureux d'elle. En paroles et en gestes. (Avec moi aussi, elle a fait un voyage.) Et puis elle avait mis un terme à cette histoire en lui donnant un faux nom.

Et le jeune homme lui avait envoyé une demande en mariage écrite. »

28 avril

« Que les choses claires plaisent à Monsieur, cela me fait bien augurer de son bon goût. Mais que Monsieur veuille bien réfléchir et se rappeler que les choses claires sont tout de suite digérées et qu'après, l'appétit revient. Il vaut beaucoup mieux s'attaquer au difficile, s'évertuer à trouver le petit morceau, faire en somme durer davantage l'espérance. »

Pourquoi s'en faire tant ? Nous en sommes revenus à 1929. Composé des poèmes paresseux, souffert de l'incapacité de travailler, seul et contrit au milieu de la vie, vagabond enragé du spectacle public. Qu'est-ce qui manque ? Les sept ans écoulés ?

Mais quoi : la jeunesse a-t-elle jamais compté dans mon métier ? Et si ces sept ans ne *manquaient* pas, s'ils avaient tous bien fini, veux-je dire : composé des poésies durables, trouvé un travail satisfaisant, une compagne, reconnaissant à la vie, installé et heureux du spectacle public si tout s'était passé ainsi, reux du spectacle public ; si tout s'était passé ainsi, la peine ? Serais-je assis plus joyeux à cette table ?

Et, si je répondais que je serais heureux d'être lié, d'avoir des devoirs, est-ce que je ne dirais pas une chose inutile, étant donné que, des devoirs, pourvu qu'on le veuille, on en a toujours ?

Et alors, alors, est-ce vraiment seulement elle que je pleure ? Elle qui m'a « eu » ? Mais, si tout le reste est inchangé, que représente-t-elle de plus qu'une banale déception sentimentale ?

Joyeux jeune homme, il n'est même pas permis de se laisser sombrer dans une grande catastrophe ; cette catastrophe n'existe pas, nous sommes comme avant, nous avons brûlé sept ans, il y a eu de charmantes soirées, recommençons, mais sans hurler, et n'oublions pas qu'il *n'y a pas* de raison pour que, dans sept autres années, nous ne tenions pas de nouveau les mêmes propos. Et puis encore, et puis encore. Mais qui est-ce qui nous a dit que la vie était quelque chose d'agréable ? Jeune homme, nous avons encore des illusions juvéniles.

Mais, s'il est vrai que ça se passe comme ça pour tout le monde, comment se fait-il que les vieillards n'aient pas tous des visages bouleversés, torturés, abattus, brisés, et qu'ils soient au contraire si tranquilles ?

L'unique chose claire, c'est pourquoi les morts se putréfient. Avec tout ce poison dans le corps.

1er mai

Que la poésie naisse de la privation, est aussi confirmé par le fait que la poésie grecque sur les héros s'accomplit quand les épigones sont chassés des patries contenant les tombes des héros (cf. *Psyché,* I, p. 43).

5 mai

Le péché n'est pas un acte plutôt qu'un autre, mais toute une existence mal ordonnée. Il y en a qui pèchent et d'autres qui ne pèchent pas. Les mêmes choses (haïr, « avoir » quelqu'un, paresser, maltraiter quelqu'un, s'humilier, s'enorgueillir) sont des péchés chez l'un et n'en sont pas chez d'autres.

Avoir péché, cela veut dire demeurer convaincu que, d'*une façon mystérieuse,* cet acte est créateur de malheur pour vous dans l'avenir, qu'il a enfreint une quelconque loi *mystérieuse* d'harmonie et qu'il n'est qu'un anneau dans une chaîne de dissonances précédentes et futures. Vivre, c'est comme faire une longue addition, où il suffit de s'être trompé dans le total des deux premiers nombres à additionner pour ne plus en sortir. Cela veut dire s'engrener dans une chaîne dentée, etc.

9 mai

Le réconfort de s'humilier entre-t-il aussi dans les habituelles voluptés ou est-il un principe valide ?

C'est-à-dire nous humilions-nous pour exploiter un contrecoup de l'expérience en en faisant le prétexte d'un auto-spectacle gratuit (sans engagements moraux) ou pour creuser un filon de conduite éthique, pour rechercher en somme un plan consciencieux de devoirs ?

Qu'il y ait une sorte de plaisir dans l'humiliation même, c'est un fait. Distinguer si l'on jouit voluptueusement ou tragiquement semble impossible.

Au fond, comme je n'ai trouvé d'autre reproche à faire à la volupté que de ruiner celui qui l'exerce (de le faire « inutilement souffrir »), il suffirait d'élucider si l'auto-humiliation fait inutilement ou moins souffrir. Et, dans mon cas, comment m'évader de mon habituelle directive qui est *de contrôler la légitimité de mon état par sa fécondité ou sa stérilité créatrice?* Parce que cette directive est fausse ou du moins insuffisante — étant donné que tout le monde ne fait pas le métier de créateur. Une souffrance utile ou inutile se déterminera par rapport à toute une existence. Et que l'intéressé soit de plus également un créateur ne regarde en rien la conscience. Il s'agit ici d'exigences qui s'attaquent aux fondations, par-delà le métier, la classe et la nation. Mais si l'on enlève ceci et cela, que reste-t-il comme raison d'être esclave des devoirs? Il faut donc ne pas exclure mon état de créateur pour descendre au sous-sol chercher la pierre angulaire, mais considérer simplement que, outre un créateur, je suis aussi un homme, un chômeur, un apolitique, un gosse et d'autres choses qui m'échappent. C'est un beau travail que d'examiner l'effet de l'auto-humiliation sur tous ces états et de trouver le plus grand commun diviseur. Et non seulement dans le présent, mais dans tout mon passé. Puisque — se le rappeler — le péché n'est pas un acte plutôt qu'un autre, mais toute une existence mal agencée.

Est-ce donc un péché que mon auto-humiliation?

Une idée. De même que je n'ai su raisonner d'esthétique que lorsque j'ai eu devant moi un groupe de mes poèmes, dans lequel j'ai disséqué le problème (et vu que tout était à recommencer), il va falloir que je mette devant moi un certain nombre de mes actions éthiques et que je médite sur elles et que je décide lesquelles je peux reprendre et lesquelles non, quels sont mes mobiles constants s'il y en a (sans nul doute) et tout le reste. La difficulté, c'est d'isoler ces actions pour les ausculter, comme j'ausculte chacun de mes poèmes. Et, après tout, ce n'est pas une nouveauté. Souvent déjà, j'ai fait ce petit travail.

16 mai

Que le public soit nécessaire à la production d'une œuvre, c'est indubitable. Il y a pourtant de nombreuses œuvres qui sont nées sans ce cercle apparent, anxieux, turbulent et désordonné, qui fait naître le grand art.

Mais le public ne manquait pas. Simplement, l'auteur se l'était imaginé, l'avait *créé* (ce qui veut dire défini, choisi et aimé). En général, les anciens, jusqu'au romantisme, eurent ce cercle matériellement entendu ; les modernes se distinguent par l'absence de ce cercle et manifestent avant tout leur grandeur (comme les anciens la manifestèrent par leur instinctive compréhension du vrai public, par-delà les pédants) par le choix et la création qu'ils savent se faire de leurs lecteurs.

J'observe néanmoins qu'il est faux de croire possible la création progressive de son *public* par l'écrivain lui-même. De la sorte, on crée tout au plus le public matériel, celui de l'éditeur. Mais le *vrai* public doit être tout entier supposé dès la première œuvre.

6 septembre

J'ai donc découvert un type d'homme qui prend tragiquement au sérieux ses devoirs moraux. Il pense tout de suite qu'un principe moral doit être affirmé également devant la prison, la mort, la roue, etc. ; et, atterré par une telle obligation, il n'ose pas se résoudre à définir et à obéir à son principe moral. En fait, cet homme vit voluptueusement (cf. 20 avril) et n'a pas de principes. Au fond, il y a de la noblesse à sentir.

13 septembre

Parmi les signes qui m'avertissent que ma jeunesse est finie, le principal, c'est de m'apercevoir que la littérature ne m'intéresse plus vraiment. Je veux dire que je n'ouvre plus les livres avec cette vive et anxieuse espérance de choses spirituelles que, malgré tout, je ressentais jadis. Je lis et je voudrais lire toujours davantage, mais je n'accueille plus maintenant comme jadis mes diverses expériences avec enthousiasme, je ne les fonds plus en un serein tumulte pré-poétique. La même chose m'arrive quand je me promène dans Turin ; je ne sens plus la ville comme un stimulant sentimental et symbolique à la création. Chaque fois, je suis tenté de répondre : *déjà fait.*

Un juste compte tenu de mes diverses ecchymoses, de mes obsessions, de mes fatigues et de mes jachères, il demeure clair que je ne sens plus la vie comme une découverte et encore moins donc la poésie — mais plutôt comme une froide matière à spéculations, à analyses et à devoirs. Ici achoppe maintenant ma vie : la politique, la pratique, toutes choses que l'on apprend dans les livres, mais les livres ne nourrissent pas comme le fait au contraire l'espoir de la création.

Or, même jeune, je m'installais éthiquement : une fois trouvée la position de l'impassible chercheur, je la vivais et l'exploitais sous forme de création. Maintenant que j'ai cessé pour de bon de l'exploiter sous forme de création, je m'aperçois qu'elle ne me suffit même pas pour vivre.

C'est un grave dilemme : ai-je jusqu'à maintenant perdu mon temps en misant sur la poésie ou bien mon état actuel est-il prémisse d'une création plus profonde et plus vitale ?

14 septembre

D'accord avec Bergson que tant le racisme que la bonté naturelle de l'homme sont des mythes politiques à juger d'après leurs réalisations, mais il est malhonnête d'excuser la faiblesse philosophique reconnue du racisme par le fait que, *maintenant,* on a reconnu aussi la faiblesse philosophique de la bonté naturelle. Car un mythe, pour être historiquement légitime, doit être cru à son époque et doit être le dernier mot de la critique de son époque. Telle était la bonté naturelle au XVIIIe, tel n'est pas le racisme au XXe siècle.

La même chose se passe pour les structures de la poésie des diverses époques. Il est naturel que les fables du passé soient pour nous des mythes, mais pour faire de la grande poésie, le poète a dû *croire* à ses fables, les croire, veux-je dire, le dernier mot de la critique de son époque.

15 septembre

Si je tente un bilan de mon œuvre poétique, je n'y trouve pas tous ces avantages. Je laisse de côté la gloire ou le déshonneur — je m'examine comme si je n'avais pas publié — et je trouve que le monde a maintenant perdu pour moi tout son aspect enchanté, car beaucoup de choses qui me plaisaient et me satisfaisaient se sont maintenant éteintes dans la page écrite qui les a réduites en cendres. En me révélant à moi-même, par la réalisation, la nature tout entière imaginaire de mes transports, élans, amours et attachements, je les ai maintenant, par le fait même de la réalisation accomplie, rendus vides et inutiles. Je m'explique : l'amour de la nouveauté ne me tourmente pas par ambition ; il m'apparaît clairement que ses découvertes n'avaient qu'une signification pré-poétique et en conséquence — une fois transformées en poésie — elles ont rempli leur office.

C'était là la raison pour laquelle je soutenais que le génie poétique doit être très fécond et durer toute la vie. Son esprit ne doit jamais cesser de produire des découvertes à utiliser en poésie, car, s'il s'arrête, il révèle par là que les quelques découvertes faites ne provenaient pas d'un tempérament né pour découvrir mais étaient des velléités sentimentales d'action prises pour des découvertes pré-poétiques.

Je ne sais pas encore si je suis un poète ou un sentimental, mais il est certain que ces mois atroces sont la preuve décisive. Si, comme je l'espère, même les plus grands découvreurs ont passé de tels mois, alors la joie de composer n'est pas à bon marché. La vie se venge, et bien, si quelqu'un lui vole son métier. La préoccupation de la composition — le fameux tourment — n'est rien à côté de celle d'avoir composé et, après, de ne plus savoir que faire.

Mythologie primitive, le livre de Lévy-Bruhl, laisse supposer que, la mentalité primitive pensant la réalité comme un échange continuel de qualités et d'essences, comme un flux éternel où l'homme peut devenir banane, arc ou loup, et vice versa (mais, par exemple, l'arc ne peut devenir loup), la poésie (images) naît comme une simple description de cette réalité (le dieu ne *ressemble* pas au requin, mais il *est* requin) et comme intérêt anthropocentrique.

En somme, les images (c'est cela qui m'intéresse !) ne seraient pas jeu expressif mais description positive. A l'origine, s'entend. Quant à l'anthropocentrisme, je n'en doutais pas.

2 octobre

Finalement quelque chose de positif. Cette horreur du vacarme public, ce dégoût des gestes mesquins d'autrui, ce remords de mes hésitations et de mon indignité formelles, sont la preuve d'une certaine suffisance qui est mienne et d'un certain sens du sérieux qui est mien, lesquels ont de la dignité. Même ma recherche de poésie objective qui voulait dire cela.

Aujourd'hui néanmoins, je suis désolé d'avoir toujours jusqu'à maintenant négligé les formes, les manières, de ne m'être pas fait un style de comportement, mais d'avoir toujours agi à tort et à travers, me fiant à mon goût méprisant, et commettant ainsi d'infinies fausses notes romantiques.

Pourquoi les femmes en général ont-elles de meilleures manières que les hommes ? Parce qu'elles doivent tout attendre de leur effet formel, alors que les hommes *agissent* ou *pensent*. Il faut devenir plus femme.

13 octobre

Balzac a découvert dans la grande ville une mine de mystère, et le sens qui, chez lui, est toujours en éveil, c'est la curiosité. C'est sa Muse. Il n'est jamais ni comique ni tragique. Il est curieux. Il s'engage dans un enchevêtrement de choses avec l'air de quelqu'un qui flaire et promet un mystère, et qui vous démonte toute la machine pièce par pièce avec un plaisir âpre, vif et triomphal. Regarder comment il s'approche de ses nouveaux personnages : il les toise de toutes parts comme des raretés, les décrit, les sculpte, les définit, les commente, en fait transparaître toute la singularité et promet des merveilles. Ses jugements, ses observations, ses tirades, ses mots ne sont pas des vérités psychologiques, mais des soupçons et des trucs de juge d'instruction, des coups de poing sur ce mystère que, bon Dieu, on doit éclaircir. A cause de cela, quand la recherche, la chasse au mystère se calme et que — au début du livre ou au cours de celui-ci (jamais à la fin, parce que, maintenant, avec le mystère, tout est dévoilé) — Balzac disserte de son ensemble mystérieux avec un enthousiasme sociologique, psychologique et lyrique, il est admirable. Voir le début de *Ferragus* ou le début de la seconde partie de *Splendeurs et Misères des courtisanes*. Il est sublime. C'est Baudelaire qui s'annonce.

28 décembre

De cette prison souterraine où il ne reste qu'à plonger pensivement et à se dilater, on peut peut-être voir le réel. La compagnie ne serait que le reste irréductible de la société, comparable à la camisole et à l'habitude des sens — voir un mur, entendre une voix, respirer le ciel. Le substratum de la vie de n'importe qui, rendu présent et pénétré avec fermeté, étant donné que n'importe qui peut arriver dans cet endroit et qu'il y a toujours quelqu'un, même si c'est un autre ; et la vie ne consiste qu'à orner diversement cet éternel réel. L'effort serait de parvenir tout de suite à l'adaptation sans bavure résiduelle.

On découvre ainsi que, dans la vie, presque tout est passe-temps, d'où le propos que formerait le prisonnier de vivre, s'il sort de prison, comme un ermite, exprimant tout le suc de son passe-temps, en extrayant toute la moelle. *Que se proposent tous les prisonniers.* Et la vie passée apparaîtrait insouciante et fébrile, à cause des exigences désordonnées qui l'ont viciée. Ici la *pensée* réduite à l'état de superfluité révèle combien il est extravagant dans la vie de vivre seul, en s'appuyant sur elle pour lutter et faire des projets. Ne jamais oublier que, sous tout, l'homme est nu. Il y a un cas où l'on se met tout nu et où l'on se montre ; et c'est pour faire la chose la moins *raisonnable* et la plus honteuse de la vie.

Les points sont : que le réel est une prison où précisément on végète et végétera toujours ; et que tout le reste, la pensée, l'action, est passe-temps, tant intérieurement qu'extérieurement. Ce qui compte donc, c'est de bien posséder ce réel, tout le reste étant éphémère. Parce que, aussi, s'il n'y avait pas la compagnie, comme ce fut le cas jadis, on n'exploiterait même pas le passe-temps pensée-parole, mais on serait comme un arbre, vivant. Là est (je le répète) le drame : dire du mal de la pensée-parole, et en conséquence de la vie-passe-temps, regrettant en silence tout le reste et exaltant par colère le réel, toujours possible en quiconque comme ségrégation intégrale.

1937

8 janvier

Les erreurs sont toujours initiales.

13 janvier

Les vieux et les jeunes[1] est un roman raté parce que farci de faits antécédents et d'explications sociales et politiques qui devraient en faire un poème moral d'idées à organisme et développement dramatiques, au lieu de cela il se fractionne en figures qui ont pour loi intérieure la solitude et qui concluent chacune — avec la logique de la solitude — à la folie, à l'abêtissement, au suicide ou à la mort sans héroïsme. Toutes sont déformées en un tic, en un habit intérieur, qui tend à s'exprimer en monologue ou bien en pointillisme.

Il manque au récit un rythme d'alternance de prose de récit indirect et de dialogue ; et il n'y a la *forme* de la solitude que pour chaque personnage pris séparément ; il manque l'épopée du monde des solitaires. Également, chaque personnage séparé est construit de l'extérieur avec des faits antécédents, des analyses et des saillies qui n'ont pas de rythme ; on sent que l'auteur jette sur le papier, avec calcul et logique, beaucoup d'éléments pour justifier les *moments* où le solitaire domine et s'exprime, parfois très efficacement.

1. Roman de Pirandello, publié en 1913.

La preuve que la composition est essentiellement à froid, c'est le style, brillant, transparent, vitreux, même si, de temps en temps, il se colore d'élans passionnels. Ceux-ci également sont calculés, raisonnés.

17 janvier

Plus un homme s'empêtre dans une passion, plus des événements en soi indifférents se traduisent pour lui en douleur ; trompant justement par leur indifférence sa tension avide. Un ambitieux souffrira de l'absence de reconnaissance de la part de quelqu'un de célèbre ; lequel voudra donner des scrupules de tentation à quelqu'un d'évangélique dont il recherche la conversation ; scrupules qui, à leur tour, irriteront un individualiste, l'atteignant malgré lui. L'envie, ambition retournée, est à la base de toutes les mesquineries dont on souffre. On ne peut tolérer qu'une chose se passe indifféremment, par hasard, échappant à notre empreinte.

N'importe quel genre de ferveur apporte avec soi la tendance à sentir une loi pré-établie dans la vie, une loi qui punit ceux qui abusent de cette ferveur ou la négligent. Un état de passion — fût-ce même l'ivresse de l'absolue auto-détermination — organise et anime tellement l'univers que tout malheur semble ensuite amené par une rupture de l'équilibre vital de cette passion diffuse, qui ainsi se défend comme un corps vivant. Et selon le tempérament, il semblera que l'on a abusé ou que l'on a été inférieur : en tout cas, on se sentira *organiquement* puni par la loi de la passion même et de l'univers. Ce qui revient à dire que toute ferveur apporte avec elle une conviction superstitieuse d'avoir à compter avec la logique même des choses. Même la croyance fervente du mécréant en la transcendance d'une loi.

28 janvier

N'importe quel malheur : ou bien on s'est trompé et ce n'est pas un malheur, ou bien il naît d'une de nos coupables insuffisances. Et de même que nous tromper est notre faute, de même nous ne devons rendre responsable personne que nous-mêmes de n'importe quel malheur. Et maintenant console-toi.

18 juin

1. Cohue — Prêtre — Discours (Après-midi)
2. En fuite — Route — Coup de sifflet (Crépuscule)
3. Enquête — Prêtre en prière.
4. Femme et lui (Pleine nuit)
5. (Matin) Prise d'habit — Retour.

4 juillet

[...]

3 août

Une femme qui n'est pas une idiote rencontre tôt ou tard un déchet humain et essaie de le sauver. Parfois elle y réussit. Mais une femme qui n'est pas une idiote trouve tôt ou tard un homme sain et le réduit à l'état de déchet. Elle y réussit toujours.

27 septembre

La raison pour laquelle les femmes ont toujours été « amères comme la mort », des sentines de vices, perfides, des Dalilas, etc., n'est au fond que la suivante : l'homme — s'il n'est pas un eunuque —

éjacule toujours et avec n'importe quelle femme, tandis qu'elles atteignent rarement au plaisir libérateur, et cela pas avec tous, et souvent pas avec l'être adoré — justement parce qu'adoré — et si elles y parviennent une fois, elles ne rêvent plus de rien d'autre. A cause du désir — légitime — de ce plaisir, elles sont prêtes à commettre n'importe quelle iniquité. *Elles sont contraintes* de la commettre. C'est le tragique fondamental de la vie, et il vaudrait mieux qu'il ne fût jamais né l'homme qui éjacule trop rapidement. C'est là un défaut qui justifie le suicide.

29 septembre

(Rendu Stendhal.)

30 septembre

Les seules femmes qu'il vaut la peine d'épouser sont celles que l'on ne peut se risquer à épouser.

Mais voici le plus atroce : l'art de la vie consiste à cacher aux personnes les plus chères la joie que l'on a à être avec elles, sinon on les perd.

12 octobre

[...]

31 octobre

On cesse d'être jeune quand on comprend qu'il ne sert à rien de dire une douleur.

6 novembre

Le plus grand tort de celui qui se suicide est non de se tuer mais d'y penser et de ne pas le faire. Rien n'est plus abject que l'état de désintégration morale auquel amène l'idée — l'habitude de l'idée — du suicide. Responsabilité, conscience, force, tout flotte à la dérive sur cette mer morte, coule et revient futilement à la surface, jouet de n'importe quel courant.

Le vrai *raté* n'est pas celui qui ne réussit pas dans les grandes choses — qui y a jamais réussi ? — mais qui ne réussit pas dans les petites. Ne pas arriver à se faire un home, ne pas conserver un seul ami, ne pas satisfaire une femme : ne pas gagner sa vie comme n'importe qui. C'est là le *raté* le plus triste.

9 novembre

La répétition dans mes nouveaux poèmes n'a pas une raison musicale mais constructive. Observer comme les phrases-clés dans ceux-ci sont toujours au présent, et comme les autres, même si elles sont au passé, convergent vers elles. Je veux dire qu'il m'arrive dans ces poèmes de saisir une réalité actuelle, non narrative mais évocative, *où il arrive quelque chose à une image,* où cela arrive *maintenant,* étant donné que l'image est élaborée *maintenant* par la pensée et qu'elle est vue en train d'agir et d'enfoncer ses racines dans la réalité.

Le mot ou la phrase répétés ne sont pas autre chose que le nerf de cette image, un nerf, construit de fond en comble comme un échafaudage, le pivot grâce auquel l'imagination tourne sur elle-même et se soutient précisément comme un gyroscope qui existe seulement *dans le présent,* en action, et puis tombe et devient un quelconque morceau de fer.

13 novembre

Il arrive toujours pour les petits grands hommes un moment où on leur fait payer leur grandeur en leur disant : « Tu es grand, mais c'est justement pour cela que je ne me risque pas à te confier ma vie. »

Ce n'est pas l'amour qui fait pleurer à un homme celle qui l'a trompé, c'est le sentiment avilissant de ne pas avoir mérité sa confiance.

16 novembre

N'est-il pas déjà clair le destin tout entier d'un enfant de trois ans qui, pendant qu'on l'habille, se demande avec inquiétude comment il fera pour s'habiller quand il sera grand, lui qui ne sait pas ?

Pour *posséder* quelque chose ou quelqu'un, il faut ne pas s'abandonner à ce quelque chose ou à ce quelqu'un, ne pas perdre la tête, rester en somme supérieur à ce quelque chose ou à ce quelqu'un. Mais c'est la loi de la vie que l'on *jouit* seulement de ce à quoi on s'abandonne. Ils étaient malins les inventeurs de l'amour de Dieu : il n'existe pas autre chose que *l'on possède et dont on jouisse à la fois.*

17 novembre

Toutes les femmes désirent avidement un ami à qui se confier et avec qui combler le vide des heures où le troisième est loin ; elles exigent que cet ami ne les gêne pas dans leur amour ; elles s'irritent s'il leur demande quelque chose qui interfère avec leur amour mais que cet ami rentre en lui-même et châtie ses regards et ses propos dans le seul but de ne plus souffrir de ce désir et aussitôt la femme — toutes les femmes — sort de nouveau regards, ongles et paroles pour le voir souffrir et savoir qu'il souffre. Et elle le fait sans s'en apercevoir.

Et surtout se rappeler que faire des poèmes, c'est comme faire l'amour : on ne saura jamais si sa joie est partagée.

Il est incroyable que la femme adorée en arrive à dire que ses journées sont d'un vide torturant mais qu'elle ne veut pas entendre parler de nous.

La compensation d'avoir tant souffert c'est qu'ensuite on meurt comme des chiens.

Comme les grands amants, les grands poètes sont rares. Les velléités, les fureurs et les rêves ne suffisent pas ; il faut ce qu'il y a de mieux, des couilles dures. Ce que l'on appelle également le regard olympien.

20 novembre

Tout ce que je pouvais concéder à la « poésie pure » résulte de l'unification extatique de toute poésie dans l'instant contemplatif. La pensée travaillée faisant défaut, l'éloquence fait défaut. Tout se résoudra en une illumination provoquée par les diverses pensées et par les sensations entrelacées. L'image-récit était cela. Seulement, c'était *un* récit fait d'un seul verbe (Tuées-Fuma-But-Jouit, etc.). Le problème, c'est comment sortir de la simple proposition et écrire des phrases.

Sera-ce comme pour le roman actuel ? A l'enchaînement des faits substituer le paysage intérieur ?

Revenir à l'idée de donner la pensée en mouvement ?

Le moyen le plus ordinaire et le plus banal de *raconter la pensée* est de camper une figure qui se construit avec son passé et son avenir. Le petit vieux de *Simplicité*. Le dieu-homme de *Mythe*. La putain de la *Putain paysanne*. La méthode de ces poèmes est un compromis entre la position du personnage et la logique imaginaire de la matière qui les construit. Je ne raconte pas seulement leur essence et je ne raconte pas seulement ma divagation. La question de savoir s'ils pensent ou si je les pense est toujours ambiguë. Leurs expériences et ma logique imaginaire m'intéressent à la fois. Mais soyons clairs : ma logique est un moyen, une manière d'être de leurs expériences. La « découverte de rapports qui est elle-même sujet de mon récit » semblerait donc une chimère.

Soyons clairs : *at the back of my head* je ne tolère pas que le sujet soit la découverte des rapports. Même dans l'extase, le moyen n'est pas la fin. Pratiquement personne ne peut raconter son style : le style est par définition quelque chose que l'on emploie pour une fin.

Là où le style devient lui-même une fin, il deviendra quelque chose d'objectif, une situation, et l'on ne voit pas pourquoi elle devrait avoir une plus grande dignité que n'importe quel autre monde narratif.

Je disais du cousin des *Mers du Sud* qu'il faisait une chose et une autre alors que je dis de la putain paysanne que lui revient, dans le matin, suggéré par l'ambiance (odeurs, soleil, membres, lit) l'ensemble de son enfance, et c'est ce qui amène le sentencieux final.

De l'ermite du *Premier paysage* je disais aussi qu'il faisait une chose et une autre, et la nouveauté par rapport aux *Mers* était que ces faits avaient des rapports imaginaires objectifs. C'est seulement avec le « je » de *Gens dépaysés* que je commence à dire que « se pense » un ensemble imaginaire, et ce « penser » est la matière du récit.

L'image-récit naît donc du « je » personnage (cf. plutôt le « je » enfant des *Mers,* qui, dans son petit domaine, est déjà une personne dont on dit moins ce qu'il fait que ce qu'il pense). C'est là le point : le « je » caché du *Dieu-bouc,* le « je » de *Manie de la solitude,* le « je » de *Pensées de Dina* le confirment : le « je » qui raconte ce qu'il pense a créé la méthode des poèmes suivants à la troisième personne, où le sujet n'est plus ce que fait le personnage mais ce qu'il pense. Ce que ma poésie dit dorénavant du personnage, c'est l'ensemble imaginaire qui est intérieur à celui-ci. Et que, à partir de l'ermite, la sèche pensée soit devenue un épanouissement de sensations n'a pas d'importance spécifique.

Je me trompais dans le *Métier de poète* quand j'affirmais qu'avec l'ermite j'ai fait de l'image le sujet du récit ; avec l'ermite je me suis pour la première fois servi de sensations et de leurs rapports, mais le sujet était encore les faits.

Ainsi, une fois entrevu le moment de l'évolution, la raison pour laquelle il me semblait devoir parler d'un compromis est claire. Si l'image-récit est née empiriquement de la situation d'un « je » qui raconte ce qui lui arrive sous la forme de pensées (= images), les poèmes objectifs, à la troisième personne, sont une simple transposition à la troisième personne de la technique introspective séculaire. Pour adroite ou ahurissante que soit l'évocation des divers ensembles imaginaires (les images-récit), voici que s'éclaire comment le sujet n'est pas le *processus logico-imaginaire* d'un esprit, mais encore et toujours *ce que cet esprit pense et sent.* Non pas le style, mais le contenu. Ce qui est une conclusion si banale qu'elle semble idiote.

Soyons très clairs pour obtenir un vrai *récit du penser,* je devrais évoquer l'ensemble intérieur de quelqu'un qui médite *sur* ses manières de penser. Et cela ne paraît pas un grand sujet.

La vérité du mot « Renoncez à la terre et la terre vous sera donnée par-dessus le marché » consiste en ceci : qu'ayant renoncé à tout, les petites choses qui nous restent encore deviennent gigantesques. C'est en somme un moyen d'extraire le suc des moindres choses, ordinairement négligées.

Et puis il y a ceci : pour les autres, la valeur des choses qu'ils nous refusent est marquée en grande part par notre avidité à les posséder. Que nous regardions d'un autre côté et, tout de suite, les propriétaires de ces choses les verront s'avilir dans leurs mains et nous les lanceront à la tête.

Cela pour la sagesse mondaine. Mais comme la morale veut avoir une référence mystique, il en résulte beaucoup de mal pour le mysticisme. Et si même Dieu réglait la valeur de ses créations selon que nous les désirons plus ou moins ? Un Dieu avec un complexe d'infériorité : qui l'eût jamais dit ?

21 novembre

S'il est vrai qu'on s'habitue à la douleur, comment se fait-il qu'avec les années on souffre de plus en plus ?

Non, ils ne sont pas fous ces gens qui s'amusent, qui jouissent, qui voyagent, qui baisent, qui combattent, ils ne sont pas fous, et c'est si vrai que nous voudrions en faire autant.

Si, en toutes choses, le pilonnage triomphe, pourquoi n'en serait-il pas de même pour celle-ci ?

Penser que ce corps a aussi une pensée, un réveil, un repos, une langueur, une durée quotidienne, et que si j'étais cet homme, j'aurais vraiment tout cela dans la chambre voisine ou sous mes yeux. La journée finirait en elle : c'est cela, cela que j'ai perdu. Et il n'y a pas de force humaine qui puisse me le redonner. Et tout cela a été gaspillé sans amour. Et ce n'est pas un crime, ce n'est pas une faute, ce n'est même pas une incorrection : c'est une petite chose qu'on fait : qui ne vous donne pas de remords, comme tuer un moucheron.

Soyons joyeux, il y a une loi morale.

23 novembre

L'unique joie au monde c'est de commencer. Il est beau de vivre parce que vivre c'est commencer, toujours, à chaque instant. Quand ce sentiment fait défaut — prison, maladie, habitude, stupidité — on voudrait mourir.

C'est pour cela que lorsqu'une situation douloureuse se reproduit identique — qu'elle *apparaît* identique — rien n'en vainc l'horreur.

Le susdit principe n'est du reste pas un principe de *viveur*. Parce qu'il y a plus d'habitude dans l'expérience à tout prix (cf. l'affreux « voyager à tout prix »), que dans l'ornière normale acceptée comme il faut et vécue avec transport et intelligence. Je suis convaincu qu'il y a plus d'habitude dans les aventures que dans un bon mariage. Parce que le propre de l'aventure c'est de conserver une restriction mentale de défense ; c'est pour cela que n'existent pas de bonnes aventures. Est bonne cette aventure à laquelle on s'abandonne : le mariage en somme, au besoin même l'un de ceux qui sont faits dans le ciel.

Celui qui ne sent pas l'éternel recommencement qui vivifie une existence normale et conjugale, est au fond un idiot qui, quoi qu'il dise, ne sent même pas un vrai recommencement dans chaque aventure.

La leçon est toujours seule et unique : s'élancer tête baissée et savoir supporter sa peine. Il vaut mieux souffrir pour avoir osé agir sérieusement, que *to shrink* (ou *to shirk ?*). Comme dans le cas des enfants : c'est du reste la nature qui le veut, et reculer est vil. A la fin — et cela s'est vu — on paie plus cher.

25 novembre

La *loi* morale sert à ne pas faire du mal à nous-mêmes, non pas à l'épargner aux autres. La *charité* seulement peut nous dire le mal que nous faisons en agissant selon notre devoir. Cela se voit non seulement dans les histoires d'amour, mais dans toute la vie. Mais voici qui serait un immense idéal : demander toujours, infatigablement, à chacun ce qui le blesse, le prive, le torture, et compenser, étreindre, rallumer.

Mais à chacun cela veut dire à tous, et cela veut dire toujours, et cela ne se peut pas. Cela ne se peut spécialement pas parce que quelqu'un au moins n'aurait pas cette compensation et cette étreinte, et ce quelqu'un c'est nous. Parce qu'une chose est certaine : voir jouir, même par notre œuvre, ne suffit pas à notre paix. Exemple, les femmes insatisfaites.

Cela semble un mélange de sacre et de profane, mais ce n'en est pas un. La vie commence dans le corps.

J'écris :***, aie pitié. Et puis ?

Tu ne devras plus jamais prendre au sérieux les choses qui ne dépendent pas de toi seul. Comme l'amour, l'amitié et la gloire.

Et celles qui dépendent de toi seul, importe-t-il du reste beaucoup que tu les prennes ou non au sérieux ? *Qui* en saura rien ? Car, si l'on est seul, il n'y a personne pour le savoir : même le « je » disparaît. De plus en plus beau.

26 novembre

Pourquoi oublions-nous les morts ? Parce qu'ils ne nous servent plus.

Quelqu'un de triste ou de malade, nous l'oublions — nous le repoussons — en raison de son inutilité psychique ou physique.

Personne ne s'abandonnera jamais à toi, s'il n'y voit pas son profit.

Et toi ? Je crois m'être abandonné une fois avec désintéressement. Je ne dois donc pas pleurer si j'ai perdu l'objet de cet abandon. Dans ce cas, je n'aurais plus été désintéressé.

Et pourtant, à voir combien on souffre, le sacrifice est contre-nature. Ou supérieur à *mes* forces. Je ne peux pas ne pas pleurer. Et pleurer, c'est céder au monde, c'est reconnaître que l'on cherchait son profit.

Y a-t-il quelqu'un qui renonce quand il pourrait avoir ? Cette charité n'est autre que l'idéal de l'impuissance.

Et alors, assez de vertueuse indignation. Si j'avais eu des dents et de l'habileté, c'est moi qui aurais eu la proie.

Mais cela n'empêche pas que la croix de celui qui a été déçu, de celui qui a échoué, du vaincu — de moi — soit atroce à porter. Après tout, le plus fameux crucifié était un dieu, il n'a pas été déçu, il n'a pas échoué, il n'a pas vaincu. Et pourtant, malgré toute sa puissance, il a crié « Eli ! » Mais ensuite il s'est repris, et il a triomphé, et il le savait avant. A ce prix, qui ne voudrait être crucifié ?

Il y en a tant qui sont morts désespérés. Et ceux-là ont souffert plus que le Christ.

Mais la grande, la terrible vérité, c'est celle-ci : souffrir ne sert à rien.

Tous les hommes ont un cancer qui les ronge, un excrément quotidien, un mal récurrent : leur insatisfaction ; le point de rencontre entre leur être réel, squelettique, et l'infinie complexité de la vie. Et tous s'en aperçoivent tôt ou tard. Il faudra chercher à connaître la lente prise de conscience ou l'intuition fulgurante de chacun. Presque tous — semble-t-il — retrouvent dans leur enfance les signes de l'horreur adulte. Chercher à connaître cette pépinière de découvertes rétrospectives, d'effrois, l'angoisse qu'ils ont à se retrouver préfigurés dans des gestes et des paroles irréparables de l'enfance. Les *Fioretti* du Diable. Contempler sans pose cette horreur : ce qui a été sera.

28 novembre

En amour, ce qui compte seulement c'est d'avoir une femme dans son lit et chez soi : tout le reste est connerie, sinistre connerie.

La forme d'amour la plus banale trouve sa nourriture dans ce que l'on ignore de l'objet. Mais qu'est-ce qui est au-dessus d'un amour qui est fait de *ce que l'on sait* de l'objet ?

La vérité c'est que j'arrive toujours trois ou quatre ans après mes contemporains : de là mon attachement désespéré et à la fois écœuré à mes vérités.

Preuve de la *vanitas vanitatum :* on s'intéresse tant à soi-même, et pourtant, c'est seulement un hasard que nous soyons *nous* et non *autrui.* Je pouvais naître femme et être domestique, et alors, quels problèmes ?

N'est-elle pas illusoire aussi l'importance que l'on s'attribue quand l'intérêt nous contemple, nous, la domestique et tout le genre humain ? *Personne d'envergure.*

N'est-il pas tragique le fait que toutes les personnes de bonne foi soient un peu ridicules ? S'il y avait une seule foi, cela ne se produirait pas. La grande, la terrible ironie de la vie, c'est qu'à n'importe quel moment nous puissions être idiots.

Tout le monde redoute cela : on aime mieux être un salaud qu'un imbécile. Vieux refrain. La raison c'est que tout imbécile est aussi un salaud et non le contraire. Un salaud sage est concevable. Mais existe-t-il un imbécile bon ? Sur le moment peut-être, mais l'année, la vie de l'imbécile compte toujours des saloperies, parce que l'impéritie mène à des situations d'où l'on ne sort qu'en violant les règles du jeu social.

Je connais un idiot qui, dans sa jeunesse, a refusé d'apprendre les règles du jeu, perdu qu'il était derrière des chimères, et maintenant les chimères s'évanouissent et le jeu le broie.

Problème : la femme est-elle la récompense du fort ou l'appui du faible, selon que ceux-ci le veulent ?

Ironie de la vie : la femme se donne comme récompense au faible et comme appui au fort. Et personne n'a jamais son dû.

29 novembre

Est-ce qu'elle ne devra pas me surprendre, par un quelconque matin de brume et de soleil, la pensée que tout ce que j'ai eu a été un don, un grand don ? Que, du néant de mes ancêtres, de cet hostile néant, je suis pourtant issu et j'ai grandi tout seul, avec toutes mes lâchetés et mes gloires et, à grand-peine, échappant à toutes sortes de dangers, je suis arrivé à aujourd'hui, robuste et concret, la rencontrant elle seule, autre miracle du néant et du hasard ? Et que tout ce que j'ai goûté et souffert avec elle n'a été qu'un don, un grand don ?

30 novembre

Tout critique est proprement une femme à l'âge critique, envieux et *refoulé.*

Un homme a commis un crime. Écartons la peur que quelqu'un arrive tout de suite, l'anxiété du visage à montrer au monde, la terreur du monde armé contre lui. Écartons la préoccupation de se sauver, de s'en aller comme si rien ne s'était passé ; mettons qu'il ait la certitude de s'en tirer. Ne reste-t-il pas pourtant un abîme d'horreur, la certitude que la victime — adorée ou abhorrée *n'existe plus,* ne sera plus rien ni pour notre haine ni pour notre amour ? L'angoisse d'une nouvelle vie à refaire, parce que nous sommes morts, nous aussi, avec la victime, la brusque défaillance de *toute* notre substance, qui — si le crime était vraiment passionnel — faisait un tout avec l'existence de la victime ?

Et pourtant je ne réussis pas à penser une seule fois à la mort sans trembler à cette idée : la mort viendra nécessairement, pour des causes ordinaires, préparée par toute une vie, d'autant plus infaillible qu'elle sera venue. Ce sera un fait naturel comme la chute d'une pluie. Et c'est à cela que je ne me résigne pas : pourquoi ne *recherche-t-on* pas la mort volontaire, une mort qui soit l'affirmation d'un libre choix, qui exprime quelque chose ? Au lieu de *se laisser* mourir ? Pourquoi ?

Pour la raison suivante. On remet toujours la décision parce qu'on sait — parce qu'on espère — qu'un autre jour, une autre heure de vie pourraient être affirmation, expression d'une volonté ultérieure que, choisissant la mort, nous exclurions. Parce qu'en somme — je parle de moi-même — on pense qu'il y aura toujours le temps. Et le jour de la mort naturelle viendra. Et nous aurons perdu la grande occasion de faire *pour une raison* l'acte le plus important de la vie.

Pensée d'amour : je t'aime tant que je voudrais être né ton frère ou t'avoir mise au monde moi-même.

1er décembre

Mon bonheur serait parfait, n'était la fugitive angoisse d'en fouiller le secret pour le retrouver demain et toujours. Mais je confonds peut-être, mon bonheur réside dans cette angoisse. Et, une fois encore, l'espoir me revient que, demain, le souvenir suffira peut-être.

2 décembre

Aujourd'hui, tu as trop parlé.

4 décembre

Ils ont le sens de l'humour ceux qui ont le sens pratique. Celui qui néglige la vie, absorbé dans sa contemplation naïve (et toutes les contemplations sont *naïves*), ne voit pas les choses détachées de lui, douées d'un mouvement libre, complexe et divergent, ce qui forme l'essence de leur comicité. Le propre de la contemplation est au contraire de s'arrêter au sentiment diffus et vif qui naît en nous au contact des choses. C'est là qu'est l'excuse des contemplatifs : ils vivent au contact des choses, et, nécessairement, ils ne sentent pas leur singularité et leur propriété, mais justement ils les *sentent* seulement. Les gens pratiques — paradoxe — vivent détachés des choses, ils ne les *sentent* pas, mais ils en comprennent le mécanisme. Et seul rit d'une chose celui qui en est détaché. Ici une tragédie est implicite, on s'habitue à une chose en s'en détachant, c'est-à-dire en perdant son intérêt pour elle. De là vient la course fiévreuse.

Naturellement, d'ordinaire personne n'est contemplatif ou pratique de façon totale, mais comme tout ne peut être vécu, il reste même aux plus expérimentés le *sentiment* de quelque chose.

Tu as confié ta vie à un cheveu : ne te débats pas, sinon tu le casseras.

[...]

La naïveté a une habileté qui lui est propre et qui est justement faite de son *insouciance.* « Tu es si bête que personne ne te résiste. »

Sous un tas de curieuses précautions, une *all-pervading* bêtise est la meilleure politique.

5 décembre

L'erreur des sentimentaux est non pas de croire qu'il existe de « tendres affections », mais de faire valoir un droit à ces affections au nom de leur tendre nature. Alors que seules les natures dures et résolues savent et peuvent se créer un cercle de tendres affections. Et il va de soi — tragédie — que ce sont celles qui en jouissent le moins. Qui a des dents, etc.

Qu'il soit clair, une fois pour toutes, qu'être amoureux est un fait personnel qui ne regarde pas l'objet aimé — même pas si celui-ci vous aime en retour. Dans ce cas aussi, on échange des gestes et des paroles symboliques où chacun lit ce qu'il a en lui et que, par analogie, il suppose exister chez l'autre. Mais il n'y a pas de raison, il n'y a pas de nécessité, que les deux contenus coïncident. Il faut un art tout particulier pour savoir accepter et interpréter favorablement ces symboles et y placer sa vie de façon satisfaisante. L'un ne peut rien faire pour l'autre que lui offrir de ces symboles, en s'imaginant que la correspondance est réelle. Mais il faut une réserve, *at the back of one's head,* de ruse pratique : il faut avoir décidé de *se servir* de cette offrande (faite par besoin individuel de l'objet aimé) pour satisfaire ses propres besoins. Celui qui aura su adroitement établir cette correspondance ne souffrira pas de mécomptes, il fera arriver tout à son avantage, il créera un monde de cristal où il jouira de son objet. Mais il n'oubliera jamais que cette sphère de cristal est un vide où l'air ne pénètre pas, et il se gardera de la briser en tentant ingénument de l'aérer. Abandons, transports, enfants, dévouements, confidences : ce sont des symboles individuels d'où l'air — la mystique pénétration de l'autre — est toujours exclu. Il y a en somme entre ces symboles et la réalité le même rapport qu'entre les mots et les choses. Il faut être assez adroit pour leur prêter une signification sans les prendre pour la vraie substance. Laquelle est la solitude de chacun, froide et immobile.

7 décembre

S'il était vrai que l'homme possède le libre arbitre, est-ce qu'on en parlerait tant ? Qui sait s'il ne s'agit pas d'un postulat ; on peut, en le voulant, être libre et l'on peut être résultat. Mais le choix initial ?

Celui qui ne s'est pas heurté à la muraille d'une impossibilité physique dans des choses qui intéressent toute la vie (impuissance, dyspepsie, dyspnée, prison, etc.) ne sait pas ce que c'est que souffrir. En fait, c'est pour ces cas-là que l'on a imaginé le renoncement : la tentative désespérée de se faire un mérite de ce qui est pourtant inévitable. Peut-on imaginer chose plus lâche ?

Il est remarquable l'état de celui qui n'éprouve pas la tentation de ce qu'il ne fait pas ; et non pas l'état de celui qui est tenté et qui renonce. En termes réalistes, le premier est la paix et le second, le déchirement. Quoi qu'en disent les héros. Souffrir est une bêtise.

Avant d'être habile avec les autres, il faut être habile avec soi-même. Il y a un art de faire arriver les choses de façon que soit vertueuse dans notre conscience la faute que nous commettons. Prendre des leçons de n'importe quelle femme.

L'art de se faire aimer consiste en tergiversations, en bouderies, en colères, en avares concessions qui épidermiquement paraissent très douces, et qui lient sans recours le malheureux ; mais qui, au fond de son cœur et de son instinct, font naître et couvent une rancune rageuse, qui s'exprime sous forme de mépris et d'un tenace désir de vengeance. Faire des esclaves est de la mauvaise politique, on l'a vu et on le verra encore.

L'habituelle tragédie : seul sait se faire aimer celui qui sait se faire haïr, *par la même personne.*

Voici comment finit la jeunesse : quand on voit

que personne ne veut *de votre* naïf abandon. Et cette fin a deux modes : s'apercevoir que les autres n'en veulent pas et s'apercevoir que c'est nous qui ne pouvons l'accepter. Les faibles vieillissent de la première manière, les forts de la seconde. Nous, nous avons été du nombre des premiers. Vive la joie !

Un homme vrai, à notre époque, ne peut admettre avec des restrictions l'*ananké* de la guerre. Ou bien c'est un pacifiste absolu, ou bien c'est un guerrier impitoyable. L'atmosphère est dure : ou saints ou bourreaux. Nous sommes vraiment bien tombés.

Pourquoi est-il déconseillé de perdre la tête ? Parce qu'alors on est sincère.

11 décembre

Il n'est pas vrai que la chasteté soit un attrait sexuel — même seulement supposé —, car alors les femmes devraient être très friandes de moinillons et de tout jeunes curés, ceux-ci et ceux-là étant censés prendre au sérieux leur règle. Au lieu de cela, elles sont friandes de vieux cochons — les hommes expérimentés — aux tempes dégarnies et pleins de roueries.

Et toi-même, as-tu jamais rêvé de nonnes ?

13 décembre

Essaie de faire du bien à quelqu'un. Tu ne tarderas pas à voir combien tu haïras ce visage contrit et rayonnant.

15 décembre

Que la vie soit une lutte pour la vie, cela se voit bien dans les rapports sexuels des hommes et des femmes, où, malgré tous les efforts correctifs de l'idéal chevaleresque, malgré les exigences sociales de conformisme et de ferme résignation, *malgré tout,* il est sacro-saint qu'on refuse l'autre s'il ne donne pas le plaisir demandé et libérateur.

Et l'on comprend la solitude innée et rapace de chacun quand on observe combien la pensée qu'un autre accomplit l'acte avec une femme — même quelconque — finit par être un cauchemar, la conscience gênante d'une obscénité indigne, la velléité de faire cesser et, si c'était possible, de détruire. Peut-on vraiment tolérer qu'un autre — n'importe qui — fasse avec une autre — n'importe laquelle — l'*act of shame ?* Non, mille fois non. Et pourtant c'est là, sans nul doute, l'activité centrale de la vie. Voilà la fausseté de tous nos altruismes. Si saints que nous soyons, savoir qu'un autre baise nous dégoûte et nous blesse.

16 décembre

Maudit celui qui « *aux choses de l'amour mêla l'honnêteté* » ? La même chose vaut pour les choses de l'art. La raison c'est que l'art et la vie sexuelle naissent sur la même souche.

Comme, néanmoins, est grand artiste celui qui construit amoralement un solide monde moral ; est grand amant celui qui apporte une extraordinaire intensité morale à chacun de ses univers érotiques pris isolément. L'artiste est toujours sincère avec lui-même, sous peine de ratage de son œuvre. Le grand amant, idem (cf. 25 février — premiers jours de mars 34) : sous peine de ne pas *sentir* son amour.

17 décembre

Premier amour : « quand nous serons grands, ces discours-là, nous pourrons les tenir aux femmes ».

18 décembre

Il y a une chose plus triste que rater ses idéaux : les avoir réalisés.

22 décembre

Chacune de tes nouvelles est un ensemble de figures mues par la même passion diversement exprimée par les titres respectifs. *Nuit de fête,* la célébration de la fête du Saint ; *Terre d'exil,* tout le monde au « confino » ; *Premier amour,* tout le monde mû par la découverte sexuelle. Je parle des longues. Les brèves sont, pour toi, les moins réalistes.

Ta vraie muse pour la prose, c'est le dialogue, car dans celui-ci tu peux faire dire les saillies absurdo-ingénuo-mythiques qui interprètent hypocritement la réalité. Ce que tu ne pourrais faire en poésie.

23 décembre

L'enfant qui passait ses journées et ses soirées au milieu d'hommes et de femmes, sachant vaguement, ne croyant pas que c'était là la réalité, souffrant en somme que le sexe existât ; n'annonçait-il pas l'homme qui passe son temps au milieu des hommes et des femmes, sachant, croyant que c'est là la seule réalité, souffrant atrocement de sa mutilation ? Ce sentiment que le cœur se détache et sombre, ce vertige qui me déchire et m'anéantit la poitrine, même lors de la déception d'avril, je ne l'avais pas éprouvé.

Il m'était réservé (comme le rat, petit !) de laisser se former cette cicatrice et puis (un souffle et une caresse, un soupir), on l'a rouverte et lacérée, et on a ajouté le nouveau mal.

Ni la déception ni la jalousie ne m'avaient jamais donné ce *vertige du sang.* Il fallait mon impuissance, la conviction que nulle femme ne jouit avec moi, qu'elle ne jouira jamais (nous sommes ce que nous sommes) et voici cette angoisse. En tout cas, je peux souffrir sans rougir : mes peines ne sont plus d'amour. Mais c'est vraiment là la douleur qui détruit toute énergie : si l'on n'est pas homme, [...] si l'on doit passer parmi les femmes sans pouvoir exiger, comment peut-on ne pas perdre courage et comment se tenir droit ? Y a-t-il un suicide mieux justifié ?

A une pensée aussi terrible, il est juste que corresponde ce sentiment inouï d'écrasement, de vide intérieur, d'inutilité des muscles et du cœur — jusqu'à présent un instant seulement ; mais le jour où cela durera davantage ? Où cela emplira une heure ou une journée ?

[...]

25 décembre

Avec amour ou avec haine, mais toujours avec violence.

Aller au « confino » n'est rien ; en revenir est atroce.

L'homme de masse ne devrait pas être le voyou mais le discipliné. Nous, nous ne sommes ni l'un ni l'autre.

Il y a quelque chose de plus triste que de vieillir, et c'est de rester enfants.

Si baiser n'était pas la chose la plus importante de la vie, la *Genèse* ne commencerait pas par là.

Naturellement, tout le monde te dit « qu'importe ? Il n'y a pas que cela. La vie est différente. L'homme vaut par autre chose », mais personne — même pas les hommes — ne jette un coup d'œil sur toi si tu n'as pas cette puissance qui irradie. Et les femmes te disent « qu'importe ? etc. » mais en épousent un autre. Et se marier veut dire construire une vie. Et toi tu ne t'en construiras jamais une. Cela veut dire avoir été enfant trop longtemps : oui.

Si ça a mal marché pour toi avec elle qui était tout ce que tu avais rêvé, avec qui cela pourra-t-il jamais bien marcher pour toi ?

Te rappelles-tu comment tes rêves de maisons ouvrières et claires, tes courses sous les arbres dans un pré, ta ville froide au pied des montagnes, les enseignes au néon rouge face à la place des montagnes, les dimanches errants vers cette place, sur les pavés, et puis ton rêve déchirant de compagnes piémontaises-internationales, de filles qui vivent seules et qui travaillent, d'élégance et de sérénité plébéiennes, et puis tous tes poèmes de la première année : te rappelles-tu comme tout cela s'est anéanti pour toujours avec le 9 avril ? Toute ta jeunesse n'est-elle pas au cinéma et sur la piazza Statuto ? morte, absolument morte ?

Te rappelles-tu comme, à Brancaleone, tu as pensé à la piazza Statuto ?

Il fallait vraiment que cela t'arrive à toi de concentrer ainsi toute ta vie sur un seul moment et de découvrir ensuite que tu peux tout faire sauf vivre ce moment.

Après tout, aujourd'hui est le 25. Et elle est à la montagne. Il y a eu un 25 où elle n'y est *pas* allée. Vraiment ?

Qu'importe de vivre *avec* les autres, quand chacun des autres se fiche des choses vraiment importantes pour chacun ?

Pour plaire aux hommes, il faut professer ce que chacun de ces hommes repousse et hait dans sa vie secrète.

[...]

Sincèrement. Je voudrais plutôt mourir qu'apprendre cette nouvelle la concernant. Aujourd'hui, je voudrais vraiment croire en Dieu pour le prier. Qu'elle ne meure pas. Qu'il ne lui arrive rien. Que tout cela soit un rêve. Qu'il y ait toujours un lendemain. Que ce soit plutôt moi qui disparaisse.

Une seule créature vous en apprend plus que cent.

30 décembre

Pourquoi nous courber? En cette année 1937, nous avons relevé les ruines de 36, nous avons transformé une atroce dépression (35-36) en crise de passage à la maturité. Retrouvé absurdement un amour qui a un lendemain ; touché de nouveau le fond de notre cœur vivant, effleuré de nouveau la poésie-épanchement et vaincu, et créé la *Vieille ivrognesse,* atteint un solide ensemble méditatif et jugeant avec ce journal ; accumulé une moisson de nouvelles variées, solides et fécondes — quelques-unes définitives —, retrouvé le rythme de la création.

Traduit quatre livres et gagné ainsi 6200 lires. Donné de nombreuses leçons et trouvé un rythme d'élèves. Espoirs semblables pour 1938.

Ce n'est pas là le moment parce qu'une guerre risque de rendre tout cela inutile ? Ce serait un beau trait d'ironie cosmique. Cela vaudrait la peine.

Que cette mauvaise farce ne se produise pas, et je réponds de moi. Et je réponds d'elle. Et je réponds de tout.

[...]

Et pendant cette année ma longue et secrète honte est venue au jour. Dans cette nouvelle année 1934, il y a aussi le 13 août. Et pourtant je vis. N'est-ce pas un miracle ?

31 décembre

Il y a un seul vice, le *désir,* qui s'appelle, chez les Ivan, *ambition ;* et chez les Mitia, *concupiscence.* La *Genèse,* dans son obscurité, pose à l'origine une ambition que l'on peut interpréter comme de la concupiscence. Le tragique de la vie, c'est que le bien et le mal sont la même matière d'action — le *désir* — seulement colorée de façons opposées. Mais comme des couleurs vues la nuit que l'on distingue soit par parti pris, soit par instinct, mais jamais par une nette connaissance. La séduction et le frisson du vice, c'est l'inquiétude que provoque, la nuit, une couleur que nous croyons telle et qui en revanche est différente.

Nous, nous manions des tas de couleurs indécises, croyant souvent que c'est un rouge alors que c'est un bleu, et tremblant toujours dès que nous voulons faire la distinction. La tragédie du bien-intentionné est la tragédie du petit homme qui devra avoir amassé à l'aube tant de bleu et qui, dans l'obscurité, tâtonne et craint toujours de choisir les rouges, qui, peut-être, sont du reste, les jaunes. La conscience n'est plus qu'un *flair,* une *couleur* connue *à tâtons.*

Il y a cela de vrai dans l'« art pour l'art » : on se met à sa table et l'on goûte le pur arbitre, un arbitre pour lequel la nécessité de lois internes est un sel, parce qu'il fait naître *de nous seuls* un ordre et un choix exempts de toute extériorité brutale, un ordre et un choix jaillissant, palpitants, de notre conscience même. Au fur et à mesure que cet ordre se compose, il devient nécessaire, mais notre plaisir se compose et s'objective justement au fur et à mesure. Une fois l'œuvre finie, voici le détachement et, au fond, le mécontentement : cet ordre et ce choix se sont extériorisés, nous ne pouvons plus dire notre mot, nous devons les accepter comme une réalité naturelle. Nous sommes père et non plus amant : nous étudions notre œuvre avec une curiosité et une anxiété prudentes et un peu hostiles : c'est l'enfant qui se détache.

Pour inférieure que l'œuvre soit au rêve, qui est-ce qui ne la contemple pas, stupéfait et passif ? et qui n'y trouve pas des choses ignorées ?

Toute ta sérénité, tout ton altruisme, toute ta vertu et tout ton sacrifice s'écroulent en présence de deux êtres — homme et femme — dont tu sais qu'ils ont baisé ou qu'ils baiseront. Ce mystère impudent qui est le leur est intolérable. Et si l'un des deux est tout ce que tu rêves ? Que deviens-tu alors ?

Aimer une autre personne, c'est comme dire : dorénavant cette autre personne pensera plus à mon bonheur qu'au sien. Y a-t-il quelque chose de plus imprudent ?

Celui qui n'est pas jaloux même des slips de sa bien-aimée, n'est pas amoureux.

Y a-t-il quelque chose de plus profond que le geste enfantin de l'amant qui suce les tétins de sa bien-aimée ?

Deux choses t'intéressent : la technique de l'amour et la technique de l'art. Tu es parvenu à toutes les deux avec une ingénuité et une grossièreté non dénuées de saveur. Tu as commencé dans toutes les deux par des hérésies : vénus solitaire et hurlement passionnellement rythmé. Dans toutes les deux, tu as créé quelques chefs-d'œuvre. Mais le jour viendra où tu découvriras ton 13 août aussi en art.

(Cf. 20 novembre, II). — L'origine autobiographique de la *pensée racontée* dans tes poèmes est parallèle à l'origine autobiographique du roman objectif, telle que tu l'as découverte chez Cellini et Defoe. Le fait de détacher la réalité en récit à la troisième personne est un raffinement de technique, mais il commence toujours (?!) par la présentation d'une réalité à travers un moi (autobiographie). C'est ce qui se passe aussi dans tes nouvelles.

Et est-ce que cela ne ramène pas poésie et roman à la racine du drame ? Que le personnage que l'*on parle* soit un ou plusieurs, n'est-ce pas la même chose ?

Une séquelle banalement compliquée de cette constatation, c'est la technique moderne des divers personnages de roman qui s'autobiographient (*As I lay dying* — Faulkner).

Jusqu'à présent, tu as fait parler le protagoniste à la première personne sans te soucier de le caractériser même dans son mode d'expression (l'*Idole,* l'*Intrus, Premier amour*) maintenant, il va falloir que tu t'occupes aussi de sa singularité : le créer *comme personnage,* ne pas le laisser sous la forme d'un neutre toi-même (et ce sera *Vulgarité* ou *Suicides*).

Timidité *Suicides*
Caissière
remords passionnel-noble ou bien Rues
Timides
Récit et effet *Vulgarité*

(Épigraphe de tout :)

Pour obtenir la moindre rose,
pour extorquer quelques épis,
des pleurs sales de son front gris,
sans cesse il faut qu'il les arrose.
L'un est l'Art, et l'autre l'Amour...[1]

La Rançon[1]

1938

3 janvier

La vraie, la profonde raison de notre incompatibilité c'est qu'elle accueille tout avec une franche avidité, catholiquement, disposant tout selon une hiérarchie des valeurs qui respecte les grandes lignes traditionnelles. Elle accueille tout, avec son corps et avec son âme, comme on le doit. Vois la joie franche qu'elle prend à la montagne, la dispersion même de ses journées sentie simplement comme telle, sa capacité de se consacrer à ce qu'elle vient à l'instant de choisir de faire.

Toi, tu as déréglé ton accord de corps et d'âme, tu vis dans les antinomies : voluptueux-tragique, lâche-héroïque, sensuel-idéal, etc., sans les construire catholiquement, sans te dominer, mais en observant, étonné, les excès d'oscillation. Tu la bois des yeux

1. En français dans le texte original.

pendant qu'elle mange sa *brioche.* Et pourtant elle aussi t'aime autant que sa nature le lui permet. Mais, pour toi, elle est à la fois la vie et la mort. Des deux, c'est pourtant toujours elle qui pourra être la victime.

[...] Et elle serait toujours plus carrée que toi qui orientes tout vers une seule direction. Parce que toi tu vis de pensées et elle de réalité. Et la réalité n'est jamais déséquilibrée, n'est jamais péché. Personne ne le croirait, mais cet « essentiellement... » est un compliment. C'est si vrai que là où je me démasque, j'apparais en état d'infériorité (« ... et je l'écris en tremblant... »). Et le mal naît toujours de celui qui est déphasé et non de celui qui est réel. Je ne pourrai jamais, malgré tout, être sa victime. Elle si, de mille façons. Triste réconfort.

4 janvier

[...]

Toi, si tu te proposes un sacrifice, tu le veux si intense et si exclusif qu'en définitive il n'intéresse plus personne. Rappelle-toi toujours que, lors de ta première communion, tu n'avalais pas ta salive pour ne pas rompre ton jeûne.

[...]

5 janvier

On ne change pas sa nature. Tu as découvert que tu étais ingénu, que tu affichais tes sentiments pour qu'ils soient encore plus absolus (incapacité de mentir), et, croyant avoir changé de registre, tu fais maintenant étalage de tes tragiques convictions sur la nécessité du mensonge.

Voici qui est définitif : tu pourras tout avoir de la vie, sauf qu'une femme t'appelle *son homme.* Et jusqu'à présent, toute ta vie était fondée sur cet espoir.

[...]

L'art de vivre, c'est l'art de savoir croire aux mensonges. Le terrible c'est que, ne sachant pas *quid sit veritas,* nous sachions néanmoins ce qu'est le mensonge.

[...]

8 janvier

Il n'est nullement ridicule ou absurde celui qui, songeant à se tuer, serait embêté et aurait peur de tomber sous une automobile ou d'attraper une maladie. A part la question de la plus grande ou de la moindre douleur, il reste toujours que vouloir se tuer, c'est désirer que sa mort ait une signification, soit un choix *suprême,* un acte unique en son genre. Il est donc naturel que le candidat au suicide ne supporte pas l'idée de tomber par hasard sous un véhicule ou de crever d'une pneumonie ou de quelque chose d'aussi insensé (*meaningless*). Alors, attention aux carrefours et aux courants d'air.

15 janvier

[...]

La punition de celui qui se laisse aller à des actes contre nature, c'est que lorsqu'il voudra être naturel, il n'y parviendra plus. L'histoire de Jekyll et Hyde.

Tous les caractères qui sont fameux pour leur qualité olympienne (Shakespeare — Goethe — Sturani [1]), n'ont jamais acquis ce calme en dominant le tumulte, comme récompense d'un héroïque effort. Ils étaient simplement olympiens dès leur premier jour, et ils n'ont jamais dû faire d'efforts, et s'ils semblaient bouleversés par le tumulte d'une passion, ils avaient déjà un moyen judicieux de la supporter, un moyen qui leur assurait l'immunité. Cela pour te consoler dans les efforts que tu fais pour ne pas éclater. Toi, tu n'es pas né olympien et tu ne le seras jamais : tes efforts sont inutiles. Parce que celui qui a cédé une seule fois au tumulte peut toujours céder une autre fois. Problème de technique : tout pont a une portée au-delà de laquelle il ne tient plus débout. C'est une question de trempe. La volonté est seulement la tension de la trempe appropriée. On ne peut l'augmenter d'une once.

Ton salut — belle fleurette à offrir à tes trente ans — réside seulement dans la lâcheté, dans le fait de te retirer dans ta coquille, dans le fait de ne pas courir de risque. Mais si le risque te recherche ? Et combien durera ta coquille ?

Sache cette autre chose : si terribles qu'aient été jusqu'à présent tes épreuves, tu es ainsi fait que, demain, elles le seront encore plus. Ton lit, c'est que, pour toi augmente seulement, avec les années, ta capacité de te déchaîner et non celle de résister. Car ta coquille — aujourd'hui, tu le vois clairement — est allée toujours en s'amincissant, même matériellement. Tu es malade et sans travail.

Comme des milliers d'autres, du reste. « Pas

1. Mario Sturani, ami de jeunesse de l'auteur.

même l'orgueil de me sentir seul » : tu étais un beau con, et le plus grave c'est que tu l'es encore. As-tu jamais été autre chose que ce gosse ?

Pour que les gens aient pitié de nous, il faut que nous nous présentions bien (*keep smiling*), que nous ne soyons pas trop sales, que nous représentions un avantage pour celui qui s'occupe de nous. Mais celui qui réclamerait vraiment la pitié et le sacrifice — l'humilié, l'obsédé, l'impuissant, l'homme fini ; sale et parlant mal ; désespéré et assoiffé — qui voudrait lui consacrer sa vie ? Je veux dire sa vie de façon absolue, comme pourrait le faire une femme qui l'épouserait, sans réserves. Beaucoup de gens, par charité, lui donneraient à manger, le raisonneraient, le laveraient et le débarrasseraient de son pus, mais qui lui asservirait sa vie ?

Y a-t-il jamais eu un saint qui ait sauvé une *seule personne ?* Tous en ont sauvé de nombreuses, ont accompli une mission, ont *cherché* les malheureux, mais y en a-t-il un seul qui se soit jamais arrêté à *un* malheureux, s'enfermant dans cette tombe ? Et celui-là même qui a sacrifié sa vie, offrant son sang pour *un* autre, aurait-il été capable de passer tous ses jours enchaîné à cet autre, à cet autre *seul ?*

16 janvier

Je voudrais être toujours sûr — comme je le suis ce matin — que la volonté de l'adulte étant conditionnée par les cent mille décisions prises au fur et à mesure par l'enfant *en état d'irresponsabilité,* il est ridicule de parler de libre arbitre également chez l'adulte. On se trouve peu à peu caractérisé (à 16 ans, à 18, à 20, à 22, etc.) *sans même savoir* comment on en est arrivé là, et il est indubitable que, selon son caractère respectif, on agira d'une façon ou d'une autre : où est la place du libre et conscient arbitre ?

Est-il concevable que l'on tue une personne pour compter dans la vie de cette personne ? Alors, il est concevable que l'on se tue pour compter dans sa propre vie.

La difficulté de commettre le suicide réside en ceci : c'est un acte d'ambition que l'on ne peut commettre que lorsqu'on a dépassé toute ambition.

Les « illusions » de Leopardi sont redescendues sur la terre.

17 janvier

Il arrive ceci : avec une énorme dépense de douloureuse sincérité, le sentimental parvient aux mêmes résultats qu'un quelconque libertin. On peut rire, mais l'amour est ainsi fait. Rien dans la vie ne vaut la peine d'être payé au-dessus de sa valeur. Mais la sentimentalité consiste justement à bouleverser les valeurs.

Les putains marchent pour de l'argent. Mais, tout compte fait, quelle femme se donne pour autre chose ?

(nuit, insomnie)

Si l'on guérissait *in extremis* beaucoup de ceux qui font une mort édifiante, ils recommenceraient à se déchaîner.

Yet we all kill the thing we love
by all let this be heard
some do it with a bitter look
some with a flattering word...
[...]

Aimer sans restrictions mentales est un luxe qui se paie, se paie, se paie.

19 janvier

Il n'y a absolument personne qui fasse un sacrifice sans en espérer une compensation. Tout est une question de marché.

Si seule la douleur peut vous éduquer, je demande pourquoi il est philosophiquement interdit de s'acharner contre son prochain, ce qui serait l'éduquer de la meilleure manière ?

Si, dans cette jungle d'intérêts qu'est la terre, vous dites qu'il existe une chose bien, et que ce seraient les enthousiasmes pour l'idéal — je demande, quels idéaux ? Parce que vous êtes ensuite les premiers à assommer et à traiter de criminel celui qui n'a pas votre idéal. Admettons donc que l'on puisse *se tromper* dans la détermination de l'idéal : une fois admise la possibilité d'erreur, que devient votre propre recherche sinon un problème d'habileté ? Et alors — les uns naissent habiles, les autres non — où est la responsabilité ?

Pourquoi celui qui est vraiment amoureux demande-t-il la continuité, la durée (*lifelongness*) des rapports ? Parce que la vie est douleur et l'amour partagé un anesthésique, et qui est-ce qui voudrait se réveiller au milieu d'une opération ?

Les crimes que l'on commet contre le code sont une pauvre et banale chose par rapport aux crimes inouïs, subtils et affreux que l'on commet par le seul fait d'être vivant et pour s'en tirer tant bien que mal.

La solitude est souffrance — l'accouplement est souffrance — amasser est souffrance — la mort est la fin de tout.

[...]

L'habileté de l'homme vertueux ! La vertu est-elle possible sans habileté ? J'appelle habileté la capacité de saisir les valeurs. Et, sans calcul, personne n'est bon. Parce que le « *pur fou* » n'est qu'un fou ou même un idiot.

Mais je suis inconsciemment convaincu que, sans désintéressement, on est seulement — égoïste. Voir les femmes : on peut les étrangler, elles n'oublieront jamais leur intérêt. Et on appellerait ça vertu ?

[...]

21 janvier

Une femme tient à savoir éveiller le désir de l'homme, mais elle est horrifiée si on lui reconnaît cette capacité.

Le fait que la poésie décadente française et, donc, européenne se soit formée et appuyée sur l'expérience séculaire de la *song* anglaise et spécialement sur Poe, ne prouverait-il pas qu'une grande part de son goût pour les effets sonores et de ses recherches sur la valeur essentielle, magique des mots, provient de la fréquentation d'une poésie *étrangère* toujours seulement à demi comprise et donc goûtée essentiellement comme son et comme suggestion magique de syllabes mystérieuses ?

22 janvier

On peut concevoir un individu qui, se faisant tout petit, disparaissant, se décolorant, traverse avec une compagne les meilleures années de sa vie, sans connaître de malheurs. On ne peut concevoir un triomphateur, un bruyant, un érotique, qui échappe à l'ironie de la vie.

Qui eût jamais pensé qu'après avoir visé par tous les moyens à l'isolement sexuel, à l' « autarchie », je découvrirais dans ma peau que je désirais me marier essentiellement comme preuve de confiance de la part de la femme ? Et pour ma sérénité sexuelle ?

Si tu nais une autre fois, il faudra y aller doucement même dans ton attachement à ta mère. Tu n'as qu'à y perdre.

(Dit par)
« Pour comprendre qu'être jaloux charnellement est une idiotie, il faut avoir été libertin... »

24 janvier

Le sentimental (= déformateur de valeurs), dit aussi rêveur, commence en croyant que son inaptitude pour les choses pratiques est un méprisable écot à payer à l'Harmonie Pré-établie en compensation des ineffables consolations qu'il trouvera dans ses rêves.

Après quoi, il découvre que le monde des rêves réclame lui aussi une pratique, une habileté, comme l'autre. Mais il arrive toujours qu'il s'en aperçoit quand il n'est plus temps de vaincre son ingénuité invétérée. Et c'est là le véritable écot qu'il a à payer.

Au fond, je ne cherche pas autre chose dans la vie que *les raisons* de la traiter de salope. Qui ? la vie ?

Prends exemple sur elle : toutes les fois que tu lui lis une pensée indiscutable et désagréable, elle sourit avec tolérance et n'accepte pas la discussion. C'est ainsi qu'agissent les malins. Spécialement avec eux-mêmes.

S'il en était autrement, on devrait s'étonner : on accumule, on accumule des colères, des humiliations, des férocités, des angoisses, des pleurs, des frénésies et, à la fin, on se découvre un cancer, une néphrite, un diabète, une sclérose qui nous anéantit. Et voilà.

L'affreux, dans les malheurs, c'est qu'ils vous habituent à interpréter comme des malheurs même les choses indifférentes. *(Ceci sera corrigé le 1er novembre 1938.)*

Ils ont raison les idiots, les fous, les têtus, les violents, tous — sauf les personnes raisonnables. Que fait-on d'autre dans l'histoire qu'inventer des explications raisonnables pour ses propres folies? Ce qui est comme évoquer de nombreux fous qui mettront tout sens dessus dessous.

Il faut être fou et non rêveur. Il faut être en deçà de l'ordre et non au-delà.

Un fou peut encore redevenir sage, mais il ne reste au rêveur qu'à se détacher de terre.

Le fou a des ennemis. Le rêveur n'a que lui-même.

Le Christianisme ne peut mourir parce qu'il contient la possibilité de toutes les disciplines.

Voici le résumé de tous les amours :

on commence en contemplant, on finit en analysant,

exaltés curieux

Que m'importe une personne qui n'est pas disposée à me sacrifier toute sa vie? Que ce soit là l'exigence inavouée de chacun, on le voit par le fait que chacun se marie (ou voudrait se marier). Se marier est-il demander autre chose? Il va de soi, il va de soi que nous aussi sommes prêts à la réciproque. Oui mais *with a difference :* si cette autre personne change d'idée, nous en changerons naturellement nous aussi, alors qu'il n'est pas du tout naturel que, si nous changeons d'idée (un petit adultère dominical), l'autre aussi ait ce droit. Suis-je clair?

25 janvier

Je vis actuellement comme les plus méprisables personnages qui provoquaient mon indignation quand j'étais jeune.

26 janvier

[...]

On n'échappe pas à son caractère : tu étais misogyne et tu restes misogyne. Qui le croirait ?

Il est clair, non, que sans elle tu n'acceptes plus la vie ? Il est clair qu'elle ne reviendra plus jamais en arrière et, même si elle le faisait, que nous nous sommes maintenant trop violentés, pour vivre encore ensemble ? Et alors ?

Pourquoi écrire ces choses qu'elle lira et qui la décideront peut-être à intervenir et à te donner le change ? Quelle autre vie mènerais-tu dans ce cas, sinon celle d'octobre 1937 ?

Rappelle-toi que tout est écrit, février 34 — la première fois que tu as monté cet escalier et que tu t'es arrêté pour penser que peut-être c'était la fin qui commençait.

Les menottes de Sapri. A chaque heurt des roues, tu répétais son nom.

[...] Tu le sais que, demain peut-être, ils prendront le train ensemble et que tu ne sauras plus rien d'elle ? jamais plus ; comme si tu étais mort ?

Enfant, tu souffrais cela, en voyant deux grands qui te regardaient, méprisants et satisfaits.

Et tu ne savais pas bien ce que c'était qu'ils songeaient à faire et tu n'avais pas trente ans. Maintenant, tu es comme alors — seulement tu sais l'horreur de ces étreintes et tu as trente ans et tu ne *grandiras* plus.

[...]

Oserais-tu causer tant de mal ? Rappelle-toi comme tu as congédié E...

Mais tout est ambivalent. L'as-tu congédiée par vertu ou par lâcheté ?

Pensée consolante : les actions que nous faisons ne comptent pas, ce qui compte c'est l'esprit dans lequel nous les faisons. C'est-à-dire : les autres souffrent aussi, d'autant qu'il n'y a pas autre chose au monde que la souffrance : le problème est seulement comment avoir une conscience pure. Et ce serait là la morale.

Idiot et sinistre Kant — si Dieu n'est pas, tout est permis. Assez de morale. Seule la charité est respectable. Le Christ et Dostoïevsky, tout le reste est connerie.

La morale est le monde de l'habileté. Seule la charité est bonne pour toi. Mais *charité* est un euphémisme pour dire *anéantissement.*

26 janvier

(insomnie)

[...]

On dit des femmes qui craignent dieu, que ce sont de saintes personnes. Mais, pour les autres, la liberté d'esprit sert seulement à hausser leurs prix.

1er février

Il est facile d'être bon quand on est amoureux.

2 février

Les femmes les plus exigeantes en ce qui concerne les capitaux de leur prétendant sont celles qui « elles, méprisent l'argent ». Parce que, pour mépriser l'argent, il faut justement en avoir, et beaucoup.

Veux-tu savoir à quoi pense une femme quand tu lui demandes de l'épouser ? Lis Moll Flanders.

3 février

Chérie. Malgré ces mois d'horreur, malgré cette destruction stupide et inconsciente de toute l'énergie qui restait à un pauvre homme qui a su seulement souffrir ; malgré le gaspillage de tout le bonheur que nous aurions encore pu vivre ensemble dans l'avenir ; malgré tout le mal qu'elle m'a fait — je la regrette dans sa tristesse et dans son inutilité, j'aime non seulement ce corps, mais ses yeux lourds, tous ses efforts futiles et fiévreux, tout son splendide passé de pauvre jolie femme amoureuse de la vie. Pauvre enfant : que ce soit là mon adieu et ma prière.

5 février

[...]

Pourquoi cette joie sourde et profonde, *fondamentale*, qui naît dans les veines et dans la gorge de celui qui a décidé de se tuer ? Devant la mort, ne persiste plus que la conscience brutale d'être encore vivant.

9 février

L'origine de toutes les violences entre homme et homme, et, *for all that*, entre homme et femme, réside en ceci que, très rarement, on se trouve d'accord sur la valeur d'un fait, d'une pensée, d'un état d'âme : ce qui pour l'un est tragédie, est jeu pour l'autre. Et même si, initialement, tous les deux sont disposés à sentir le sérieux d'une situation, il arrive — car il y a toujours une légère différence d'intensité — que le plus sérieux est amené à exagérer son sérieux et le moins sérieux à transformer le tragique en jeu, à cause de cet amour de l'eurythmie, de la cohérence, de l'absolu, qui est en tout le monde.

Celui qui saurait rester seul pourrait échapper à ce destin — celui qui saurait épuiser toutes ses exigences dans le cercle clos de sa personne. Mais nous sommes ainsi faits que même nos mouvements les plus intimes cherchent un appui dans une approbation sociale. Et même, ceux qui vivent le plus solitairement sont amenés, quand ils trouvent une réponse chez le prochain, à se jeter dessus avec plus d'enthousiasme et d'exclusivité, tendant à créer une multiple solitude d'âmes. C'est pourquoi on ne conseillera jamais assez à celui qui est convaincu de la solitude essentielle de chacun, de se perdre en des liens sociaux innombrables et qui, en conséquence, n'engagent que peu.

La solitude vraie, c'est-à-dire celle dont on souffre, apporte avec soi le désir de tuer.

15 février

Combien de fois avons-nous pris cette ferme et bonne résolution de « rester sur notre quant à soi ? » — de la traiter comme si tout commençait maintenant mais avec l'inénarrable avantage que nous connaissons tous ses petits défauts ? Et combien de fois avons-nous cané ? Voyons pourquoi. Nous avons *fumed* dans la solitude, et là-dessus joué les tués en sa présence. Tu dois être calme et prompt en sa présence ; occupé dans la solitude. Jouer les rochers, ne plus jouer les vagues. Recréer ta solidité de 33 en barque. Remplir de suc tes réserves intérieures. Concéder, ne pas demander. Attendre. Tu sais ou mène toute impulsion. Dominer toutes celles qui conduisent aux situations avilissantes connues. Si tu ne sais pas faire cela, tu ne feras jamais rien.

[...]

16 février

Je suis content d'avoir toujours attendu quelque chose de Pinelli. Avec l'*Hippogryphe,* il prouve qu'il comprend beaucoup de choses modernes qu'il semblait ignorer et qu'il est sensible au rythme de la ville. Cette technique a des possibilités infinies. Elle permet de *raconter* avec toute la concision de la *scène.* Elle s'apparente au cinéma.

Il est beau de voir que, sous cette vitalité, il reste catholique ; et même que la foi est son épine dorsale. C'est inutile : de tout temps, il n'y a de vraiment modernes que les personnes de bon sens.

Nous avons des faiblesses. Nous sommes convaincus que personne ne peut changer son bagage. Nous cherchons par habileté à transformer les faiblesses en valeurs. Mais si c'est justement l'habileté qui manque dans votre bagage ?

Les choses absolues te plaisent? Tu ne peux construire un amour totalitaire, tu construis une bonté totalitaire. Mais ne fais pas de conneries; exclus le sexe.

17 février

Les jugements moraux de *Madame Bovary* ignorent tout principe sauf celui de l'artiste qui violente et imite tous les gestes humains. Certains se gargarisent du tableau que *Madame Bovary* donne de l'amour, y voyant une saine critique des vieilleries romantiques faite par une robuste conscience, et ils ne voient pas que cette *robuste conscience* n'est pas autre chose que le fait de regarder nettement, d'étaler fougueusement les tristes mobiles humains. Comment peut-on vivre, *selon Madame Bovary?* D'une seule manière : en étant un artiste calfeutré chez lui.

Garde-toi bien de prendre au sérieux les critiques de Flaubert à la réalité : elles ne sont faites que d'après ce seul principe : tout est boue, sauf l'artiste consciencieux.

19 février

Ces philosophes qui croient à l'absolue logique de la vérité n'ont jamais eu à discuter serré avec une femme.

20 février

Si l'on doit prendre une personne très chère, qui ne préférerait pas qu'elle meure plutôt qu'elle s'en aille simplement pour recommencer à vivre autre part? Peut-on tolérer que celle qui était toute votre vie, cesse de l'être pour nous et commence à l'être pour autrui ou pour elle seule ? Je suppose même que la séparation soit telle qu'elle exclue toute possibilité de retour et de reprise.

Tu n'as jamais été capable de mettre une digue à ta vie et tu veux canaliser et décrire celle des autres ?

Tu as remâché les choses de l'esprit (art, moralité, connaissance, dignité) en quantité suffisante pour en garder le goût dans la bouche, et puis tu es retourné à ton pain et à tes pommes de terre.

Tu oublies toujours que tu es né esclave. Il te semble toujours que l'on te fait tort. Mais peut-on faire tort à un esclave ?

La bonté qui naît de la lassitude de souffrir est plus horrible que la souffrance.

[...]

21 février

Pourquoi être jaloux ? Il ne voit pas en elle ce que j'y vois, moi — probablement il ne voit rien. Autant vaudrait être jaloux d'un chien ou de l'eau de la piscine. Et même, l'eau est plus *all-pervading* que n'importe quel amant.

Pourquoi presque tout le monde a-t-il connu une déception amoureuse ? Parce que justement l'amour où ils se sont tous précipités avec élan, ne peut que les trahir — à cause de la loi qui veut que l'on obtienne seulement ce que l'on demande avec indifférence.

23 février

Pour obtenir un amour tragique, il faut de l'*habileté*. Mais ce sont justement ceux qui sont *incapables d'habileté* qui ont soif d'amour tragique.

25 février

Dans la pause d'un tumulte passionnel — aujourd'hui — le dernier ? — renaît l'envie de poésie. Dans la lente atonie d'une silencieuse dépression naît l'envie de prose.

La fin violente et exténuée d'une passion ressemble à ton arrivée à Brancaleone. Tu as regardé autour de toi, étonné et meurtri, et tu as vu du ciel, des maisons, une plage basse — tout cela avec des couleurs âpres et tendres, comme ce rose sur un mur rugueux. Et tu as poussé un soupir de soulagement.

Clairs, les premiers jours. Mais ensuite ? Dès que tu t'es aperçu que tu étais seul ?

Il faut avouer que tu as pensé et écrit beaucoup de banalités dans ton petit journal de ces derniers mois.

Je l'avoue, mais y a-t-il quelque chose de plus banal que la mort ?

Raisonnement d'amoureux : si j'étais mort, elle continuerait à vivre, à rire et à tenter sa chance. Mais elle m'a plaqué, et elle continue à vivre, à rire, etc. Donc, je suis comme mort.

1er mars

Glamis hath murdered sleep.

5 mars

Se venger d'un tort qu'on vous a fait, c'est se priver du réconfort de crier à l'injustice.

L'amour intéresse la personne aimée en raison des *choses* qu'il apporte avec soi. C'est pour cela que celui qui tente d'aimer sincèrement et intégralement n'a presque jamais eu le temps d'accumuler les choses (personnalité, richesses, force, moyens, qualité, etc.) qui feraient accepter son amour. Quant à l'amour en soi, personne ne sait qu'en faire. Et soyons justes : qu'est d'autre l'amour en soi que la libido d'un gros singe ?

10 mars

Un homme qui souffre, on le traite comme un ivrogne. « Allons, allons, ça suffit, secoue-toi, allons, ça suffit... »

23 mars

Une bonne raison de se tuer ne manque jamais à personne.

Ce que l'on n'a pas su faire avec la force vierge de ses vingt-cinq ans, comment est-il possible de le faire avec les tares de ses trente ans ?

Se faire aimer par pitié, quand l'amour naît seulement de l'admiration, est une idée très digne de pitié.

Il est clair que nous ne réussirons jamais à *nous planter* dans le monde (un travail, une normalité).

Il est clair que nous ne conquerrons jamais une femme (ni un homme), tant à cause de la précédente faiblesse qu'à cause de celle que tu sais.

Il est clair que nous ne nous éprendrons jamais

d'une de ces idées pour lesquelles on accepte de mourir — voir l'expérience passée.

Il est clair que nous n'aurons jamais le courage de nous tuer — voir combien de fois nous y avons pensé.

[...]

26 mars

A quoi a servi ce long amour ?

A découvrir toutes mes tares, à éprouver ma trempe et à me juger.

Je vois maintenant la raison de mon isolement jusqu'en 1934. Je sentais inconsciemment que, pour moi, l'amour serait ce massacre.

Rien n'a été sauvé. [...] Ma conscience a éclaté : voir lettres et tentation homicide. Mon caractère s'est courbé : voir « confino ». L'illusion de mon génie s'est évanouie : voir mon stupide livre et ma nature de traducteur. Jusqu'à la fermeté de l'homme commun qui s'est évanouie, elle aussi : à trente ans, je n'ai pas de métier.

Je suis arrivé au point d'espérer le salut de l'extérieur, et il n'y a pas plus grand obscurcissement : je pense encore qu'avec elle, je pourrais vivre et lutter. Mais elle fait elle-même justice de cette illusion ; elle me rit au nez et de la sorte m'épargne aussi cette dernière et pénible expérience.

« ... Nous sommes pleins de vices, de tics et d'horreurs

nous les hommes, les pères... »

Très juste. La seule chose, c'est que nous n'avons même pas été des pères.

[...] Même physiquement, maintenant, je ne suis plus le même.

Et pourtant il est arrivé *à beaucoup de gens* qu'un amour les ait détruits et tués. Est-ce parce que je suis plus beau que cela ne devrait pas m'arriver à moi ?

La lutte, maintenant, n'est plus entre survivre ou me décider au saut. Elle est entre me décider au saut, tout seul, comme j'ai toujours vécu, ou emporter avec moi une victime — pour que le monde s'en souvienne.

Tous les jours, tous les jours, du matin au soir, penser cela. Personne ne le croit : c'est naturel. C'est peut-être là ma vraie qualité (non pas le talent ; non pas la bonté ni rien) : être obsédé par un sentiment qui ne laisse pas saine une seule cellule de mon corps.

C'est vraiment l'ultime orgueil : personne n'aurait résisté pendant neuf mois à une telle torture. Elle le dit elle-même : un autre — n'importe qui — l'aurait déjà tuée à l'heure qu'il est.

[...]

La chose secrètement et le plus atrocement redoutée arrive toujours.

Enfant, je pensais *en frissonnant* à la situation d'un amoureux qui voit celle qu'il aime en épouser un autre. Je *m'exerçais* à cette idée. Et voilà.

27 mars

Un dimanche passé à errer par la pensée comme une mouche liée, tout entier abasourdi, corps et âme, parcouru par des frissons de rage, ou étreint par cette main de fer, ou flatté par le très vague espoir d'un avenir moins atroce.

Je remarque que la douleur abrutit, abêtit, écrase. Tous les tentacules avec lesquels jadis je sentais, je tâtais et j'effleurais le monde, sont comme tranchés et le tronçon est gangrené. Je passe la journée comme quelqu'un qui a heurté un angle avec la rotule de son genou : toute la journée est comme cet instant intolérable. La douleur est dans ma poitrine, qui me semble défoncée et encore avide, palpitante d'un sang qui s'enfuit sans recours, comme à la suite d'une énorme blessure.

Naturellement, tout cela est une idée fixe. Mon Dieu, mais c'est parce que je suis seul et, demain, je connaîtrai un bref bonheur, et puis de nouveau les frissons, l'étreinte, la torture. Je n'ai plus physiquement la force de rester seul. Une seule fois, j'y suis parvenu, mais, maintenant, c'est une rechute et, comme toutes les rechutes, elle est mortelle.

Et, pourtant, une autre souffrance s'ajoute à cet état, comme pour quelqu'un qui, coupé en deux, sent encore qu'il a mal aux dents. Cette souffrance est la suivante : un 2 février, de Brancaleone, j'ai écrit une lettre semblable, celle de la croûte. Quelle a été ma vie depuis lors ? Cela valait-il la peine d'être aussi lâche : pour obtenir quoi ? D'autres tortures, une autre gangrène, me laisser avoir une autre fois.

Je suis devenu idiot. Je me demande et je me redemande : que lui ai-je fait de mal ? Aie le courage, Pavese, aie le courage.

[...]

Pense que si tu crèves seul, ce sera un mérite pour toi. Cela te sera compté.

25 avril

Pourquoi — quand on s'est trompé — dit-on « une autre fois, je saurai comment faire », quand on devrait dire : « une autre fois, je sais déjà comment je ferai » ?

6 mai

Il y a un remède à tout. Pense que c'est la dernière soirée que tu passes en prison. Respire, regarde ta cellule, attendris-toi sur ses murs, sur ses barreaux, sur la maigre lumière qui entre par la fenêtre, sur les bruits qui montent de toutes parts et qui maintenant appartiennent à un autre monde.

Pourquoi regrettes-tu ta cellule ? Parce qu'elle est devenue ta chose. Mais si on te dit brusquement qu'il y a une erreur, que tu ne sortiras pas demain, que tu resteras là tu ne sais pas encore combien de temps, garderas-tu ton calme ?

Soyons sincères. Si Cesare Pavese paraissait devant toi, s'il te parlait et essayait de lier amitié, es-tu sûr qu'il ne te serait pas odieux ?

Te fierais-tu à lui ? Voudrais-tu sortir le soir avec lui pour bavarder ?

11 mai

Examine combien de choses te plaisent et te réveillent seulement parce qu'elles « font bizarre » et rougis.

Plus tellement parmi les personnes. Mais dans la nature ! Le jardin tigré, les petits nuages du printemps, le saut de Turin à la plaine de la Doire, l'odeur d'essence au milieu des arbres des avenues, etc.

Au fond, tout ce que tes promenades ont de délirant est fait de bizarre, lequel se différencie seulement du pittoresque du XIXe siècle parce que tu as eu la bonté de le préférer.

Il va de soi que nous voudrions lui donner une valeur universelle assez solidement construite pour le réhabiliter. « *There is no excellent beauty that hath not some strangeness...* » Tout le problème est dans la *strangeness*. Mais la phrase continue « *... in the proportion* ». Ce qui revient à dire : la *construction* de la beauté doit avoir du bizarre, les éléments étant banals et — c'est moi qui le dis — immédiatement reconnaissables. Parce que, en somme, découvrir une *strangeness* de choses est facile et ne signifie rien ; il faut découvrir une *strangeness* de rapports — de construction — et alors on aura appris à voir le bizarre, on aura montré comment le bizarre naît et vit au milieu de la banalité et du sérieux universels.

Étant indiscutable que l'art tout entier vise à la « merveille » : ou mieux, à « enseigner la merveille ». En s'étonnant du « comment » et non du « quoi », on pourra ensuite s'étonner tant qu'on voudra.

13 mai

Comme Dieu *pouvait* créer une liberté qui ne permît pas le mal (cf. l'état des bienheureux libres et certains de ne pas pécher), il en résulte que c'est lui qui a voulu le mal. Mais le mal l'offense. C'est donc un banal cas de masochisme.

Et ne pas perdre de vue que le poète raisonne avec le *comment* et non avec le *pourquoi*. « Tu as couillonné X., tu me couillonneras ; comme moi, Y. ; comme lui, moi, etc. »

Vendredi, treize — indiscutablement, nous ne sommes plus des enfants.

16 mai

Tu as feuilleté *Travailler fatigue* et cela t'a découragé : composition lâche, absence de tout moment intense qui justifierait la « poésie ». Ces fameuses images qui seraient la structure imaginaire même du récit, tu ne les as pas vues : cela valait-il la peine de dépenser à cela ton temps de 24 ans à 30 ? A ta place, j'aurais honte.

24 mai

Quand un jeune homme — dix-huit, vingt ans — s'arrête pour contempler son tumulte, tente de saisir la réalité et serre les poings, c'est beau. Mais il est moins beau de le faire à trente ans, comme si rien n'était arrivé. Et cela ne te fait pas froid dans le dos de penser que tu le feras à quarante ans, et puis encore ?

26 mai

La raison pour laquelle les uniques filons riches de matériau que tu as trouvés sont les années qui vont de tes six ans à tes quinze ans, d'où te viennent des histoires et des poèmes pleins de maturité et de saveur — est la suivante : pendant ces années, tu vivais *dans le monde,* comme un jeune veau et de façon obtuse, mais dans le monde. Bien sûr, ton moi influait sur tes contacts pratiques avec le monde, mais il laissait intact tout le courant de sympathie entre toi et les choses.

Après quinze ans, ton moi est sorti de la brutalité pratique et a commencé à s'ériger aussi dans un monde qui avait été jusqu'alors celui de la contemplation pure. Et tout est devenu stérile, trouble et voulu.

Le problème de sortir de l'adolescence trentenaire où tu te meus, est le suivant : voir les manœuvres de la virilité du même œil pratique que celui dont l'enfant voyait les siennes, mais plonger avec la même ingénuité dans le courant de sympathie pour ce monde sinistre.

Au fond, l'unique raison pour laquelle on pense toujours à son moi, c'est que nous devons rester plus continuellement avec notre moi qu'avec n'importe qui d'autre.

A propos de cette histoire des filons. Il est néanmoins à souligner que parmi les nombreuses expériences de ton enfance, tu en as choisi certaines qui ont un air de famille, entre le rêve et la brutalité, et tu les as choisies justement pendant la longue élaboration des années d'adolescence. Comment cela se fait-il ?

C'est un fait qu'est vraiment bien cela seulement qui revient infiniment de fois à ton imagination, et que *tu ne peux pas* ne pas rêver. Problème : le choisis-tu parce que tu as des goûts déjà formés, ou est-ce cela qui forme ton goût ? L'habituelle réponse — qu'ils naissent ensemble — ne me semble pas valoir grand-chose.

30 mai

Énième séparation. Ce qui dépend de soi seul, il suffit de le vouloir avec décision, et on l'obtient. Ce qui dépend du consentement d'autrui est un *do ut des*, où il ne faut absolument *pas* montrer une volonté désespérée et sincère. Ce n'est que par l'indifférence que l'on obtient et que l'on garde.

Dans les problèmes de vie en commun, les lois en vigueur sont les mêmes que celles qui régissent le marché. Pour savoir traiter, il faut savoir être indifférent.

Sincères avec soi-même, faux avec les autres.

L'unique moyen de te conserver une femme — si tu y tiens — c'est de la placer dans une situation telle que le monde, le respect humain, l'intérêt, etc., l'empêchent de s'en aller. Celui qui tente de la garder par la simple force de l'affection et de la sincérité est un naïf. Avoir la légitimité de son côté : c'est ainsi que se stabilisent les révolutions et qu'on tient les femmes. Se libérer de tout goût noble, et accepter d'être *a righteous citizen*, un gros bourgeois. Regarde comme tes connaissances se sont casées princièrement. Bien baiser et manger mieux ; cela plaît à tout le monde.

Et il y a des gens que cela étonnerait énormément si tu mettais en doute que l'on se sacrifie pour les idéaux. La vie pratique est habileté, un point c'est tout.

Tout se réduit à la sacramentelle habileté de la fiancée qui ne doit pas *céder* à son amoureux, sinon il la plaquerait.

31 mai

Et pourtant, tant que tu sentiras en toi cette rancœur, tant que tu seras contraint de ne pas rêver pour ne pas devenir fou, tant que tu « accuseras le coup », il est clair que tu ne pourras plus travailler. Il faut au moins aimer les *choses,* pour créer quelque chose. Pour être seul et créer quelque chose. Celui qui hait n'est jamais seul : il est en compagnie de l'être qui lui manque. Mais, pour aimer les choses, il faut aussi aimer les personnes. On n'échappe pas à cela. En fait, la conclusion logique de ton état est le suicide. Ou le commettre une bonne fois, ou pardonner au monde — et à elle qui est le monde tout entier. Pardonne-lui et, de la sorte, tu seras seul — seul avec elle. Cela aussi, c'est de l'*habileté.*

On voit que toute ta position est fausse à la terreur que tu as de sa mort et de son suicide. Si vraiment tu la haïssais, cette pensée devrait te sourire. Mais elle te terrifie, donc tu ne la hais pas. Serait-ce parce que tu vois ta victime t'échapper ? Il y a aussi cela, mais cela ne suffit pas à expliquer ton angoisse. Serait-ce par simple lâcheté de savoir la chose faite ? Il y a aussi cela — et tu devrais en avoir honte — mais cela ne suffit pas à expliquer cette angoisse. Donc pardonne-lui, sois l'homme que tu as toujours feint d'être et aie la paix.

2 juin

Dans les choses sexuelles, il me semble que l'homme en s'assouvissant se calme et se détache, la femme, elle, se rallume et le désir renaît en elle.

C'est là la raison du fait naturel que la femme se

dérobe et tente éternellement de laisser l'homme avec son désir, pour le lier à elle. Tandis que ça ne sert à rien à l'homme de se refuser à la femme pour la lier à lui.

En outre, la femme trouve sa paix dans l'enfantement ; l'homme s'il ne trouvait pas la paix dans le simple coït ne la trouverait jamais.

3 juin

Dans ce métier de poète, ce n'est pas la chaleur de l'inspiration qui crée l'idée heureuse, mais l'idée heureuse qui crée la chaleur inspirée.

En été et au printemps, au café, par les avenues, sous les arcades, etc., les femmes élégantes qui passent me rappellent toujours les antiques babyloniennes ou les alexandrines. Probablement ce n'est que l'effet du maquillage, des ongles rouges, des jambes nues, mises en relief par le soleil, le calme et la paresse, mélanges en conséquence de barbare et de raffiné, selon justement l'idée que je me fais de ces deux civilisations.

7 juin

Dangers de trop faire l'ange : quand le monde te traite comme il a toujours légitimement traité les anges, avec une méchanceté sadique et amusée, voici que tu deviens le pire et le plus abject des démons, celui qui, incapable de bien faire le mal, met une journée à tuer un lapin parce que, de temps en temps, il s'arrête pour se faire des reproches, et puis il recommence parce que les hurlements plaintifs du lapin lui donnent le soupçon qu'on se paie sa tête. Il n'y a rien de plus difforme qu'un ange déchu.

Parmi les autres profondeurs du christianisme, mets celle-ci : le vrai mal vient de celui qui était naguère bon, et non d'un esprit qui, ayant été méchant de toute éternité, ne serait capable d'aucun acharnement et aurait marre, un beau jour, de ses propres saloperies.

Une confirmation de cela, c'est la tradition qui fait de Néron jeune un petit Saint-Louis hypocrite et affecté.

Dommage que tout cela soit une interprétation romantique (le Corsaire, le Bandit par vengeance) et que, comme toutes les découvertes que tu fais, cela ne vaille rien.

Les choses qui te sont arrivées jusqu'à maintenant auraient dû t'arriver quand tu avais vingt ans. C'est cela qui est anormal en toi, et non le talent ou que sais-je. Dans cette inégalité entre tes possibilités vitales et ton expérience, réside la cause de ton épanouissement apparent à vingt-cinq ans et de ta déchéance actuelle. D'innombrables choses te manquaient alors, auxquelles tu suppléas en t'adonnant passionnément à la singularité et à la poésie ; tu les as eues trop tard maintenant pour être encore capable de les juger dans leur valeur concrète. Tu as tout déformé.

Naturellement, néanmoins, si cette inégalité s'est produite, elle n'est pas née du hasard, mais d'une surdité initiale et d'une dispersion qui sont tiennes, qui ont bouleversé, quand tu avais vingt ans, les valeurs et t'ont fait chercher des choses insolites de façon insolitement tortueuse. Parce que qui cherche trouve, et les expériences naissent surtout de l'intérieur et nous avons les aventures que nous choisissons d'avoir.

La sublimation et l'« angélification » des femmes dans le *Stil Nuovo* n'étaient-elles du reste pas un moyen de se débarrasser des choses emmerdantes et de s'occuper, une fois l'hommage rendu, de choses plus sérieuses et plus vitales ?

La mort est le repos, mais la pensée de la mort trouble tout repos.

Je suis en retard d'au moins huit ans sur les hommes de mon âge. Habituellement, ceux-ci, à vingt-deux ans, sont déjà convaincus de ce qui, à trente ans, ne me convainc pas encore.

Il est ridicule de supposer que ses rapports *vitaux* avec une personne puissent jamais changer.

11 juin

Je remarque que je n'ai à peu près pas de ressentiment contre elle. Je crois que c'est un bon signe de persévérance.

[...]

Si nous la choisissons nous-mêmes, une chose même déplaisante est un réconfort, alors que, si elle nous est imposée par autrui, elle n'est que souffrance.

C'est une vieille sagesse, mais cela fait plaisir de l'avoir redécouverte. Crois seulement à l'attachement qui coûte un sacrifice : tout le reste n'est, dans le meilleur des cas, que rhétorique.

Du reste, le Christ — notre divin modèle — n'exigeait pas moins des hommes.

De quelqu'un qui n'est pas prêt — je ne dis pas à te sacrifier son sang, ce qui est une chose rapide et facile — mais à se lier avec toi pour toute la vie (c'est-à-dire à renouveler chaque jour son don) — tu ne devrais même pas accepter une cigarette.

Avec les enfants, on ne plaisante pas, ma chère. J'ai été un enfant moi aussi (premier mois).

12 juin

Troisième après-midi de sa mort à elle.

Vécu héroïquement et non voluptueusement.

Que la poésie vienne plus rarement, cela ne veut pas dire qu'elle soit finie, mais que je suis moins facile à contenter en ce qui concerne les sujets et l'exécution.

Toutes les « affections les plus sacrées » ne sont qu'une paresseuse habitude.

13 juin

[...]

Y a-t-il quelque chose d'un plus pur style alfiérien que cette lettre ? Que toute mon attitude dans cette histoire ? Et toutes mes fureurs, tous mes éclats, tous mes hurlements, etc. ? Pas autre chose que l'histoire de Saül : cela ne valait pas la peine de naître un siècle plus tard.

Pour moi, la révolution française doit encore se produire, et quand elle se produira, elle me dégoûtera.

16 juin

Il y a un type d'homme qui *ne peut pas* supporter de quitter une femme ou, en général, une personne avec laquelle il est entré en rapport *jaloux*, sans lui claquer la porte au nez.

Je ne crois pas que ce soit de la méchanceté. C'est simplement le besoin de faire bruyamment, totalitairement ce qui, autrement, semblerait seulement approximatif et non certain.

C'est de la faiblesse. Cela consiste à s'attacher aux symboles extérieurs de la séparation (gros mots, gifles, gestes, scandales) par pur manque de confiance à l'égard de sa propre résolution intime.

C'est la peur d'être couillonné et de se voir remis dans la situation d'avant — auquel cas, tous les tourments que la séparation a pourtant causés seraient lamentablement vains et en pure perte.

Ce n'est pas de la méchanceté. Mais il est certain que toutes les méchancetés naissent de là, puisque, toutes, elles naissent de l'ambition frustrée.

Avec ta définition du sacrifice qui consisterait à vivre avec une personne et non à renoncer à elle, le résultat c'est que tu donnes tort à qui ne veut pas de toi. Mais pourquoi, après tout, devrait-on faire des sacrifices ?

Tu ne t'aperçois pas que — bien que tu rejettes une structure morale saine et normale — il te reste le *culte du geste moral,* privé de tout point d'appui historique ou transcendant — c'est-à-dire de la pure rhétorique ?

[...]

17 juin

L'effet de la douleur (malheurs, souffrances, quand elles sont mentales) est de créer un réseau de fil de fer barbelé dans l'esprit et de contraindre les pensées à éviter certaines zones, pour échapper aux angoisses qui y règnent. En ce sens, souffrir limite l'efficacité spirituelle.

Que, la douleur finie, votre puissance se trouve accrue n'est du reste pas si glorieusement vrai, avant tout parce qu'il reste toujours un certain engourdissement de ladite zone et une tendance à éviter le passage dangereux, et puis parce que, si, pendant qu'on souffrait, on n'a rien acquis, on ne voit pas comment on pourrait acquérir quelque chose après, dans l'état normal.

Le fait est le suivant : que l'on a acquis de l'*expérience,* c'est-à-dire la chose la plus abstraite et la plus vaine. Quant à la trempe, elle s'est seulement affaiblie. Aucun caractère n'a, après une douleur, la trempe qu'il avait auparavant. De même qu'aucun corps, après une blessure, n'a la santé d'avant, sinon un endurcissement exacerbé : le fameux état corné.

Tous ces grands spiritualistes parlent au fond de résultats matériels : notions sur soi-même, sur la vie, maximes que l'on se donne, etc. L'efficacité, la force, la « portée du pont », chacun le voit clairement, subissent seulement, avec la douleur, une limitation d'activité, et quand elles ont de nouveau le champ libre, elles n'ont même pas l'avantage de s'être revigorées par un repos — étant donné que souffrir fatigue et use, même si on ne laisse pas libre jeu à la souffrance.

20 juin

Il est à remarquer qu'en devenant adulte, on n'apprend pas de nouvelles manières de faire le bien — d'être bons — mais seulement à faire le mal, ou plutôt à être méchant. Cela oui, on ne finit jamais de l'apprendre.

Pourquoi ? Sans doute parce que le plus sérieux désir de bonté ne dépasse pas le *souvenir* qu'on a de son innocence enfantine. Je dis le *souvenir,* parce que pratiquement on était des salauds alors aussi.

22 juin

Le monde se vit grâce à l'habileté. Bien. Seuls les habiles savent faire le mal en triomphant. Celui qui souffre de cet état de choses et qui décide de faire une cochonnerie pour se venger, pour se mettre au diapason, pour triompher, doit ne pas oublier qu'ensuite *il lui faudra toujours vivre avec habileté,* savoir triompher, sinon l'habile cochonnerie commise une fois par hasard ne servira qu'à le tourmenter, contrastant avec tout son état persistant de non-habile, de non-salaud, d'inapte.

Le péché, c'est d'agir contre ce qui vous est habituel. C'est une rupture d'équilibre.

C'est *de là* que vient que, quand quelqu'un a commis une faute (c'est-à-dire que cette faute le tourmente, sinon ce n'en est pas une), toute sa vie semble mise en question.

Conseil aux pécheurs : ne jamais s'arrêter à moitié, mais s'engager tout entier et tenter de se donner la nouvelle direction comme une habitude, *de transfigurer en ce sens spécialement son passé.*

Le contraire peut sembler vrai, mais la chose qui fait le plus horreur à n'importe qui, c'est de se réveiller, un matin, *différent* de la veille. C'est-à-dire de perdre le sens de sa charpente.

Quelle est la différence entre un crime accompli et un crime imaginé, goûté, aimé, mais non commis ? Celle-ci : que le premier ne pourra plus être, et que le second laisse l'illusion de n'avoir pas dérangé notre nature. En conscience, ils devraient nous donner le même remords : mais ils ne nous le donnent pas parce que, dans le second cas, rien ne nous empêche de redevenir tel qu'avant.

En cela aussi, le christianisme est à la hauteur : « celui qui regarde une femme avec concupiscence, a déjà commis l'adultère... »

En somme : la bonne conscience n'est pas autre chose que l'expression du désir que nous avons tous : être nous-mêmes... être à l'aise.

Les petits prévaricateurs occasionnels souffrent immensément plus que les grands criminels, et cela simplement parce que les seconds sont naturels.

Quand une mauvaise action nous harcèle, ce n'est pas la douleur infligée à autrui qui nous déplaît, mais le malaise causé à nous-mêmes. (Cf. Raskolnikoff.)

L'art de vivre — étant donné que pour vivre, il faut torturer autrui (voir vie sexuelle, voir commerce, voir toutes les activités) — consiste à s'habituer à faire toutes les saloperies sans gâter notre arrangement intérieur. Être capable de n'importe quelle saloperie est le meilleur bagage que puisse avoir un homme.

23 juin

La belle formule « *Je ne dois pas* » qui, dans son caractère absolu, semble le signe le plus certain d'une transcendance de l'impératif moral, ne serait-elle pas plutôt une ellipse efficace qui sous-entend toute la considération d'un calcul compliqué ?

7 juillet

Le colloque du Pô.

8 juillet

« Il a trouvé un but dans ses enfants. » Pour qu'ils trouvent, eux aussi, un but dans leurs enfants ? Mais à quoi sert cette escroquerie générale ?

L'homme s'intéresse si peu à autrui, que même le christianisme recommande de faire le bien *pour l'amour de Dieu.*

Et il lui emplit la bouche d'un coup de poing.

Si stupide que pour trouver un but à sa vie, il a dû faire un enfant.

9 juillet

Ce n'est un bon signe dans aucune activité si, au début, il y a l'envie de réussir — émulation, violence, ambition, etc. On doit commencer à aimer la technique de chaque activité pour elle-même, comme on aime vivre pour vivre.

Cela seul est une vraie vocation et un gage de

sérieuse réussite. Ensuite pourront venir toutes les passions sociales imaginables pour relever le pur amour de la technique — il est dû même qu'elles viennent — mais commencer par elles est signe qu'on a envie de perdre son temps. Il faut en somme aimer une activité, *comme s'il n'y en avait aucune autre au monde,* pour elle-même. C'est pour cela que le moment significatif est celui des débuts : parce qu'alors c'est comme si le monde (passions sociales) n'existait pas encore par rapport à cette activité.

C'est aussi parce que tout le monde est capable de s'éprendre d'un travail dont on sait combien il rapporte ; il est difficile de s'éprendre gratuitement.

13 juillet

Est péché ce qui nous inflige du remords.

Il est naturel que les mêmes choses soient un péché pour l'un et pas pour d'autres (5 mai 36) : il suffit de ne pas en avoir de remords. Comment faire ? Faire comme le dit le 22 juin 38. S'ôter, en attendant, de la tête que le remords est une réalité absolue qui nous tombe infailliblement dessus. Seules l'éprouvent des consciences spécialement éduquées. On peut donc s'éduquer de façon à ne pas l'éprouver. On dit qu'en éprouver pour de multiples actes où l'inéduqué n'éprouve rien, est un gage de finesse et de richesse intérieures. Mais est-ce vrai ? Ne peut-on concevoir une richesse intérieure qui n'amène pas à l'exclusion d'états de conscience, mais qui les accepte tous, même ceux qui habituellement donnent du remords ? Il y a là un sophisme, car si *n'importe quel genre* d'état de conscience est un enrichissement, même celui de remords est enrichissement, et l'on revient au point de départ.

Mais si l'on parle d'*enrichissement,* on parle de *plaisir.* Nous dirons donc que même l'état de remords est le bienvenu, non en soi (car, comme toute douleur — 17 juin — il est, dans son actualité, un appauvrissement, un engourdissement, une pétrification) mais comme prémisse du plaisir causé par le repentir et le choix *résolu* consécutif de nouvelles bonnes actions qui ne donnent plus de remords.

Il reste, néanmoins, que cette condition (« seules celles qui ne donnent plus de remords ») semble nous lier les mains et en conséquence nous appauvrir.

Pour ne pas dire que, si le remords, le repentir et la résolution de bien faire qui en découlent, sont un processus positif (enrichissement), on ne voit pas pourquoi on ne devrait pas pécher pour parcourir ensuite cette gamme d'enrichissement.

Conclusion : en fait, il est légitime de pécher de façons inouïes, exploratrices, qui nous amènent à des remords et en conséquence à des résolutions contrites, nouvelles pour nous (= enrichissement). Est seulement péché de *re*faire une action dont on sait déjà qu'elle conduit au remords et en conséquence à une résolution (enrichissement) qui ne nous enrichit plus, nous ayant déjà enrichis une fois. Est-ce que je m'explique clairement ?

14 juillet

Pour comprendre l'attitude *grave* d'une femme au milieu de plusieurs jeunes gens, distante et désinvolte, embarrassée et contrite, pense à la tienne devant cinq à six putains qui, toutes, te regardent et attendent ton choix.

22 juillet

Se méfier de ceux qui ne sont jamais irrités. (Cf. 7 décembre 37, VI.)

Une fois écrite la première ligne d'un récit, tout est déjà choisi, le style, le ton et la tournure des événements.

Étant donné la première ligne, c'est une question de patience : tout le reste doit et peut en sortir.

Il se peut aussi qu'avoir au fond du cœur un remords, la plaie d'une vilenie commise dans le passé, augmente la conscience que l'on a de soi-même, nous rende intéressants pour nous-mêmes, occupe beaucoup de nos minutes désolées qui s'écouleraient autrement à vide.

N'importe quel remords, car une mauvaise action a toujours été une affirmation de passion et nous a, en conséquence, donné pendant un certain moment l'illusion d'avoir une certaine énergie.

Le *remords de ne pas avoir été capable,* par contre, ne donne aucun réconfort, à moins que l'on réussisse à l'interpréter comme une manifestation d'énergie, de sacrifice, de désintéressement, etc. Mais ce n'est pas toujours là un *trick* facile.

28 juillet

Le noyau de toute trame est le suivant : voir comment tel personnage s'en tire dans telle situation. Ce qui veut dire que toute trame est toujours un acte d'optimisme en ce qu'elle est une recherche de comment on réagit (il va de soi que même la *défaite* de ce personnage est cet acte : si pour l'auteur c'est une défaite, cela veut dire qu'il n'a pas su s'en tirer — jugement implicite sur ce qu'il aurait fallu faire pour s'en tirer). C'est là le message de toute trame : c'est ainsi que l'on doit, ou ne doit pas, faire. C'est pour cela qu'existent des œuvres immorales : les œuvres où il n'y a pas de trame.

L'art moderne qui semble fuir la trame substitue simplement à la trame naïve des faits divers, une très subtile myriade d'événements intérieurs où se substitue aux *personnages* un seul personnage (*average man*) qui peut être n'importe qui d'entre nous — qui, même, l'est, sous les vieilles et grossières schématisations psychologiques.

On atteint le sommet de cet art grâce à un truc : à l'*average man* considéré comme un héros extraordinaire (premier moment de l'art moderne), on substitue l'extraordinaire héros considéré dans sa normalité (*averageness*). Et comme on évite les schématisations du passé, on cherche ce héros extraordinaire dans le pathologique (l'extraordinaire commun) et on le suit avec une indifférente *homeliness* (Faulkner ? O'Neill ? Proust ?).

2 août

[...]

7 août

Le vrai beau sein est celui qui est formé de toute la poitrine, partagée en deux, et dont les racines vont donc jusqu'aux côtes.

Les autres sont de belles choses ajoutées, mais la poitrine existe en dessous d'eux.

28 août

Le charme subtil des convalescences consiste en ceci : revenir à ses habitudes avec l'illusion de les découvrir.

Il faut transformer en vertus ses irréductibles défauts. Étant prouvé que j'aime jouer la comédie devant moi-même, je peux racheter cette sotte dispersion en apprenant à me donner des rôles inconnus et à les voir ainsi se dérouler selon leur nature. C'est au fond une prémisse de poésie.

30 août

Ce que l'on trouve de grand chez Vico — outre ce que l'on connaît — c'est ce sentiment charnel que la poésie naît de toute la vie historique ; inséparable de la religion, de la politique, de l'économique ; « populairement » vécue par tout un peuple avant de devenir mythe stylisé, forme mentale de toute une culture.

En particulier, le sentiment qu'il nous faut une disposition particulière (« logique poétique ») pour en faire.

Et c'est encore au fond la théorie qui revit et explique le mieux les époques créatrices de poésie, le mystère à cause duquel les forces vives d'une nation jaillissent à un moment donné sous forme de mythes et de visions.

Mes histoires ne sont que des histoires d'amour ou des histoires de solitude. Pour moi, il semble qu'il n'existe pas d'autre moyen de sortir de la solitude qu'« aborder » une fille. Se peut-il que je ne m'intéresse pas à autre chose ? ou est-ce parce que le rapport érotique est plus facilement mythologisable sans particulariser ?

17 septembre

Ce n'est pas l'*expérience* qui compte pour un artiste, c'est l'expérience intérieure.

Un argument pour *eux*. L'homme se réfugie dans la solitude pour pécher.

Y a-t-il un réconfort à penser que la faiblesse peut être une force, comme une santé délicate est une défense contre les maladies graves ?

Au fur et à mesure que passent les années, la tête de mort apparaît de plus en plus sous le visage de chacun.

Ce qui est *sénilité* pour Svevo me semble, à moi, adolescence.

Un chrétien dirait qu'en croyant trouver le plaisir, on découvre au contraire ses tares. Que le providentiel office du plaisir est de faire oublier sa prudence à l'homme, et, le précipitant ainsi contre les murs de sa cellule, de lui enseigner l'humilité. C'est seulement en cherchant avidement le plaisir que l'on comprend ce qu'est la douleur.

Les preuves de l'existence de Dieu ne sont pas précisément dans l'harmonie de l'univers, dans l'équilibre miraculeux de tout, dans les belles couleurs des fleurs, etc. mais dans l'inharmonie de l'homme au milieu des choses : dans sa capacité de *souffrir*. Parce qu'en somme il n'y a pas de raison que l'homme souffre en ce monde, si n'existe pas la responsabilité morale, c'est-à-dire la capacité — le devoir — de donner une signification à sa souffrance.

18 septembre

Dans les rapports avec les gens, il suffit d'un instant d'ingénuité pour ruiner pour nous des journées entières d'asservissement à autrui.

Ingénuité n'est pas *charité*. C'est découvrir à l'offense un égoïsme propre.

Alors que la charité ne peut recevoir d'offenses.

19 septembre

Les hommes qui ont une vie intérieure orageuse et qui ne cherchent pas un soulagement dans la parole ou dans l'écriture, sont toujours des hommes qui n'ont pas une vie intérieure orageuse.

Donnez une compagnie au solitaire et il parlera plus que n'importe qui.

21 septembre

Nous ne devons pas nous plaindre si une personne qui nous est très chère présente parfois à nos yeux des attitudes odieuses qui nous portent sur les nerfs ou, en tout cas, nous font souffrir. Nous ne devons pas nous plaindre mais thésauriser avidement nos colères et nos amertumes ; elles nous serviront à adoucir la douleur, le jour où d'une manière quelconque cette personne viendra à nous manquer.

Ce qui précède sert jusqu'à un certain point. Avoir quelque chose à reprocher à celui qui a disparu n'adoucit pas la douleur de la disparition, mais la complique. Qu'une personne nous ait fait odieusement souffrir ne relâche pas les liens qui nous enchaînent à elle ; cela ajoute tout au plus à la privation présente un désir de rancune que l'on ne pourra jamais plus épancher, une torture d'infériorité impuissante, un sceau de privation éternelle.

L'origine de tous les péchés est le sentiment d'infériorité — autrement dit l'ambition.

La *concentration* d'une nouvelle ne consiste pas à fourrer les événements l'un dans l'autre comme les boîtes japonaises, mais dans le *ton* qui présente le jaillissement des faits comme quelque chose qui se produit après réflexion, à une distance raisonnable, *et qui est plein des sous-entendus suggérés justement par la distance.*

La nouvelle type *Deux amis,* c'est-à-dire celle qui expose avec un certain caractère implacable des événements sensoriels et psychologiques, tous au même plan de conscience, est un malheureux compromis avec la dramaturgie qui *regarde se produire* des faits psychologiques à travers une technique « immédiate » très spéciale. Le propre du récit est au contraire de *repenser* des événements plus ou moins éclairés, et non de les laisser se produire sous une même et inexistante lumière diffuse.

22 septembre

Il suffit parfois, à la seconde ligne, d'une touche naturaliste (« Il faisait un temps frais, avec un peu de brume ») pour provoquer des pages et des pages de naturalisme implacable, *documentaires* et non plus *narratives,* c'est-à-dire où chaque événement se place sur le plan de ladite touche, refusant de se laisser *repenser.*

Ces précisions initiales (« *Il faisait...* ») servent seulement dans le cas d'une nouvelle qui se déroule dans un cercle bref et temporellement très déterminé (*Nuit de fête*), dans les nouvelles, en somme, qui ont une coupe et une évidence scéniques et qui pourraient être jouées sur une scène. Sur la scène, en fait, tout se produit documentairement, et le décor et les gestes correspondent aux descriptions.

Le vrai récit (*Premier amour* et le *Champ de blé*) traite le temps comme matériau et non comme limite, et il le domine, le raccourcissant ou le ralentissant, et il ne tolère pas les didascalies qui sont le temps et la vision de la vie réelle ; plutôt, il résout en impulsion (synthèse fondamentale ou idée génératrice) de construction (distance perspective ou repensée) le milieu temporel.

Chacun, une fois la trentaine passée, identifie sa jeunesse avec la tare la plus grave qu'il lui semble avoir découverte en soi. (Cf. 31 octobre 37.)

29 septembre

Il va falloir que je cesse de me vanter de mon incapacité d'éprouver des sentiments communs (plaisir de la fête, joie de la foule, affections familiales, etc.). En réalité je suis incapable d'éprouver des sentiments exceptionnels (la solitude et la maîtrise de soi) et si je ne réussis pas bien à éprouver les sentiments communs, c'est parce qu'une prétention ingénue à éprouver les autres a rongé un système de réflexes qui était très normal chez moi.

En général, on se contente d'être incapable d'éprouver ces sentiments communs, et l'on croit que cela veut dire « être capable d'éprouver les autres ».

De façon analogue, on peut être incapable d'écrire une sottise et incapable d'écrire une chose géniale. L'une de ces incapacités ne postule pas l'autre capacité, et vice versa.

On hait *ce que l'on craint,* ce qui en conséquence peut *être, ce que l'on sent être un peu. On se hait soi-même.* Les qualités les plus intéressantes et les plus fertiles de chacun sont celles que chacun hait le plus en lui et dans les autres. Parce que dans la « haine » il y a tout : l'amour, l'envie, l'*ignorance,* le *mystère* et l'anxiété de *connaître* et de *posséder.* La haine fait souffrir. Vaincre la haine, c'est faire un pas vers la *connaissance* et la *maîtrise* de soi, c'est « se justifier » et, en conséquence, cesser de souffrir.

Souffrir est toujours de notre faute.

3 octobre

Nous connaissons beaucoup de choses qui, dans la pratique de notre vie, ne se réalisent pas sous la même forme. L'*homme d'action* n'est pas l'ignorant qui se précipite vers le danger sans penser à lui-même, mais l'homme qui retrouve dans la pratique les choses qu'il sait. Ainsi le poète n'est pas l'être inepte qui devine mais l'esprit qui incarne dans la technique les choses qu'il sait.

La conséquence du « 29 septembre », c'est que haïr est nécessaire. Tout contact avec une nouvelle réalité commence par la haine. La haine est une condition préalable de la connaissance. Les désagréments pratiques ne sont pas de la *haine,* sinon en ce qu'ils sont issus de la sphère de l'intérêt et qu'ils deviennent de la répugnance devant un inconnu, chose qui, à un degré plus ou moins grand, se produit dans tous les cas.

(Cf. 21 septembre, IV.) La difficulté du *temps* de la narration consiste dans la transformation du *temps matériel,* monotone et brut, en un *temps imaginaire* tel qu'il ait, néanmoins, la même consistance que l'autre.

La fausseté éternelle de la poésie, c'est que ses événements se produisent dans un temps différent du temps réel.

5 octobre

La plus atroce offense que l'on puisse faire à un homme c'est de nier qu'il souffre.

De même qu'on ne pense pas à la douleur des autres, de même on peut ne pas penser à la sienne propre.

8 octobre

[...]

9 octobre

L'art de développer les *petits mobiles* pour nous résoudre à accomplir les grandes actions qui nous sont nécessaires. L'art de ne pas se laisser décourager par les réactions d'autrui, en se rappelant que la valeur d'un sentiment est notre jugement personnel puisque ce sera nous qui l'éprouverons et non celui qui assiste. L'art de mentir à nous-mêmes en sachant que nous mentons. L'art de regarder les gens en face, nous-mêmes y compris, comme s'ils étaient les personnages d'une de nos nouvelles. L'art de se rappeler toujours que, nous-mêmes ne comptant pour rien et aucun des autres ne comptant pour rien, nous comptons plus que chacun, simplement parce que nous sommes nous-mêmes. L'art de considérer la femme comme une miche de pain : problème d'habileté. L'art de toucher de façon foudroyante le fond de la douleur, pour remonter d'un coup de talon. L'art de nous substituer à chacun et de savoir en conséquence que chacun s'intéresse seulement à lui-même. L'art d'attribuer n'importe lequel de nos gestes à un autre, pour nous faire voir à l'instant s'il est sensé.

L'art de se passer de l'art.

L'art d'être seul.

10 octobre

Naturellement, tu admets que le plus odieux des hommes mange comme quatre et ait du bon temps. Cela te paraît même la chose qui souligne son caractère odieux.

Et tu admets donc que le plus odieux des hommes ait la plus belle des femmes, qu'il vive avec elle en bonne harmonie, qu'il ait une maison élégante et de bon goût, qu'il soit un heureux père, qu'il domine dans le monde, qu'il jouisse de son honnêteté, etc.

Y aurait-il une différence entre mastiquer avec appétit et ces autres plaisirs ? Non seulement cela, mais tu dois aussi lui concéder le plaisir de se sentir malheureux de temps en temps, suprêmement malheureux, de se sentir noble à cause de sa souffrance.

Que peux-tu refuser au plus odieux des hommes ? Tu ne peux rien lui refuser.

Rire immodérément est un signe de faiblesse au même titre que pleurer. En fait, après on se sent éreinté.

En général est *signe de faiblesse tout ce qui nous prive de la conscience.* La plus grande faiblesse est de mourir.

13 octobre

Si une femme ne vous trompe pas, c'est parce que cela ne lui convient pas.

Tout luxe doit se payer. Tout est luxe : à commencer par être au monde.

Il est stupide de s'attrister à cause de la perte d'une compagnie : nous pouvions ne jamais rencontrer cette personne, nous pouvons donc nous en passer.

La religion consiste à croire que *tout ce qui nous arrive est extraordinairement important.* C'est précisément à cause de cette raison qu'elle ne pourra jamais disparaître du monde.

Cf. 10 octobre 38, I-Souffrir (cf. 17 juin 38) est donc une faiblesse.

Il n'est pas vrai que la mort nous arrive comme une expérience devant laquelle nous sommes tous des débutants (Montaigne). Avant de naître, nous étions tous morts.

15 octobre

Il est certain qu'en souffrant, on peut *apprendre* beaucoup de choses. Le mal c'est que pour avoir souffert, nous avons perdu la force de nous en servir. Et simplement savoir est moins que rien (cf. 3 octobre 38, I).

L'acceptation de la souffrance (Dostoïevsky) est en substance un moyen de ne pas souffrir. Donc... Celui qui se sacrifie ne le fait-il pas pour adoucir la souffrance d'un autre ? Ce qui revient à dire : même si je souffre, pourvu que les autres ne souffrent pas, tout va bien. Et si chacun s'occupait de ne pas souffrir lui-même, ne serait-ce pas plus expéditif ?

Mais, justement, la trouvaille dostoïevskienne, c'est que l'on cesse de souffrir seulement en acceptant. Et il semble qu'on puisse accepter la souffrance seulement en se sacrifiant.

Dans ce genre de chose, le tort est de faire des pas plus longs que ses jambes. On accepte de souffrir (résignation) et puis l'on s'aperçoit qu'on a souffert et voilà tout. Que la souffrance ne nous a pas servi et que les autres s'en fichent. Et alors on grince des dents et on devient misanthrope. Voilà.

La chose la plus atroce est toujours de « passer pour un con ». C'est-à-dire de voir niée (rendue vaine) sa souffrance (cf. 5 octobre 38).

16 octobre

On ne désire pas jouir. On désire expérimenter la vanité d'un plaisir, pour ne plus en être obsédé.

18 octobre

Décrire la nature en poésie, c'est comme ceux qui décrivent une belle héroïne ou un puissant héros.

Réussir quelque chose, n'importe quoi, est de l'ambition, une sordide ambition. Il est donc logique de recourir aux moyens les plus sordides.

19 octobre

Quand on souffre, on croit que, par-delà ce cercle, le bonheur existe ; quand on ne souffre *pas*, on sait que le bonheur n'existe pas, et l'on souffre alors de souffrir parce qu'on ne souffre rien.

Le pessimisme cosmique est une doctrine de consolation. Il se trouve bien plus mal celui qui croyant à l'ambivalence de l'ordre existant, se reconnaît comme inadapté et, donc, condamné à souffrir.

(Cf. 22 juin 38.)

La *conscience* existe, mais elle n'est pas comme on le prétend l'œil absolu qui nous surveille : elle est la protestation de notre amour-propre qui sait comment, dans l'avenir, nous jugerons un de nos actes et veut nous empêcher de nous dresser contre la résultante de toute notre expérience. Chez chaque homme, la conscience interdit ou admet des choses différentes et avec des intensités différentes. Ces interventions sont toujours des résultantes de l'expérience.

Porter un jugement moral sur un acte d'autrui, c'est souligner le malaise où nous mettrait ou ne nous mettrait pas nous-mêmes cet acte, si, tels que nous sommes faits, nous l'avions accompli. C'est illogique, mais comment apprécier le malaise où est plus ou moins tombé celui qui a agi, vu qu'une expérience est toujours incommunicable ? ou, ce qui revient au même, qu'en se communiquant elle changerait parce que mêlée à celle qui était précédemment nôtre ?

Une tentative intéressante est la *Spoon River Anthology,* où chaque mort se juge d'après sa propre expérience. Il va de soi — à cause de ce qui a déjà été dit — qu'à proprement parler, la chose est absurde : c'est l'auteur qui juge chacun d'après sa propre expérience ; mais c'est là une absurdité qui se renouvelle pour tous les narrateurs, dont, naturellement, les *dramatis personae* sont un seul personnage, l'auteur. Ce qui est intéressant, c'est le fait que Lee Masters *juge* le monde comme un lieu où chacun tire de son expérience sa propre condamnation ou sa propre justification.

Inutile de dire que, dans l'expérience de chacun de nous, intervient aussi le compte que nous tenons des jugements d'autrui.

22 octobre

Le personnage et ce qui le concerne doivent toujours être supposés comme des êtres réels. Il ne faut pas avoir peur, quand on pense à eux, de les voir vivre et agir. Il faut même leur laisser faire tout ce qu'ils peuvent.

A un certain point, rapporter tout ce qu'ils ont fait.

(Cela veut dire que *le style* ne doit pas influer sur la formation de l'histoire : un noyau de réalité et de personnes qui *sont arrivées* précède celle-ci. Cela bien posé, on pourra affronter le bloc et l'émietter du mieux possible. Quand le style existe avant le noyau imaginaire, c'est la « littérature ».)

(*voir la réfutation de ceci le 24 octobre*)

Celui qui éprouve le besoin d'être désintéressé et a horreur de se montrer *keen after something*, sera, aussi, détaché dans ses rapports avec ses parents et ses amis, redoutera toujours de former avec eux un bloc organisé d'intérêts communs ; et il nourrira pour eux des sentiments de froideur.

C'est-à-dire que le désintéressement matériel conduit à l'isolement et à l'égoïsme.

Je reprends. Le poète épique *croit arrivé* ce qu'il raconte. Les débuts d'une création qui *sait être imaginaire* sont aussi les débuts de la « littérature ». En Grèce, la comédie nouvelle et le roman.

(Concrètement, il va de soi qu'il y a de la « littérature » également chez Homère.)

Ici, Lcopardi tombe à propos, et le fait que les grands livres ne sont pas écrits *pour* faire de la poésie. Se proposer de rendre une réalité signifie vouloir employer dans *un autre but* cette réalité. Tandis qu'imaginer veut justement dire avoir pour but de faire de la poésie. Et l'avantage n'est pas aux imaginatifs.

(*voir la réfutation de ceci le 24 octobre*)

23 octobre

L'idée de Gertrude Stein est que chaque être humain possède une certaine énergie, une fois celle-ci dépensée, tout est en place. On voit ici son éducation clinique. Elle est catholique au sens où le sont les médecins, les compilateurs amoureux des règles. Comme eux tous, elle sait saisir et apprécier une fondamentale normalité *matter-of-fact.*

Elle ignore le drame de celui qui admet comme elle la mesurabilité de chacun mais elle ne veut pas s'y résigner. Elle ignore le drame de la volonté infinie. Elle est, comme tous les médecins, un professeur de sagesse.

Dans ses pages, la vie est terriblement claire. Au sens des choses incommensurables, à l'*imaginaire,* elle substitue l'enchantement d'un tranquille écoulement, du fait d'être vraiment une rose une rose une rose.

« *Donc, je suis un malheureux, et ce n'est ni ma faute ni celle de la vie* », est la loi de la tragique mesurabilité, et, une fois celle-ci épuisée, on peut mourir tranquillement.

24 octobre

Je reprends. Mais ce qui arrive *maintenant,* c'est justement que raconter un événement et un personnage c'est faire une oiseuse création imaginaire, car le concept traditionnel de la poésie se réduit à ce récit. Pour écrire en visant *un autre* but, il faut maintenant travailler justement le style, c'est-à-dire chercher à créer un moyen de comprendre la *vie* [le temps dans son écoulement (cf. 3 octobre, III)] qui soit une nouvelle connaissance. En ce sens, doit être comprise mon ancienne manie de faire de l'image le sujet de la composition, de raconter la pensée, de sortir du naturalisme.

Cela n'est pas imaginer, mais *connaître :* connaître ce que nous sommes *nous* dans la réalité. Voici satisfaite l'exigence de *croire arrivé* ce que nous nous préparons à raconter : il reste donc vrai que seul ce que nous estimons réellement existant (notre style, notre temps = l'objet de notre *connaissance*) vaut la peine d'être écrit. Si nous visons à enseigner un nouveau mode de vision et en conséquence une nouvelle réalité, il est évident que notre style doit être conçu comme quelque chose de *vrai*, de projetable au-delà de la page écrite. Autrement, quelle serait l'importance de notre découverte ? (La parenthèse du 22 octobre, I, est réfutée.)

Il faut raconter en sachant que les personnages ont un caractère donné, en sachant que les choses arrivent selon des lois déterminées ; mais le *point* de notre récit ne doit être ni ces caractères ni ces lois.

25 octobre

L'imagination humaine est immensément plus pauvre que la réalité. Si nous pensons à l'avenir, nous le voyons toujours se développer selon un systèmc monotone. Nous ne pensons pas que le passé est un chaos multicolore de générations. Cela peut aussi servir à nous consoler des terreurs causées par « la barbarisation technique et totalitaire » de l'avenir. Dans les cent années à venir, une suite de trois moments au moins pourra se produire, et l'esprit humain pourra successivement vivre dans la rue, en prison et dans les journaux.

On peut dire la même chose de l'avenir personnel.

26 octobre

Si nous pouvions agir avec *nous-mêmes*, comme nous agissons avec *les autres*, dont nous voyons l'expression fermée et à qui nous supposons une mystérieuse et incontrôlable puissance. Au lieu de cela, nous connaissons toutes nos tares, nous distinguons clairement nos hésitations et nous sommes réduits à espérer en une force inconsciente qui jaillisse du fond de nous-mêmes et agisse avec une subtilité bien à soi.

27 octobre

Il est possible de ne pas penser à la femme, comme on ne pense pas à la mort.

28 octobre

Nous ne devons rendre responsable personne que nous-même de tous nos malheurs quels qu'ils soient (28 janvier 37).

Souffrir ne sert à rien (26 novembre 37).

Souffrir limite l'efficacité spirituelle (17 juin 38).

Souffrir est toujours de notre faute (29 septembre 38).

Souffrir est une faiblesse (13 octobre 38).

Il y a au moins une objection : si je n'avais pas souffert, je n'aurais pas écrit ces belles phrases.

29 octobre

Autre chose est de se rappeler ses propres conseils de *technique,* qui sont nécessaires quand on est assis à sa table, enclin à méditer et à peser son choix ; autre chose se rappeler les conseils *de vie* qui devraient se présenter dans l'exaltation de la joie ou de la douleur quand on doit réagir devant des situations fugitives.

Qu'il soit inutile et dommageable de se plaindre devant le monde, c'est positif. Reste à voir s'il n'est pas aussi inutile et dommageable de se plaindre devant soi-même. Évidemment. En fait on ne se plaindra pas devant soi-même pour s'inciter soi-même à la pitié, car cela ne signifierait rien, étant donné que la pitié est par définition le voluptueux mariage de *deux* esprits. Pour qui alors ? Ce n'est pas pour obtenir des faveurs, car l'unique *faveur* qu'un esprit puisse se faire à lui-même c'est de s'accorder de l'indulgence, et tout le monde voit combien il est dommageable que la volonté soit indulgente à sa propre et regrettable faiblesse.

Il reste qu'on le fasse pour extraire des vérités de son cœur amolli par la tendresse. Mais l'expérience enseigne que les vérités apparaissent seulement à la paisible et sévère recherche qui fixe la conscience dans une attitude inattendue et la *voit,* comme un film qui s'arrête soudain, stupéfaite mais non émue.

Alors, n'insistons pas.

— Avant d'être habile avec *les autres,* il faut être habile *avec soi-même* (7 décembre 37).

— L'art de regarder les gens en face, nous-même y compris... (9 octobre 38).

— Si nous pouvions agir avec *nous-mêmes,* comme nous agissons avec les autres... (26 octobre 38).

— Se plaindre devant *le monde...* Aussi inutile et dommageable de nous plaindre devant *nous-mêmes...* (29 octobre 38).

Je trouve là-dedans :

Une tentative d'assimiler le *moi objectif* aux *autres* pour nous libérer du faux avantage que la singularité d'être nous-mêmes donne à notre moi ; mettre en fuite la *maudlin self-pity* et la cancéreuse importance que prend chacune de nos humeurs devant notre œil intérieur, nous traiter utilitairement, comme nous traitons utilitairement les autres.

Tout au plus s'émouvoir sur les autres, et jamais sur soi-même.

To pity others perphas, never to pity one's self.

(S'émouvoir signifie aussi s'irriter.)

Émeus-toi, si tu veux, sur les autres, ne t'émeus jamais sur toi-même[1].

Be touched by others, don't be touched by yourself. (Cf. II.)

30 octobre

On pardonne aux autres quand cela nous convient.

1er novembre

Les caractères qui se laissent abattre pour un rien sont les plus aptes à supporter de grands coups. Ils vivent plus aisément dans une atmosphère de tragédie que les énergiques. Ils ont vite épuisé leur réserve de souffrance et continuent. (Cf. 17 septembre, III.)

S'habituer à considérer chaque égratignure comme un malheur enlève de la force aux coups d'un grand et véritable malheur. (Cf. 19 octobre.)

Un malheur arrive.

« l'optimiste crâne » souffre atrocement,

« celui pour qui tout va mal » souffre comme ci comme ça,

« le pessimiste intégral » se réjouit de cette confirmation.

Pour ne pas souffrir, il faut se convaincre que tout

1. En français dans l'original.

est souffrance. Leopardi pouvait avoir une vie heureuse.

Pour ne pas souffrir, il faut souffrir. C'est-à-dire, il faut *accepter* la souffrance. (Cf. 11 juin-15 octobre 38.)

Mais « accepter la souffrance » signifie connaître une alchimie grâce à laquelle la boue devient de l'or. On ne peut pas « l'accepter » et un point c'est tout. Les prétextes seront (I) que l'on devient meilleur. (II) que l'on conquiert Dieu, (III) qu'on en tirera de la poésie (le plus maigre), (IV) que l'on paie une dîme que tout le monde paie.

Mais quand il s'agit de la souffrance suprême, la mort, le Ier et le IIIe prétexte tombent : restent la conquête de Dieu ou le destin commun.

2 novembre

Les malheurs ne suffisent pas pour faire d'un con une personne intelligente.

Sagesse de Dante de punir ensemble les avares et les prodigues : seuls les prodigues sont vraiment avares et souffrent de dépenser. L'avare se sent prodigue et le prodigue avare, et cela les torture. Celui qui se sent avare devient prodigue parce qu'un comportement aussi sordide le terrifie. Et vice versa.

3 novembre

Nous savons tous avoir de mauvaises pensées et très rarement faire de mauvaises actions. Nous savons tous faire de bonnes actions, mais rares sont ceux qui sont capables d'avoir de bonnes pensées. (Cf. 20 juin 38.)

Le respect humain est plus fort que la conscience.

Qui ne préfère pas céder à la plus abjecte tentation au-dedans de lui-même, *consentir*, plutôt que d'accomplir même innocemment une action abjecte quand, bien entendu, il serait impossible de se disculper ?

4 novembre

Comme tous les états passionnels ont leur chimisme déterministe qui, par le jeu de cause-effet amène à des situations exaspérantes subies, contradictoires et faussement créées par nous, il faudra opposer à toute complaisance passionnelle une dure volonté d'extirpation — comme un rouleau compresseur sur l'herbe — qui ignore toute déviation et se délecte de soi-même. Volupté pour volupté, celle-ci est aussi riche que la dispersion et beaucoup plus saine. Le plaisir de briser toutes les chaînes déterministes de joies ou d'exaspérations, pour soi seul.

Son exclusivité et sa monotonie mêmes rendront ce plaisir volontaire et non déterministe. Ou, du moins, ses causes seront voulues une fois pour toutes et non subies de temps en temps.

Celui qui n'a pas eu une dure volonté, est le plus décidé à se la conquérir parce qu'il sait combien elle vaut (= Alfieri).

Le piège réside dans le fait que, sans charité et sans affection, la vie devient cadavérique, mais avec la charité et l'attachement, on s'expose à la dispersion passionnelle et à l'exaspérant chimisme déterministe conséquent.

Le rouleau et le brin d'herbe.

Dans la poésie, tu sens le même besoin. L'intérêt minutieux et bavard pour l'enchevêtrement passionnel déterministe (Proust !) contraste avec le geste violent et sûr qui écrase et conclut d'autorité toute une vie (Lee Masters).

Il te déplaît de t'abandonner au déterminisme de l'analyse. Mais tu veux choisir un geste rapide qui soit mythe, c'est-à-dire un événement volontaire imposé aux déviations.

Tu fais bien de vouloir connaître tous les enchevêtrements exaspérants et mobiles de la passion. Mais tu dois les choisir, c'est-à-dire de ne pas y céder, comme le font tous les analystes malgré leurs ironies contre le mécanisme général des passions.

Céder comme tu l'as fait dans la vie à la passion, mais voir clairement le but — le mythe des noces — et écraser tout de suite cette herbe dès que cette conclusion se révèle impraticable, non souhaitable. Tu en as le tempérament, voir les révoltes et le refus sec d'avril 36 et d'août 38.

Soutenir que nos succès sont dus à la Providence et non à notre habileté, est une habileté de plus pour augmenter à nos yeux l'importance de ces succès.

Avoir un goût libidineux pour l'abattement, pour l'abandon, pour l'énervante douceur, et une volonté impitoyable de réagir, mâchoires serrées, exclusive et tyrannique, est une promesse d'éternelle et féconde vie intérieure.

5 novembre

La prose d'essai, la prose descriptive, moralisante, *sociale* est au roman ce que la lyrique est à l'épique. Le XVIe, le XVIIe et le XVIIIe siècle ont eu l'essai, et puis le roman est venu. Que cette prose revienne avec la décadence confirme le parallèle : la poésie lyrique fait de même.

Le fait que jadis, si l'homme trompait, l'infamie était pour la femme, est une preuve que, dans les choses sexuelles, on ne jugeait pas éthiquement (de cette éthique qui est création virile) mais défensivement, la seule chose qui importait à chacun dans le commerce sexuel étant de garder la femme pour soi et non de respecter une justice absurde. Droit de la guerre où l'infamie est pour le vaincu et où la justice consiste dans l'asservissement (cf. 15 décembre 37) (31 décembre 37, III) (19 janvier 38, V) (1er février 38) (5 février 38, II) (20 février 38).

L'habileté de la famille est qu'elle concilie l'égoïsme avec le besoin de s'épancher à l'extérieur, d'aimer, c'est-à-dire de se sacrifier.

Le style du XXe siècle approfondit le détachement du style Leopardo-Stendhalien déjà amorcé par l'impressionnisme des véristes. Et il le fait en reprenant le concept de style par lequel ses créateurs s'opposent à Leopardi-Stendhal, derniers héros du style construit. Mais ce concept ne réside plus dans le modèle humaniste universel : il réside dans le modèle idéal sur lequel chaque esprit rythme et étend *sa* réalité : une élaboration magique de la pensée, de la vie intérieure, à la suite de laquelle ne subsiste pas de calme pré-existant, n'existe pas de « langue de la raison » ni, donc, de pensée abstraite. C'est un style qui exprime mais n'explique pas. Il naît des recherches des narrateurs du siècle passé, non (comme le style Leopardi-Stendhal) des pages des essayistes humanistes qui se réclamaient du style logique du développement.

Les recherches des narrateurs véristes avaient annulé le style (type Dickens et Dostoïevsky) en introduisant dans le monde des sensations et des nuances (Balzac, Tolstoï, Maupassant, etc.). C'était nécessaire pour susciter le côté particulier de chaque vie intérieure, mais ce n'était pas du style. L'antivérisme commença à accentuer le timbre commun de toutes les impressions d'une unique conscience (styles esthétisants Pater-Wilde, « carnalité » d'Annunzio, rêverie psychologique Proust, vulgarité précieuse Joyce, etc.) et finalement il céda le pas aux retrouveurs du schéma vivant et rythmique qui semble susciter ses pensées en les exprimant. Schéma, du reste, déjà découvert par quelques antivéristes et — surtout — par Verga.

C'est la raison pour laquelle, dans les styles passés, le jeu de l'image t'intéresse tant, le passage de celle-ci à la réalité, leur compénétration. On pressent à ces moments-là le style du XXe siècle, qui est une perpétuelle élaboration de vie intérieure et qui transparaît surtout aux moments où le sujet du récit est lien de réalité et d'image, c'est-à-dire l'élaboration d'une réalité intérieure expressive. Ou, pour parler plus clairement : aux moments où, l'image se développant, il est intéressant de voir comment son cours reflète, corrige et recrée le premier terme de comparaison, c'est-à-dire comment la réalité narrative se stylise en imagination.

6 novembre

Je passais la soirée assis devant ma glace pour me tenir compagnie…

Naturellement (et tu le prouves dans l'*Ermite*), il n'est pas nécessaire d'appuyer l'image sur le *comme* ou sur des équivalents. L'image se compose pour toi également (c'est même la seule chose qui compte) quand tu fais allusion à une expérience différente qui contribue à définir la figure ou la situation en lui donnant un arrière-plan. Par exemple : la mer et la foudre. Mais soyons clairs : ces traits, par lesquels, sans cesser de raconter, tu prends du champ et rappelles-approfondis l'expérience totale, font non seulement office de description mais aussi de symbole. Bien que, en conséquence, ce soient des images, dans le sens où elles se réfèrent à une apparence naturelle pour élucider une réalité intérieure, elles sont dans ton récit ce que sont dans un mythe les attributs statiques d'un dieu ou d'un héros (les corps blancs des Océanides, les mains homicides d'Achille, la ceinture d'Aphrodite), récits à l'intérieur du récit, faisant allusion à la réalité secrète du personnage.

Laisse donc le nom d'images aux traits du chevreau (*Ermite*) ou de la dynamo à soupapes (*Fidélité*), honnêtes images à l'antique.

8 novembre

On ne peut connaître son propre style et l'utiliser. On utilise toujours un style pré-existant, mais d'une façon instinctive qui en forme un autre qui est actuel. On ne connaît son style présent que lorsqu'il est passé et définitif et que l'on se retourne pour l'examiner en l'interprétant, c'est-à-dire en se rendant compte comment il est fait.

Ce que nous sommes en train d'écrire est toujours aveugle. Nous ne pouvons pas savoir sur le moment si cela vient bien (c'est-à-dire si, après, en y revenant, nous estimerons ça réussi). Simplement, nous le vivons et il va de soi que les habiletés, les intentions que nous y apportons, sont un autre style composé précédemment, étranger à la substance du style actuel.

Écrire, c'est consommer ses mauvais styles en les utilisant. Revenir sur ce qui est déjà écrit pour corriger est dangereux, des choses différentes peuvent se juxtaposer.

La technique n'existe donc pas ? Si, mais le nouveau fruit qui compte est toujours un pas en avant sur la technique que nous connaissions et sa pulpe est celle qui naît peu à peu à notre insu, sous notre plume.

Que nous connaissions un style, cela veut dire que nous nous sommes rendu compte d'une partie de notre mystère. Et que nous nous sommes interdit d'écrire dorénavant dans ce style. Le jour viendra où nous aurons mis en lumière tout notre mystère et alors nous ne saurons plus écrire, c'est-à-dire inventer un style.

10 novembre

La littérature est une défense contre les offenses de la vie. Elle lui dit : « Tu ne me couillonnes pas ; je sais comment tu te comportes, je te suis et je te prévois, je m'amuse même à te voir faire, et je te vole ton secret en te composant en d'adroites constructions qui arrêtent ton flux. »

A part ce jeu, l'autre défense contre les choses, c'est le silence où l'on se ramasse pour bondir. Mais il faut se l'imposer, ne pas se le laisser imposer. Même pas par la mort. Choisir nous-mêmes, au besoin, un mal est l'unique défense contre ce mal. *Voilà* ce que signifie l'acceptation de la souffrance. Non pas résignation mais élan. Digérer le mal d'un coup. Ils ont l'avantage ceux qui, par nature, savent souffrir d'une façon impétueuse et totale : de la sorte, on désarme la souffrance, on en fait notre création, notre choix, notre résignation. Justification du suicide.

Ici la Charité n'a pas de place. A moins peut-être que ne soit la vraie charité cette projection violente de soi-même ?

11 novembre

Les observations recueillies le 5 novembre II sur l'état de guerre entre les sexes s'éclairent en les étendant à tous les cas de jouissance matérielle. Non seulement voir faire l'amour, mais voir manger avec appétit, voir user de cruauté, etc., nous fait frémir et nous fait haïr le chanceux qui nous semble quelqu'un d'indigne et un salaud. Peut-être l'indignation que l'on éprouve en voyant ou en entendant parler de cruautés politiques, naît-elle de ceci : nous pourrions tolérer que nous-mêmes — ou les nôtres — fassent preuve de la même cruauté, mais non que le fasse quelqu'un à qui nous ne pouvons même pas idéalement prêter notre égoïsme. Au sens absolu, nous ne pouvons pas supporter le spectacle de quelqu'un qui jouit (le plaisir que l on peut *attribuer* au prochain est toujours seulement physique), sans nous emplir de fiel. Et parfois, nous nous en prenons à nous-mêmes quand *nous dédoublant,* nous nous surprenons en train de jouir physiquement. Nous haïssons alors la grossièreté de cette jouissance, c'est-à-dire son altérité, la qualité qui la rapproche des plaisirs des autres. Car la grossière épidermite n'est pas notre chose. *La haine est toujours une opposition de notre esprit au corps d'autrui.*

(Et, en même temps, n'est-ce pas le *soupçon* que ce corps a un esprit et qu'ils s'entendent de façons inouïes, *supérieures aux nôtres* ou tout au moins inconnues? Cf. la fin du 29 septembre et le II 3 octobre.)

La haine doit être — donc — le soupçon que le corps d'autrui possède pour son compte un esprit et se passe de nous. Ce que nous voulons tous en somme *des autres,* c'est le consentement docile et amoureux à nos exigences (même à celle, très forte, de nous humilier à leurs pieds), qui, seul, et en raison de sa présence interrompue, peut faire que nous nous félicitions du plaisir de l'autre.

En ce sens, haïr est vraiment ignorer le prochain, et, même, *savoir que l'on ignore* le prochain et n'en voir que l'extérieur. Et comme on ne peut pas savoir que l'on ignore sans désirer connaître, la haine est soif d'amour.

La charité est entièrement question de nerfs.

13 novembre

Dans le récit à la première personne, on peut être réaliste sans toutefois tomber dans le vérisme. A égalité de réalisme, le récit à la première personne est plus lyrique que celui à la troisième personne.

Proust est obsédé par l'idée que tout espoir, en se réalisant, est remplacé exactement par le nouvel état et efface en conséquence l'état précédent (Swann rêvant qu'il va se marier. *Je* rêvant qu'il sera reçu chez Swann). Outre l'incommunicabilité des âmes, celle aussi des états d'âme entre eux. De là le sentiment que tout est relatif et vain à moins de retrouver le *temps perdu.* De là le goût pour la rêverie et le fait de souligner sadiquement combien, dans les rencontres avec la réalité, celle-ci s'évanouit et qu'il faut en conséquence chercher une loi qui serve à éterniser chaque rêve.

On ne désire pas posséder une femme, on désire être le seul à la posséder.

17 novembre

Une classe force la main d'un professeur par d'imperceptibles paliers, que le professeur tolère par générosité sachant que c'est sa présence et non ses rappels à l'ordre qui doivent imposer le silence. Mais peu à peu le brouhaha devient général et le professeur doit intervenir et rappeler quelqu'un à l'ordre. La classe comprend que le professeur n'est pas invulnérable, que quelqu'un a parlé, que chacun peut être ce quelqu'un. D'autres rappels à l'ordre suivent, qui *habituent* au rappel à l'ordre. Comme ils ne peuvent pas tous être frappés, il se forme un état de chahut toléré qui excuse chaque élève en particulier. Le professeur rappelle maintenant à l'ordre avec une plus grande violence et en conséquence — d'autant plus — les bruits deviennent plus malicieux, plus *intentionnels,* étant donné que le professeur répugne par générosité ou ne réussit pas à trouver des sanctions glaçantes. Le chahut devient donc un état endémique de distraction, d'épanchement, de guerre, maintenant que l'on connaît les limites des réactions du professeur. Sa simple présence ne suffit plus à imposer le silence, il faut le rappel à l'ordre et le rappel à l'ordre a laissé voir sa faiblesse.

21 novembre

Entendre des personnes parler ensemble de la même activité, métier, profession, sexe, secte, etc., dégoûte de cette activité, etc. A moins que celui qui écoute n'ait la même activité, métier, etc. La raison est que la compétence transforme la plus aventureuse des occupations en habitude et, en précisant, lui enlève tout mystère et tous ces faux voiles, nés justement du mystère, qui sont pour elle comme la légende pour l'histoire. Leopardi irait jusque-là.

Allant plus loin que Leopardi, nous dirons, nous, que l'incompétence est bien plus malheureuse que la compétence, car à un certain moment elle est condamnée à se révéler vaine et à ajouter à la déception de ses rêves la triste conviction de sa bêtise et de son incapacité. Alors qu'il y a un plaisir robuste et stoïque à échapper à cette vanité et à se mouvoir comme parmi les rouages d'une machine dans le monde impitoyable des vérités effectives. Plaisir que, du reste, sans l'avoir justifié, Leopardi goûtait dans ses cruelles analyses.

24 novembre

Ces garçons de ton âge, connus dans ta jeunesse, que tu entends traiter maintenant par la jeune N., avec laquelle tu t'entends bien, de « vieux débris ».

« Mais pourquoi *existent-ils encore,* ces vieux débris ? » — comment pourraient-ils échapper à ce jugement ? Évidemment en ne faisant plus ce qu'ils faisaient étant jeunes, c'est-à-dire en « n'existant » plus, en ne continuant pas de tenir les mêmes discours, en ne ré-évoquant pas, par leur présence, un impossible fantôme évanoui. Comment une personne de trente ans peut-elle ne pas se sentir un débris ? En cessant de vivre d'espoirs : c'est-à-dire en cessant de croire qu'un contact amical réciproque peut changer quelque chose à sa vie, et de rechercher dans ses propos un point d'appui, un élargissement de sa personne.

On dit que la jeunesse est l'âge de l'espoir, justement parce que, quand on est jeune, on espère confusément quelque chose des autres comme de soi-même — on ne sait pas encore que les autres sont précisément les autres. On cesse d'être jeune quand on distingue entre soi et les autres ; c'est-à-dire quand on n'a plus besoin de leur compagnie. Et l'on vieillit de deux manières : ou bien en n'espérant plus rien, même pas de soi-même (pétrification, abêtissement, etc.) ou bien en espérant seulement de soi-même (activité).

Dans la maturité, il y a deux manières de traiter les autres : *comme si,* tous, on était jeunes mais sans s'engager, en le *sachant;* comme si, tous, on était vieux, et en laissant entendre par conséquent que l'on connaît l'isolement de chacun.

Pourquoi le mariage marque-t-il le passage de la jeunesse à la maturité ? Parce que, par cet acte on choisit entre les compagnies une compagnie qui vous sépare de toutes, qui s'identifie avec nous, qui devient l'arène circonscrite de notre vie sociale où l'on n'a plus besoin de chercher de compagnie en dehors de nous-mêmes. C'est le sceau de l'égoïsme qu'il faut pour vivre modérément, un égoïsme auquel sert d'excuse le fait qu'on se crée des devoirs.

Des deux manières d'être mûr indiquées ci-dessus, la première est terriblement difficile parce que, justement, on change facilement dans la sotte illusion d'être encore jeune, et dans l'espoir et la recherche d'un contact harassant qui ne croit plus à lui-même. C'est-à-dire, qui crée les *débris sceptiques.* La seconde est plus instinctivement facile, mais elle vous tord les nerfs et vous met dans des situations désagréables et, à la longue, cède à un espoir posthume et indestructible de contact, de compagnie, où l'on se précipite, comme par réaction, d'autant plus aveuglément. C'est-à-dire, qu'il crée les *débris ingénus.* Inutile de dire que ces débris, eux aussi, et même les gens mûrs qui résistent dans leur maturité, sont de l'égoïsme.

Pas trace de la charité. Celle des jeunes n'est pas encore de la charité, justement parce qu'elle deviendra l'un de ces égoïsmes, au plus tard vers la trentaine.

(Tout ce discours est une illustration de la belle maxime du 31 octobre 37.)

26 novembre

Pendant que dure la stupeur d'être sorti de prison en pays étranger, voir aller un autre — jadis cher — en prison, et voir l'idée fixe de cette seconde prison se colorer de l'étrangeté du caractère étranger du pays qui montre, dans la nouvelle solitude, son visage secret. Le Génois clame avec sa vulgaire désinvolture les étranges choses de ce pays et refuse et condamne, non réceptif mais exigeant, et, en conséquence, approbateur, quand ce pays lui cède.

Je reprends le 24 novembre. — Le sérieux engendre l'ingénuité.

29 novembre

Le sentiment de la cellule invisible engendre un caractère de provisoire même pour ce milieu humain qui nous accueille. Qui peut se faire un foyer d'une cellule ?

30 novembre

I) Faire une nouvelle comporte deux temps. Il y a une eau qui se trouble, il y a des gestes violents, des sursauts, de l'écume ; puis il y a un calme, une passivité, l'eau qui tremble, s'immobilise, diminue, s'éclaircit, et tout transparaîtra imprévu. Voici le fond et le ciel immobiles.

La nouvelle est *arrivée* paisiblement, dans ce décantement de tout mouvement et de toute impureté. Se rappeler cela : elle est arrivée paisiblement.

II) Ainsi naît une nouvelle : l'eau agitée s'éclaircit en tremblant et s'immobilise.

I et II) sont les deux temps ; I) trouble et agité ; II) serein.

3 décembre

Quand nous lisons, nous ne cherchons pas des idées neuves, mais des pensées déjà pensées par nous, à qui la page imprimée donne le sceau d'une confirmation. Les paroles des autres qui nous frappent sont celles qui résonnent dans une zone déjà nôtre — que nous vivons déjà — et la faisant vibrer nous permettent de saisir de nouveaux points de départ au-dedans de nous.

Comme elle est grande la pensée que tout *effort* est inutile ! il suffit de laisser affleurer notre moi, de l'accompagner, de lui tendre la main, *comme s'il s'agissait d'un autre,* croire avec confiance que nous sommes plus définitifs que nous ne le croyons.

4 décembre

Le Fioretto du *Sermon aux Oiseaux* peut enseigner à n'importe qui la construction symbolique. Saint François ne sait s'il doit prier ou prêcher et il le fait demander à « sœur » Claire et à frère Sylvestre qui avait vu la croix d'or, de la bouche de saint François aux extrémités du monde. La réponse est : qu'il prêche. (Et, alors, avec élan, il prêche à Carmano, ordonnant aux hirondelles de se taire, et tous les gens veulent le suivre et saint François les fait frères mineurs.) Puis il prêche à Bevagno aux « sœurs » oiseaux qui, l'ayant écouté et ayant été bénis, volent en croix, *signifiant* la prédication aux quatre extrémités du monde.

L'intérêt symbolique unit *sœur* Claire et Sylvestre *porteur de croix* aux *sœurs* et aux *porteurs de croix* oiseaux (par le sermon de Carmano qui, sous le signe des hirondelles, transforme toute une foule en frères mineurs). Que les oiseaux personnifient les sœurs (Claire) et les porteurs de croix (Sylvestre), c'est là le procédé qui construit l'histoire et fait d'une simple jolie chose (attitude des oiseaux devant le sermon) une image profonde et riche de vie intérieure. C'est peut-être là un symbole, mais c'est certainement de la poésie. Claire et Sylvestre (les compagnons) donnent et prennent leur signification aux oiseaux — et j'appelle cela une image. (La dévotion des gens de Carmano et le silence des hirondelles sont un nœud habile qui unit les deux termes de la principale image.)

Suggérer par un geste répété, par une épithète, par un rappel quelconque, qu'un personnage, un objet ou une situation, a un lien imaginaire avec un autre élément du récit, c'est enlever de la matérialité à chacun des deux sujets et fonder le récit sur ce lien, sur cette image, au lieu de sur les événements matériels de l'un et de l'autre.

« Cette image » ne doit pas être une comparaison et un point c'est tout. Cette image doit donner sa couleur à tout son sujet et le montrer vu à une certaine lumière, dans un certain sens, lequel est du reste la *vérité* à communiquer : « les sœurs et la croix » transforment compagnons et oiseaux en « créatures de charité témoignant pour Dieu », c'est-à-dire qu'ils communiquent un « *message de charité active* ».

Traiter ainsi les symboles dantesques, qui ne sont pas la Croix et l'Aigle, etc. (ou mieux ceux-ci sont les plus banals), mais, par exemple, la note crépusculaire de tous les épisodes du Purgatoire qui donne et prend sa signification aux visions et à leurs réveils et qui exprime le *message* de « *monde qui s'estompe joyeusement* ».

6 décembre

La vieillesse — ou la maturité — descend aussi sur le monde extérieur. La nuit hivernale rigide et transparente qui détache les maisons du ciel qui attend la neige, touchait jadis le cœur et ouvrait un monde d'angoisse héroïque.

Avec le temps, il n'est plus nécessaire de se mouvoir dans le monde extérieur en vivant ses angoisses : il suffit d'une rapide allusion à lui, de savoir qu'il existe et qu'il existe en nous, et d'attendre un monde fait tout entier de vie intérieure qui a pris maintenant la nouveauté et la fécondité de la nature. La maturité est aussi la chose suivante : ne plus chercher au-dehors mais laisser parler la vie intime, avec son rythme qui seul compte. Maintenant, face à la maturité inattendue et profonde des souvenirs, le monde extérieur est pauvre et matériel. Même notre sang et notre corps qui ont mûri et qui se sont imprégnés de spiritualité, de rythme large.

La jeunesse c'est ne posséder ni son corps ni le monde.

Commme corollaire, renaît l'ancienne pensée que le génie est fécondité — quatre-vingts tragédies, vingt romans, trente opéras, etc. — Parce que le génie ce n'est pas découvrir un thème extérieur et le bien traiter, mais arriver finalement à posséder sa propre expérience, son propre corps, ses propres souvenirs, son propre rythme — et exprimer, exprimer ce rythme, en dehors de la limite des sujets, de la matière, dans la perpétuelle fécondité d'une pensée qui, par définition, n'a pas de fond.

La jeunesse n'a pas de génie et n'est pas féconde.

8 décembre

Celui qui dénonce l'immoralité de l'amour vénal devrait laisser tranquilles toutes les femmes, car, une fois exclus les rares instants où l'on nous offre son corps par amour, même la femme qui nous a aimés se laisse faire et agit seulement par politesse ou par intérêt, à peu près résignée comme une prostituée.

On peut dire la même chose de l'homme, bien que ce soit peut-être moins fréquent.

Pour sortir de ce drame, il n'y a qu'à condamner aussi l'amour sincère, par le fait que son but est le plaisir. Mais il reste toujours que baiser — qui réclame des caresses, qui réclame des sourires, qui réclame des complaisances — devient tôt ou tard pour l'un des deux un ennui dans la mesure où l'*on n'a plus* naturellement envie de caresser, de sourire, de plaire à ladite personne ; et alors cela devient un mensonge comme l'amour vénal. On n'y échappe pas. *Même* si le but est de faire des enfants.

La conclusion du 6 décembre confirme les affirmations du 24 novembre sur la jeunesse. « On cesse d'être jeune quand on distingue entre soi et les autres. » « La jeunesse, c'est de ne pas posséder son propre corps. » Est maturité l'isolement qui se suffit à lui-même.

10 décembre

L'oisiveté rend les heures lentes et les années rapides. L'activité rend les heures brèves et les années lentes. L'enfance est la plus grande activité parce que occupée à découvrir le monde et à s'en amuser.

Les années deviennent longues dans le souvenir si, en y repensant, nous trouvons en elles de nombreux faits à développer par l'imagination. C'est pour cela que l'enfance semble très longue. Chaque époque de la vie se multiplie probablement dans les réflexions successives des autres : la plus courte est la vieillesse parce qu'elle ne sera pas repensée.

Chaque chose qui nous est arrivée est une richesse inépuisable : tout retour à elle l'accroît et l'augmente, la dote de rapports et l'approfondit. L'enfance n'est pas seulement l'enfance vécue, mais l'idée que nous nous en faisons dans la jeunesse, dans la maturité, etc. C'est pour cela qu'elle semble l'époque la plus importante : parce qu'elle est la plus enrichie par les « repensées » successives.

Les années sont une unité du souvenir ; les heures et les jours, une unité de l'expérience.

20 décembre

Au goût de la réplique significative et bizarre, substituer la pensée significative et bizarre non plus dialoguée mais approfondie et transformée en tissu d'enchaînement du récit.

La première est réalisme descriptif, la seconde est construction.

Assez de ces personnages qui disent des choses *intelligentes* : les choses intelligentes, c'est toi qui dois les savoir et les développer pour construire ton histoire.

26 décembre

La prison doit apparaître comme la limite de toute charité, la congélation de la sympathie humaine, à cause de laquelle l'histoire est, en phase ascendante, le fait de se séparer de ces murs (l'étrangeté du monde nouveau ne doit pas être une fin, mais un moyen pour que ressorte mieux l'étonnement) et, en phase descendante, l'horreur de la nouvelle incarcération d'*un autre*, et ici de nouveau l'étrangeté accroîtra la gravité de la solitude.

27 décembre

Bien qu'en réalité l'enfance soit faite de longues périodes d'opacité et de rares contacts avec le monde (les premiers), elle semble, dans le souvenir, très longue *justement parce que* nous savons que ces très importantes découvertes sont entremêlées de longues pauses.

L'art de vivre est l'art de se comporter de façon que nous n'ayons pas besoin d'inviter les choses et les personnes, pour qu'elles viennent à nous. Pour obtenir cela, il ne suffit pas de les mépriser mais il faut *aussi* les mépriser.

De même qu'avec les femmes, il ne suffit pas d'être stupide, mais il faut *aussi* être stupide.

1939

1er janvier

Fin d'une année de grande réflexion, de libération de la chaîne (moitié *in*, moitié *out*), de peu nombreuses créations, mais de grande tension pour me libérer et comprendre. *Maintenant on commence.*

Organisé pratiquement, le travail actif devrait être maintenant sorti du chaos. Il s'ensuivra une vie de sage séparation : toute l'énergie ira vers la *création.*

Se rappeler que l'assurance du 30 décembre 37 était illusoire et que nous avons déliré six mois encore. Se rappeler.

7 janvier

Bien que le jeune homme tende à rester soupçonneux — par timidité — il est ingénument plein de confiance et croit que la cordialité avec les autres arrangerait tout — c'est même pour cela qu'il souffre — parce que cette cordialité lui fait défaut. L'homme mûr, au contraire, accepte d'une humeur égale (cf. 27 décembre 38) cette cordialité qui est son lot, et ne rêve pas de fonder sur elle sa sérénité.

19 janvier

Toute souffrance qui n'est pas à la fois connaissance est *inutile.* Se le rappeler, vu que souffrir est si pénible. Au lieu de souffrir de l'étendue d'un écroulement, souffrir de son inutilité. Il n'y a pas d'horreur qui diminue quand on la souffre bestialement ; il faut au contraire la regarder avec calme et en rendre utile l'inutilité par le moyen de la contemplation.

Il reste toujours la réalité actuelle de la mort qui, en supprimant le sujet, supprime aussi la contemplation. Mais, alors, il est encore plus inutile de la souffrir. Contempler jusqu'au dernier instant, sans ciller, est encore le système le plus *pratique.*

... Was't drink up eisel? eat a crocodile?...

23 janvier

Seule peut inspirer l'action, servir de *credo,* la pensée qui est devenue machinale, instinctive. Danger de trop s'analyser : les veines vives de votre tempérament sont de la sorte trop élucidées et rendues machinales par la familiarité. Ce qui est nécessaire, au contraire, c'est l'art de donner libre jeu à ses impulsions spirituelles en les laissant agir mécaniquement sous la stimulation. Il y a le machinal du catéchisme — trop connu et postiche — et le machinal de l'instinct. Il faut favoriser, explorer, reconnaître et appuyer l'instinct, sans l'émousser par la réflexion. Mais il faut réfléchir sur lui, pour l'accompagner dans l'action et suppléer à lui à ses moments de surdité.

29 janvier

Découverte en nous, la chose la plus banale, devient très intéressante. Cela provient de ce que ce n'est plus une chose banale et abstraite, mais un extraordinaire mélange de réalité et de notre essence.

2 février

Si seules sont de véritables progrès intérieurs, ces prises de conscience qui coïncident avec des choses que nous savions déjà (3 décembre 1938), alors il n'y a que l'inconscient qui compte en nous et c'est là notre vraie nature et notre vraie force.

Ce que la vie *apprend*, ce qu'on *peut enseigner*, c'est la technique du passage à la prise de conscience — qui devient ainsi la simple *forme* de notre nature.

Les religions et les doctrines prétendent toutes que l'on peut non seulement enseigner le passage à la prise de conscience, mais son contenu — et comme cela ne suffirait pas, elles ont toutes un argument de *grâce*, d'intuition, d'enthousiasme, qui supplée à la chaleur libérée par la rencontre de l'inconscient avec la réalité.

5 février

Croire aux choses veut dire laisser subsister quelque chose après sa mort et avoir, quand on est en vie, la satisfaction d'entrer en contact avec ce qui subsistera encore après nous.

Mais est-ce que cela nous satisfait de penser que *les choses* existaient avant nous et qu'en vivant nous entrons en contact avec ce qu'il y avait avant ? Nous aurons la même maigre satisfaction une fois morts, en sachant que quelque chose continue d'exister, d'être.

7 février

Ceux qui, dans la jeunesse, se montrent très passionnés, ont en général une maturité de sceptiques ; les sceptiques jeunes, en vieillissant, finissent par une certaine ingénuité sexuelle. Byron est le type des premiers ; Swann celui des seconds. On ne peut connaître l'une seulement de ces attitudes : l'une engendre fatalement l'autre.

24 novembre 38 : les jeunes gens ne savent pas que les autres sont autres, l'homme mûr est celui qui distingue entre soi et les autres. Comment s'explique alors que les civilisations naissantes croient à l'objectivité du monde, et qu'elles inventent l'idéalisme quand elles sont en décadence ?

Ainsi : l'*objectivité du monde* est obtenue en animant le monde, en croyant à son unité organisée mystique et objective ; l'*idéalisme,* en isolant le moi au milieu des apparences formelles vides (les *autres* de l'homme mûr).

9 février

L'insuffisance de l'enthousiasme juvénile consiste dans le fait de se refuser en substance à reconnaître ses propres limites. La distinction entre soi et les autres, qui se produit dans l'âge mûr, tend à convaincre le *soi* qu'il n'y a pas de communication avec les autres. Et, en fait, il n'y a pas de communication directe. On ne reconnaît la dignité des autres qu'à travers un être supérieur : Dieu. C'est pour cela qu'on nous dit de faire le bien *pour l'amour de Dieu.* Si peu vaut autrui considéré en soi.

Étant donné que connaître les autres (et la seule vraie connaissance se produit par l'identification amoureuse) est un enrichissement, celui qui se refuse à les aimer (= les connaître) s'appauvrit. C'est de là que provient la plénitude juvénile, car, dans l'intempérance de cet âge, on éprouve le frisson de la connaissance universelle. Mais comme cette plénitude n'est pas fondée, de là les déceptions qu'imprime l'expérience de la maturité et de là le *rétrécissement* de la trentaine, auquel échappe seul celui qui reconnaît ses propres limites sans s'opposer aux autres. La simple *connaissance* utilitaire (cynisme) de la trentaine est l'enfer unilatéral du simple *amour* confusionnaire (ingénuité) de la vingtaine. Ce sont deux pauvretés, d'autant que, sans trop de peine, elles s'échangent, alors qu'il nous faut des sueurs de sang pour passer de l'une des deux à la vraie charité, ou, comme on dit, pour « trouver Dieu ».

15 février

Découvert que, lorsque quelqu'un *takes us down,* nous humilie et nous traite comme un domestique, nous adhérons à lui, nous ne voudrions pas le lâcher, nous lui prenons les mains et, au-dedans de nous, nous le bénissons, comme fascinés. Est-ce un pressentiment de la fraternité humaine et une reconnaissance contre-nature de notre besoin d'être abjects ?

5 mars

Si libertaire que soit un jeune homme, il cherche toujours à se modeler sur un schéma abstrait, tel qu'en substance il le déduit de l'exemple du monde. Et un homme, si conservateur soit-il, fait consister sa valeur dans sa déviation individuelle du modèle.

Cela provient du fait que l'on comprend seulement peu à peu qu'une ligne de vie est notre création dans toutes les infimes racines qui l'expriment par l'expérience. Les ennuis juvéniles proviennent de l'impossibilité de faire coïncider son expérience avec le modèle grossier et schématique que l'on avait tiré du monde. N'importe quelle profession, n'importe quelle situation sociale apparaissent au jeune homme lointaines et impossibles à atteindre jusqu'à ce que, peu à peu, il se soit créé sa personnalité et sa profession particulières — impossibles à confondre dans leur lente et intérieure substance, avec le mythe grossier qu'il s'était proposé et qu'il avait redouté. Mais, alors, il est un homme (*cf. 6 décembre 38, 27 janvier, 7 février, 9 février*). Il se confirme qu'être jeune, c'est ne pas se posséder soi-même.

12 mars

A noter que Proust, le fragmenteur des schémas de l'expérience en myriades d'instants sensoriels, est ensuite le théoricien le plus acharné de ces sensations, et qu'il construit son livre non sur des rappels mnémoniques de l'une à l'autre, mais sur des plans conceptuels et gnoséologiques qui les annulent en en faisant un matériel d'enquête.

29 mars

Il résulte du 6 décembre 38 qu'il est plus désagréable de mourir vieux que jeune.

3 avril

Chacun a la philosophie de ses propres attitudes.

26 avril

La compagnie d'une personne aimée fait souffrir et vivre dans un état violent. Il faut choisir la compagnie de celle qui nous est indifférente, mais alors notre rapport avec elle est plein de restrictions mentales, et on désire continuellement rester seul, et au-dedans de nous on la supprime.

La substance de toutes ces pensées concernant les rapports humains est le contraste entre la passion et l'indifférence, qui se révèlent l'une et l'autre absurdes et exclusives. Chez tout le monde apparaît la solution de charité : voir les personnes humaines à travers un foyer de référence est le seul moyen de s'approcher d'elles.

Tant que Garofolo veut rompre son isolement ou le fortifier (neuf premiers chapitres), il se blesse seulement les mains ; quand il *pense à autre chose,* se laisse aller, accueille le printemps et pense à son passé imaginaire, et s'humilie et se considère comme l'un des nombreux (identification avec Oreste emprisonné et avec l'anarchiste relégué), alors il devient serein et léger (deux derniers chapitres).

Mémoires de deux saisons[1].

29 avril

Observé qu'à l'automne 38, j'ai trouvé un style et un filon de pensées centripètes. Observé aussi que, pour la première fois de ma vie, je me donne des conseils de comportement, c'est-à-dire que j'ai théoriquement déterminé ce que je veux. Et, tout de suite, j'ai pu écrire un roman qui est l'expérience de cette attitude.

Un bon point de départ serait de modifier son propre passé.

3 mai

La partie qui souffre en nous est toujours la partie inférieure. Comme, du reste, la partie qui jouit. Seule la partie sereine est supérieure.

Souffrir, comme jouir, c'est céder à la passion. Ajouter au 17 juin 38 que la même chose se produit en jouissant. L'unique différence, c'est que le plaisir ressemble à la sérénité et en conséquence trompe et fait perdre plus de temps, alors que souffrir force tout de suite à se durcir et à se tendre.

En somme, pour transformer le plaisir en sérénité, il faut qu'il soit devenu de l'ennui. On atteint du reste toujours la sérénité à travers l'ennui. Même la douleur, pour devenir créatrice, doit d'abord devenir ennui.

C'est là la raison pour laquelle nous avons besoin

1. Titre initial de *La Prison*, l'un des récits de *Avant que le coq chante*.

du *loisir* imaginatif pour créer. En lui, l'ennui se coagule et devient idées.

4 mai

Faire quelque chose qui ne soit pas but en soi (comme le sont, au contraire, souffrir ou jouir) mais qui soit dirigé vers une œuvre, donne la sérénité parce que cela interrompt l'ennui sans nous engager dans la chaîne *subie* de sensations et de sentiments, et en nous permettant de voir de haut (*sérénité*) un organisme qui accepte de nous des lois (notre œuvre).

L'éloge le plus grand que l'on puisse faire de tout le travail humain et donc aussi de l'art, c'est qu'il nous permet de vivre dans la sérénité, c'est-à-dire d'échapper au déterminisme et d'imposer nous-mêmes une loi à la matière et de contempler l'action de celle-ci avec désintéressement.

Ce que les Grecs disaient de la philosophie, qui est contemplation désintéressée et, donc, l'activité la plus sublime, nous le disons de n'importe quelle *tecné* qui est vie désintéressée, c'est-à-dire création de chaînes causales.

Mais si l'objection que l'on fait au plaisir consiste dans l'insatisfaction éreintée qui reste après la jouissance, on ne voit pas comment est épargnée la production d'œuvres qui, après l'exécution, laissent insatisfait et éreinté comme un plaisir quelconque.

Il reste l'œuvre, il est vrai, mais est-ce que cela suffit ? Il reste la pensée que l'œuvre — réalité détachée — vit de sa propre vie et fait *du bien* parmi les hommes. Voici alors que le bonheur est inséparable du don de soi aux autres. Il reste, donc, que l'on est heureux seulement en sortant de soi-même (autre critique au plaisir et à la douleur), que l'on est heureux seulement par la *tangente,* en allant dans une direction et en trouvant, sans le chercher, un plaisir latéral que l'on ne peut considérer résolu par la satisfaction de notre but immédiat. En somme, c'est là *une habileté* pour nous assurer — par le caractère indéterminé même de notre fin — une plus longue durée de notre plaisir. Quand on peut dire : « Je n'ai pas agi pour moi-même, mais pour un principe supérieur », en ayant eu soin de choisir ce principe le plus durable et le plus vaste possible et, au besoin, éternel, on est sûr que notre satisfaction finira très tard ou ne finira jamais.

(soir)

Noter que, lorsque tu veux discréditer un principe, tu dis que c'est une habileté. Cette façon de ne considérer comme acceptable que l'ingénuité, l'enthousiasme désintéressé, c'est du romantisme. Mais pourquoi refuser un principe habile, s'il peut donner plus de bonheur qu'un autre ? Le mal, c'est que, s'il est habile, il ne donne plus de bonheur, parce qu'on ne peut plus le croire absolu.

15 mai

Ils t'ont dit qu'ils ne se plaignent pas, qu'ils demanderaient peu de chose ou rien, qu'ils souffrent sans espoir, mais qu'ils ne sont pas des pleurnicheurs...

La politique est l'art du possible. Toute la vie est politique.

Le plus grand malheur, c'est la solitude : c'est si vrai que le suprême réconfort — la religion — consiste à trouver une compagnie qui ne fasse pas défaut, Dieu. La prière est un épanchement comme avec un ami. L'œuvre équivaut à la prière, car elle met idéalement en contact avec celui qui en tirera profit. Tout le problème de la vie est donc le suivant : comment rompre sa propre solitude, comment communiquer avec d'autres. C'est ainsi que s'explique la persistance du mariage, de la paternité, des amitiés. Parce que, ensuite, voyons, là serait le bonheur. Pourquoi on devrait être mieux en *communiquant avec un autre* qu'en étant seul, est étrange. C'est peut-être seulement une illusion : la plupart du temps, on est très bien seul. Il est agréable de temps en temps d'avoir une outre où se déverser et où boire soi-même : étant donné que nous demandons aux autres ce que nous avons déjà en nous. Pourquoi il ne nous suffit pas de regarder et de boire en nous-mêmes, et pourquoi il nous faut nous *ravoir* dans les autres ? mystère. (Le sexe est un incident : ce que nous en recevons est momentané et fortuit ; nous visons quelque chose de plus secret et de plus mystérieux dont le sexe n'est qu'un signe, qu'un symbole.)

16 mai

Les célibataires prennent le mariage plus au sérieux que les gens mariés.

18 mai

Celui qui ne fait pas d'enfants pour ne pas avoir à les entretenir, entretiendra ceux des autres.

20 mai

Il est naturel que la femme, contrainte par les circonstances de subir une intervention d'autrui sur son propre corps, qui l'asservit (sans parler de la sujétion sociale), ait développé toute une technique de fuite en elle-même, éludant l'homme, rendant vaine la victoire de celui-ci. Sans compter l'autre arme de la tromperie et du jeu dans les rapports sociaux.

L'homme est esclave, au maximum, du vice, mais la femme — après le coït — est esclave des conséquences probables ; d'où son terrible esprit pratique dans ce genre de choses.

12 juin

Étant donné que, tôt ou tard, il faut plaquer une femme, autant la plaquer tout de suite.

Les peuples des débuts de l'histoire eurent beaucoup plus le sens du passé que les peuples suivants. Quand un peuple n'a plus un sentiment *vital* de son passé, il s'éteint. La vitalité créatrice est faite d'une réserve de passé. On devient créateur — nous aussi — quand on a un passé. La jeunesse des peuples est une riche vieillesse (*genius is wisdom and youth*).

La création naît de l'innombrable répétition d'un acte, qui à force de *routine* devient écœurant. Puis vient une période de désarroi, d'ennui. Alors l'acte oublié à cause de sa banalité resurgit comme un miracle, comme une révélation, et c'est l'élan créateur (cf. 3 mai — dernier paragraphe).

Un succédané du loin-dans-le-temps (passé) est le loin-dans-l'espace (exotique). Là s'éclaire comment de nombreux élans créateurs chez les peuples naissent de la fusion de deux civilisations différentes. Mais ce cas est plutôt un stimulant qui fait ressortir les richesses déjà contenues dans les deux passés respectifs, et les fond, donnant à la combinaison l'aspect miraculeux nécessaire.

Tant pour le passé que pour l'exotique, quand je dis richesse, j'entends une conscience *vitale* non historique ou géographique.

Dans la vie de l'imagination, il n'y a que deux situations : le pré-affleurement d'un passé ou le heurt de deux modes de vie.

Les muses, filles de la mémoire ou le Dyonisos indien.

L'ennui, en conséquence, est comme les nausées des femmes enceintes.

7 juillet

Un passé doit être assez familier pour qu'on puisse le revivre machinalement et assez inattendu pour provoquer notre étonnement chaque fois que nous revenons à lui alors, il est prêt pour l'imagination.

Une expérience qui vous semblait triste — laissez passer du temps — vous la retrouverez avec des yeux neufs et elle sera extraordinaire.

Passer du temps en silence rajeunit individus et peuples.

30 juillet

Y a-t-il ou n'y a-t-il pas de progrès dans l'histoire ?

Insoluble, parce que tandis que, toi, tu entends par progrès l'entrée dans l'absolu des valeurs morales, et que tu appelles technique (habileté) tout le reste, d'autres se contentent justement de cet enrichissement *technique* des conditions du bien-être et le nomment progrès.

On ne peut pas parvenir à l'absolu par degrés. Donc on ne peut pas trouver l'absolu au bout d'une évolution historique.

Donc le progrès (impossible à nier) n'est pas vers l'absolu, mais est quantitatif.

De même pour un individu. Il y a progrès technique, d'habileté, d'expérience, mais la portée du pont est celle de ses sept ans. Tel il était alors, dans l'absolu, tel il est à trente-cinq ans.

3 août

La morale sexuelle est un palliatif de la jalousie. Elle tend à éviter la confrontation avec la capacité virile d'un autre. La jalousie est la crainte de cette confrontation.

La tolérance des idées naît de l'illusion que la vérité est quelque chose de rationnel, alors que, à peine accepte-t-on le principe que n'importe quelle idée se base sur un choix initial, que la volonté est le premier organe de la connaissance, on devient intransigeant. Penser ceci ou cela est alors incriminable. Racine *pratique* de l'erreur.

27 août

Ajouter au 30 juillet que par progrès technique on entend aussi le perfectionnement des idéaux moraux qui, en définitive, sont un *comfort.* Le passage à l'absolu moral ne peut par contre pas se produire dans le temps (I), il doit être un anéantissement en Dieu complet, qui se produit dans une sphère métaphysique. Là, le progrès n'arrive pas.

(I) Peut se produire en tout individu, comme moment de l'éternité de chacun, mais il est en dehors du temps qui est une notion collective. Et un anéantissement collectif en Dieu n'est pas possible, parce que la collectivité est un concept empirique et il *pourrait* toujours naître quelqu'un à ce moment, qui n'accepterait pas de s'anéantir en Dieu.

9 septembre

La guerre rend barbare parce que, pour la combattre, il faut se durcir envers tout regret et tout attachement à des valeurs délicates, il faut *vivre comme si ces valeurs n'existaient pas ;* et, une fois la guerre finie, on a perdu toute latitude de revenir à ces valeurs.

17 septembre

On fait l'aumône pour se débarrasser du miséreux qui la demande ; et si quelqu'un produit en nous un malaise par l'étalage de sa grande misère et fait appel à l'un de nos évidents et indéniables sentiments de solidarité, nous haïssons ce quelqu'un, de toutes nos forces.

1er octobre

Les erreurs qui vous sautent aux yeux dans une œuvre ou même qui simplement se voient sont, justement parce qu'elles sont telles, faciles à corriger et ne comptent pas. Ce qui compte c'est l'erreur fondamentale, la perspective fausse, qui affecte spécialement des parties correctes, et qui doit être repérée et débusquée ; ce qui revient à dire que cette erreur est irrémédiable, à moins de détruire l'œuvre.

Les petits défauts visibles servent tout au plus comme indicateurs de ce qui est en dessous.

9 octobre

« Il y a une émotion qui est inséparable de la rencontre de tout homme que nous trouvons sur notre chemin. » (Lavelle, *L'erreur de Narcisse*, p. 31.)

« J'ai tort sans doute si je me plains du traitement que les autres me font subir. Car il est toujours un effet et une image du traitement que je leur inflige. Mais si je m'attriste de n'être pas assez aimé, c'est que je n'éprouve pas moi-même assez d'amour. » (Lavelle, *ibid.*, p. 34.)

« Les relations que les autres hommes ont avec nous sont toujours une image des relations que nous avons avec nous-mêmes. » (Lavelle, *ibid.*, p. 165.)

« ... la seule chose qui compte, c'est d'être et non point d'agir. » (Lavelle, *ibid.*, p. 171.)

14 octobre

Vouloir commettre à tout prix une méchanceté, faisant violence à sa propre nature, est typique de l'adolescence et du besoin de se prouver à soi-même que l'on est universel, par-delà toute norme.

Qu'y a-t-il de plus beau que de se retrouver *en héros* [1], une fois sa méchanceté commise, sur une route de campagne, dans le matin, quand passent les charrettes ?

1. En français dans le texte original.

Le style de Berto [1] ne doit pas être attribué à un certain Berto, mais assimilé à une tierce personne. De naturaliste il doit devenir *mode de penser* révélateur. C'est cela que l'on ne pouvait pas faire dans les poèmes et qui devrait réussir dans une œuvre en prose.

On pense des pensées quand, secoué par un heurt de la vie, on devient, devant soi-même, des personnages, exactement comme cela se passe lorsque, créant un récit, problèmes et pensées naissent avec les scènes. Les pensées valables naissent en conséquence quand on prend une attitude, c'est-à-dire quand on se falsifie soi-même, c'est-à-dire quand on se regarde vivre selon une attitude *choisie.*

L'art de nous « regarder nous-mêmes comme si nous étions des personnages de l'une de nos nouvelles », évoqué le 9 octobre 38, a donc aussi pour but de nous mettre en mesure de penser des pensées et de les goûter.

15 octobre

La différence entre Sansfin et Homais, c'est que Sansfin n'est ni approuvé ni désapprouvé, mais enraciné dans la substance de tous les héros stendhaliens : une volonté pédante acharnée et malicieuse, qui agit ; alors qu'Homais est un portrait-silhouette détaché de l'auteur et jugé précisément à cause de cela.

1. Le personnage qui parle à la première personne dans *Par chez nous*, l'un des récits de *Avant que le coq chante*.

18 octobre

Juger des personnages signifie en faire des silhouettes.

Les temps de la philanthropie sont ceux où l'on fourre les mendiants au violon.

29 octobre

Il n'est pas vrai qu'à notre époque on n'écrive pas de romans parce qu'on ne croit plus à la solitude du monde ; ce n'est pas vrai, parce que le roman du XIXe naît pendant l'écroulement d'un monde, et que, même, il représentait un succédané de cette solidité que perdait le monde. Maintenant, le roman cherche une loi nouvelle dans un monde qui est en train de se renouveler, et on ne se contente plus de se mouvoir dans ce nouveau monde selon l'ancienne dimension.

De même qu'une idée devient féconde quand elle est la combinaison de deux trouvailles qui forment un ensemble savoureux, de même doit être fait un personnage.

1er novembre

On a coutume d'épargner une personne quand on découvre que, malgré tout cynisme, tout hitlérisme et tout ce qu'elle a de moche, cette personne est capable d'un sentiment de pitié, d'une certaine douceur. Mais en particulier on a coutume de s'épargner soi-même dans ce cas, de se féliciter profondément d'une de ses bonnes pensées. Bien que ce soit rare (« une bonne action est plus facile qu'une bonne pensée », 3 novembre 38), prendre garde que l'on nomme communément « bonne pensée » un élan sentimental dont tout le monde est capable. Comme le montrent les scénarios des films, même allemands.

Exemple de 29 octobre :
— solitude avec visites magiques du jeune homme
— deux journées de fête. Comment elles se passent, *retréci* [1]
— découverte de la syphilis chez le jeune homme
— grand moment d'action politique concentré dans ces deux jours, avec désespoir magique du jeune homme
— jeune homme qui à tout prix veut commettre la mauvaise action par
solitude magique
jours de fête (Pause)
syphilis
substitution politique.

Si l'on retire la politique (qui vient de *Nizan*) il reste les visites magiques dans la chambre d'en haut pendant les deux jours de fête (charme magique)

avec le tourment de la syphilis découverte
qui fait commettre de mauvaises actions.

5 novembre

Pourquoi un écrivain nouveau nous est-il déplaisant ? Parce que nous ne savons pas encore évoquer

1. En français dans le texte original.

autour de lui tout le cadre contemplatif d'une société à laquelle nous abandonner confiants.

10 novembre

Dédaigner de commettre une mauvaise action réfléchie est une manière de prendre conscience que l'on n'est plus jeune (cf. 14 octobre). C'est le thème qui convient pour raconter que la jeunesse est finie. L'élégance serait de ne parler jamais de *jeunesse* dans l'histoire, mais de la laisser deviner justement par ce refus de se déchaîner. Tout au plus titre : *Jeunesse finie.* Et, au fond, la pensée : Voilà, je ne ferai plus ces choses ; maintenant, je commettrai des erreurs réfléchies, des erreurs de limitation non d'universalité.

Également parce que la mauvaise action irréfléchie réclame un désœuvrement et une disposition à souffrir qui n'existent plus à trente ans.

18 novembre

C'est justement à cause de ces dons qui en font un « artiste exquis » que Mérimée ne te plaît pas. Tu sens que c'est un homme qui ignore tout sérieux de milieu, qui répugne à s'engager, qui émiette des tableaux multicolores dans une société d'emprunt et postiche. Il change de milieux comme de vêtements. Il ne sait pas vivre un drame de l'*homme dans son milieu;* même là où il est tragique, il est tragique par ouï-dire, par supposition, mais les racines profondes lui manquent (*Carmen*). Tout le contraire de Stendhal qui *vit* la belle société avec l'engagement d'un fanatique et d'un saint démon.

Cf. 28 juillet 38 — où l'on découvre la loi de toute

trame valable : « voir comment untel s'en tire dans ce *milieu* donné. »

Or, Mérimée, qui ne croit à aucun milieu, ne peut prendre au sérieux ni rendre solide aucune de ses trames.

19 novembre - dimanche

Compris, en lisant Landolfi[1], que ton thème du bouc était le thème *du lien entre l'homme et le naturel-bestial.* De là ton goût pour la préhistoire : l'époque où l'on entrevoit une promiscuité entre l'homme et la nature-bête. De là ta recherche de l'origine de l'image à cette époque, la promiscuité d'un premier terme (ordinairement humain) avec un second terme (ordinairement naturel) qui serait quelque chose de plus qu'un simple imaginaire : un témoignage d'un lien vivant. Tout était déjà saisi (15 septembre 36 II) quand tu as commenté Lévy-Bruhl notant que l'image, à propos de la mentalité primitive, n'était pas un jeu expressif mais une *description positive.* (Voir aussi : « A propos de *Travailler fatigue* » novembre 34 — la première intuition de *l'image thème du récit,* conçue pour te sauver du naturalisme.) L'image-récit voulait être *l'histoire de ce lieu,* c'est-à-dire l'institution d'un symbole (cf. 6 novembre 38, II). en outre, l'image-récit s'est révélée (24 octobre 38, I) besoin de croire arrivé ce que nous racontons, c'est-à-dire de considérer l'image comme un *vrai,* existant aussi par-delà la page écrite.

Tu as encore pensé quelque chose de psychologiquement parent (29 octobre 39, II) quand tu as dit

1. *La pierre de lune.*

qu'une idée devient féconde quand elle est la *combinaison* de *deux* trouvailles.

26 novembre

Dans le Purgatoire, Dante ne se retourne jamais pour contempler le panorama, pour la raison qu'il ne décrit pas réalistement un voyage, mais qu'il expose un symbole où l'on recourt au décor, au *visible,* seulement dans la mesure où l'on revêt d'un corps un concept. Il n'a en conséquence pas d'obligations de respecter la logique naturaliste du réel.

Le thème du désaccord entre l'art et la vie — l'artiste qui se sent inutile et détaché de la réalité — fut, à la fin du siècle, une étape de l'autobiographisme romantique, qui se révéla insuffisante après les ivresses de génie et de folie du XIXe.

28 novembre

Il se pourrait que les enfants soient plus conformistes que les adultes et que nous ne nous rendions pas compte de cela pour la raison qu'ils vivent en guerre avec les adultes et qu'ils sont contraints de manifester leurs habitudes en secret. En fait, l'effort des adultes est de briser toutes les habitudes des enfants, parce qu'ils soupçonnent en celles-ci un nœud de résistance et d'anarchisme. Mais, dans le domaine où les enfants jouissent d'une relative autonomie (les jeux), leur conformisme est évident — leur goût du rite et de la formule, leur superstition pour les lieux, etc. — qui prend aussi la valeur inconsciente d'une revendication d'indépendance faite aux adultes.

Comme *faire-les-choses-comme-les-grands-nous-qui-sommes-tout-petits* est difficile, de par sa difficulté en soi et à cause des soupçons des grands, l'enfant tend à se créer des règles dans les choses qui lui sont propres, à retomber dans la même ornière, à s'encourager avec le déjà fait. Rappelle-toi l'habitude que tu avais à cinq ans de pleurer dès que tu étais à table, comme ça sans motif. C'était un comportement confortable parce que déjà expérimenté et parce que c'était un comportement qui t'était personnel.

4 décembre

Écrit à Pinelli : « ... reprenant certaines de mes idées, l'œuvre est un symbole où tant les personnages que le milieu sont le *moyen* de la narration d'une petite parabole, qui est l'ultime racine de l'inspiration et de l'intérêt : le “ chemin de l'âme ” de ma Divine Comédie. »

« Ma langue... est tout autre chose qu'un impressionnisme naturaliste. Je n'ai pas écrit en imitant Berto — le seul qui parle — mais en traduisant ses ruminations, ses étonnements, ses mépris, etc., comme il les dirait *s'il parlait italien.* Je n'ai fait des fautes de syntaxe que lorsque ces fautes de syntaxe indiquaient un mépris, une involution, une monotonie de son esprit. Je n'ai pas voulu faire voir comment parle Berto quand il s'efforce de parler italien (ce qui serait de l'impressionnisme dialectal) mais comment il parlerait si ses paroles devenaient pour lui — par Pentecôte — italiennes. Comment il pense, en somme. »

10 décembre

Le *symbole* dont parlent le 6 novembre 38 (II) et le 4 décembre 38 (les Fioretti) est un lien imaginaire qui tend une trame sous le discours. Il s'agit de points d'appui récurrents (« épithètes » comme dans l'exemple classique du 6 novembre) qui soulignent dans l'un des éléments matériels du récit une signification imagée persistante (un récit dans le récit) — une réalité secrète qui affleure. Par exemple, la « mamelle » de *Par chez nous* — véritable épithète qui exprime la réalité sexuelle de cette campagne.

Non plus *symbole allégorique,* mais *symbole imagé* — un moyen supplémentaire pour exprimer l' « imagination » (le récit). De là, le caractère dynamique de ces symboles ; épithètes qui reparaissent dans le discours et en sont des *personnages* et s'ajoutent à la pleine matérialité du discours ; non des succédanés qui dépouillent la réalité de tout sang et de toute respiration, comme le symbole statique (la Prudence, femme à trois yeux).

Parallèle de ce moyen, n'est pas tant l'*allégorie* que l'*image* dantesque. Là sont résumées de nombreuses analyses et de nombreuses lectures. Le chant XXIII du *Paradis* peut t'inspirer. Tous ces phénomènes de lumière disent la *réalité* lumineuse du lieu et aussi sa *réalité secrète* de « confluent de toutes les choses créées » (foudre, soleil, oiseaux, lune, chant, fleurs, pierres précieuses).

12 décembre

Tout artiste cherche à démonter le mécanisme de sa technique pour voir comment elle est faite et pour s'en servir, au besoin, à froid. Néanmoins, une œuvre d'art ne réussit que lorsqu'elle a pour l'artiste quelque chose de mystérieux. Naturel : l'histoire d'un artiste est le dépassement successif de la technique utilisée dans l'œuvre précédente, par une création qui suppose une loi esthétique plus complexe. L'autocritique est un moyen de se dépasser soi-même. L'artiste qui n'analyse pas et qui ne détruit pas continuellement sa technique est un pauvre type. (Cf. 8 novembre 38.)

....[1]

Il en est ainsi dans toutes les activités. C'est la dialectique de la vie historique. Mais tant en art que dans la vie, depuis qu'existe le romantisme, il existe dans cette dialectique un danger toujours vivant : celui de se proposer délibérément le champ du mystère pour se garantir la création spontanée. En art, l'hermétisme ; en politique, le racisme-sanguisme. Alors que le mystère qui stimule la création doit naître de lui-même, d'un obstacle rencontré non délibérément au long de l'effort même d'élucidation. Rien de plus obscène que l'artiste ou l'homme politique qui joue à *froid* avec son mystérieux irrationnel.

....

Démonter le mystère pour s'en servir à froid dans son œuvre (sans l'angoisse créatrice) est l'effort de toute l'histoire de l'esprit. C'est là la dignité de l'homme mais aussi sa tentation.

14 décembre

Il faut la richesse d'expériences du réalisme et la profondeur de sensations du symbolisme.

1. Ici et plus loin, les points de suspension sans parenthèses sont dans le manuscrit de Pavese.

L'art tout entier est un problème d'équilibre entre deux contraires.

21 décembre

L'amour est la meilleur marché des religions.

25 décembre

Un véritable artiste parle le moins possible de l'art dans ses œuvres créatrices. (Autrement, ce n'est pas un artiste, c'est un virtuose de l'art.)

Celui qui n'a comme contenu que les tourments de l'art n'est pas encore sorti de la préparation des fers ; il n'est pas encore accrédité pour parler dans le monde en homme fait.

27 décembre (matin)

Une acropole rougeâtre. Autre coteau avec des édifices et des palais amoncelés (la ville de l'agenda d'assurances) et de grands tableaux muraux que l'on voit de l'acropole. Deux. Un allégorique, foule de femmes et de symboles et femme voltigeant (Venise de Veronèse), portée sur des palmes, entourée de femmes. Au premier plan, femme calme et grande qui vide des perles dans un récipient. (Mais on ne voit pas qu'elle manie des perles. On le sait.) On ne voit pas qu'elle manie des perles, mais *on le sait.* Exactement comme dans un roman où, sans le décrire (le faire voir), l'auteur dit « elle manie des perles ».

Découvert brusquement — après l'avoir déjà imaginée — que cette femme est l'Italie, car les filles voltigeantes et les palmes sont le symbole de la mer qui *l'entoure.* Voilà une preuve qu'en rêvant cette figure je lui donnais implicitement la signification que j'*ignorais* quand pourtant je l'avais déjà imaginée. *Qui* l'avait faite avec cette signification ?

(Certainement, ce rêve est l'effet de ma visite à Venise, février 39.)

Il me semble aussi avoir rêvé à d'autres époques de cimes de singulières collines, vues d'en bas ou d'à mi-côte, champêtres et couvertes de mûriers. Dieu sait quand et comment.

Deux hypothèses. Ou c'est la première fois que je rêve de cette ville piémontaise de tableaux (de Carpaccio, je le sais en rêvant) et j'ai l'impression de m'y être déjà promené, de l'avoir vue dans le passé (dans d'autres rêves) seulement en hommage à la temporalité du rêve, à cause de laquelle chaque instant rêvé naît avec son paysage temporel rétrospectif. Ou c'est vraiment un rêve que j'avais déjà fait d'autres nuits, comme d'autres rêves semblables de villes au sommet des collines (non pas Venise peut-être, alors, mais Sienne et Gênes) réduites à des proportions villageoises, et alors le monde de nos rêves est une mine où le puits vertical nous transporte en ascenseur à différentes profondeurs et là il y a des rêves fixes que nous revoyons chaque fois. Là aussi, il n'est pas dit que le temps soit notre temps normal et, même, la construction (sédiments, stratifications géologiques) des rêves serait encore plus prestigieuse : non pas un seul qui créé l'illusion d'un passé implicite en soi, mais tout un réseau temporel sous-jacent à *toutes* les nuits (les sommeils) prises ensemble. Ce serait vraiment un monde *existant* où nous entrons chaque fois que nous dormons (et les rêves *nous attendent* aux différentes profondeurs, nous ne les créons pas).

31 décembre

Les stilnovistes, en créant la situation des amis et des femmes — « le milieu choral » — à qui le poète s'adresse, ont inventé la *justification* de leur poésie qui est la célébration de cette communauté et qui consiste en l'expression cordiale de leurs propres « pensées » adressée à ce cercle.

Toutes les poésies nationales commencent par des cercles de ce genre. On se taille dans le corps social une société restreinte et conditionnée, qui est faite d'auditeurs et de collaborateurs.

1940

1er janvier

Pas fait grand-chose. Trois œuvres : *Les deux saisons, Par chez nous* et le *Charretier.*

Les deux récits sont une chose du passé : ils valent peut-être en ce que je me suis passé une envie et ai prouvé que je sais *vouloir* un style et le soutenir, et voilà tout. Le petit poème est peu de chose, mais il promet peut-être pour l'avenir. Je termine en espérant y revenir maintenant, rajeuni par beaucoup d'analyse et par la purgation de mes humeurs narratives.

Quant à mes pensées, je ne les ai plus beaucoup développées dans ces pages, mais, en compensation, j'en ai recueilli diverses, mûres et riches et, plus que tout, je me suis entraîné à y vivre avec agilité. Je clos l'année 39 dans un état d'aspiration désormais sûr de soi, et de tension semblable à celle du chat qui attend sa proie. J'ai intellectuellement l'agilité et la force contenue du chat.

Je n'ai plus déliré. J'ai vécu pour créer : cela est acquis. En compensation, j'ai beaucoup redouté la mort et senti l'horreur de mon corps qui peut me trahir.

Ç'a été la première année de ma vie empreinte de dignité, parce que j'ai appliqué un programme.

Des artistes comme Dante (le Stilnuovo), Stendhal[1] et Baudelaire sont les créateurs de *situations stylistiques :* ce sont des gens qui ne tombent jamais dans la belle phrase, parce qu'ils conçoivent la phrase comme créatrice de situations. Ils ne donnent jamais dans l'épanchement, parce que, pour eux, remplir une page, c'est créer une situation mentale qui se déroule dans un plan clos, construit, ayant des lois internes, différent de celui de la vie. En revanche, leurs contraires (Pétrarque, Tolstoï, Verlaine) sont toujours au bord de la confusion de l'art et de la vie ; et même dans leur art, s'ils se trompent, ils se trompent pour des phrases belles ou laides, non pour des situations « rabotées », comme ces autres. Ils ont tendance à faire de leur art un mode de vie pratique (Pétrarque = humaniste ; Tolstoï = saint ; Verlaine = poète maudit) et ce sont presque toujours des gens qui ont réussi dans la mesure où ils sont portés par leur activité pratique. (Ce sont aussi les mécontents de l'art pour des raisons existentielles, cf. II, 26 novembre 39.) Leurs contraires, en revanche, sont toujours des ratés qui

1. Dans le manuscrit : Dostoïevsky ? Shakespeare ? Stendhal.

n'élégisent pas sur leur échec mondain, comme certains des épancheurs, car ainsi on fait plaisir au vulgaire, mais ils construisent un autre monde où l'expérience ordinaire et cuisante est passée au crible de l'intelligence et n'a le droit d'entrer dans l'œuvre que si elle correspond à la construction. Ce sont de grands constructeurs d'œuvres jugeantes qui n'écrivent pas seulement une page pour épancher leur trop-plein, mais qui, de ce trop-plein, font de la méditation et le prétexte d'une construction mentale antérieure à l'œuvre.

Ce sont de grands théoriciens de l'art — le problème qui les tourmente toujours — alors que les autres écrivent comme on respire, comme on chante, comme on vit, hop là ! Les miens sont de grands solitaires, ce sont des ascètes, ils ne demandent rien d'autre à la vie que la réalisation de leur rêve formel (d'art, de morale, de politique), alors que ces autres demandent à la vie l'*expérience* et cette expérience, ils la reflètent dans ces journaux intimes que sont leurs œuvres.

Flaubert est la caricature involontaire de *mes* artistes (cf. le jugement du 17 février 38 — où l'on voit que, bien que l'art soit pour lui le cercle fermé, autonome, construit par l'intelligence, il n'y entre pas la totalité morale de l'homme et il en résulte seulement des fantômes de belles phrases).

[...]

Il se pourrait que les *situations stylistiques* fussent tes *images-récit,* c'est-à-dire une façon de présenter des images qui ne sont pas la description matérielle de la réalité mais des « symboles imaginaires à qui il arrive quelque chose », les *personnages* du récit.

3 janvier

Il y a un type d'homme habitué à penser que rien ne lui est dû, même pas au nom d'un travail ou d'une peine qu'il a endurée. Rien des autres sous aucun prétexte, même pas de ceux à qui l'on a fait le bien et, en conséquence, il ne donne rien aux autres sauf pour son plaisir. C'est moi. (Cf. 20 février 38, IV et 13 octobre 38, II.)

8 ou 9 janvier

La preuve de ton manque d'intérêt pour la politique, c'est que, croyant au libéralisme (= la possibilité d'ignorer la vie politique), tu voudrais l'appliquer tyranniquement. C'est-à-dire que tu sens la vie politique seulement aux époques de crise totalitaire, et alors tu t'enflammes et tu contredis à ton libéralisme même afin de réaliser rapidement les conditions libérales dans lesquelles tu pourras vivre en ignorant la politique.

11 janvier

La poésie italienne du XIIIe au XVIe remue le monde de la noblesse : elle commence par le concept de la noblesse de cœur (stilnovo), elle admire la noblesse de manières et de ton (Boccace), recrée par l'imagination la noblesse chevaleresque (Boiardo), l'ironise et la théorise (Arioste et Castiglione). En mourant, elle cède au *witticism* shakespearien et au bon goût néoclassique (*grand siècle*), on la voit reparaître comme nostalgie du passé et comme norme de vie chez certains romantiques

(Stendhal, Baudelaire). Il y a peut-être là une relation avec le 1er janvier, II. Comme idéal de comportement, le *trait chevaleresque* correspondrait à la *situation stylistique* comme idéal esthétique. Il est surprenant que cette même veine soit déjà apparue le 2 octobre 36, où les deux passages marqués || annoncent le 1er janvier.

Les grandes floraisons sont précédées par une génération de traducteurs intenses (neōteroi, stilnovistes, élisabéthains, trio de la douleur, roman russe, néo-réalisme américain). Quand on parle d'estérophilie... (Cf. 6 juillet 38, II.)

Plus l'histoire se rapproche de notre époque, et plus se substitue aux fusions de deux civilisations par la chair celle par le papier. Aux invasions se substituent les traductions.

21 janvier

Avant, la puissance servait les idéologies, maintenant, les idéologies servent la puissance.

Les choses gratuites sont celles qui coûtent le plus. Comment cela ? Elles coûtent l'effort de comprendre qu'elles sont gratuites.

22 janvier

(Cf. 27 décembre 39.) Les figurations d'un rêve sont engendrées et pétries par une expérience dominante de la veille, qui, mûrissant en nous, devient un kaléidoscope, symbolique de la « passion » (« après le rêve, la *passion* gravée », Dante) et des stimulations de la veille. Voilà qui explique comment le monde d'un rêve naît avec son paysage temporel rétrospectif — réalité de l'expérience que nous laissons comme fond de la figuration symbolique qu'est le rêve.

En outre, on comprend pourquoi le rêve se déroule comme un récit construit — ou, veux-je dire, un détail acquiert une importance ultérieure déjà implicite à sa première apparition. Nous, nous ne savons pas ce qui va arriver, mais nous sommes nous-mêmes la « passion » du rêve et la masse d'impressions de la veille. Nous sommes, en somme, comme celui qui — narrateur — connaît (vit en lui) le second terme symbolique de l'une de ses idées, mais non le premier, la figuration symbolique. Au fur et à mesure qu'elle passera devant les yeux, celle-ci naîtra pleine de ses développements futurs, *de points de départ que l'histoire elle-même interprétera, leur donnant un sens.* Rêver, c'est comme écrire une histoire symbolique déjà connue quant à l'esprit et en formation quant à la lettre.

26 janvier

Rien ne peut consoler de la mort. Les grands discours que l'on fait sur la nécessité, sur la valeur, sur le prix de ce moment, le laissent de plus en plus nu et terrifiant, et ne sont qu'une preuve de son énormité — comme le sourire dédaigneux du condamné.

1er févrie,

Proustien : le café te manquant, tu ne trouvais plus la possibilité nerveuse d'imaginer. Tu étais en train de t'habituer (Le *paradis sur les toits* et *Paysage* et trame de la *Tente* [1]). Maintenant qu'il y a du café, il te semble qu'il contrarie le loisir imaginatif.

1. Premier titre du récit *Le Bel été.*

La colère n'est jamais soudaine. Elle naît d'un long souci rongeur précédent qui a ulcéré l'esprit et y a accumulé la force de réaction nécessaire à son explosion. Il en résulte qu'un *bel accès de colère est tout autre chose que le signe d'une nature franche et directe.* C'est au contraire la révélation involontaire d'une tendance à nourrir de la rancune en soi — c'est-à-dire d'un tempérament renfermé et envieux, et d'un complexe d'infériorité.

Le conseil de « se méfier de ceux qui ne sont jamais irrités ». (22 juillet 38, I) parce que seul celui qui perd la tête est sincère (7 décembre 37, VI) revient donc à dire que — tous les hommes accumulant inévitablement de la haine — il convient de se garder spécialement de ceux qui ne se trahissent jamais par des accès de colère. Quant à toi, tu n'as pas tort d'être insincère dans ton souci rongeur, mais de te trahir ingénument par tes accès de colère.

9 février

En général est par métier disposé à se sacrifier celui qui ne sait pas autrement donner un sens à sa vie.

Faire profession d'enthousiasme est la plus écœurante des insincérités.

18 février

Une fois tombée la ferveur d'une monomanie, il manque une idée centrale qui donne une signification aux moments intérieurs épars. En somme, plus l'esprit est absorbé par une humeur dominante, plus le paysage intérieur s'enrichit et varie.

Il faut chercher une seule chose pour en trouver plusieurs.

19 février

Les métiers *singuliers* (i.e. pittoresques) abondent un peu trop chez les personnages de tes poèmes.

21 février

Il est facile de conserver son style, son *aloofness* (son détachement), sa familiarité *moqueuse,* son aristocratique impassibilité, etc., avec les personnes à qui on n'a rien à demander. Elles nous sont suprêmement indifférentes, elles nous sont un jeu, un prétexte de pose, comme des animaux (qui ne mordent pas).

C'est ce que l'on exprime en nommant *supérieur* le comportement décrit ci-dessus. Mais dès que l'on a quelque chose à demander, on n'est même plus égal, mais inférieur, pour la raison que l'autre pourrait nous le refuser.

Le style parfait (les rapports avec **) naît de la totale indifférence.

Voilà pourquoi on aime toujours follement ceux qui nous traitent avec indifférence : celle-ci est style, elle est séduction de classe, elle est amabilité. Cela reprend des tas de pensées de 37-38 sur la nécessité de *ne pas s'abandonner pour posséder* — surtout 16 novembre 37, II.

22 février

L'intérêt de ce journal est peut-être la repullulation imprévue d'idées, d'états conceptuels, qui, par elle-même, mécaniquement, marque les grands filons de ta vie intérieure. De temps en temps tu cherches à comprendre ce que tu penses, et seulement *après coup,* tu cherches à en trouver les correspondances avec les jours anciens.

C'est l'originalité de ces pages : laisser la construction se faire d'elle-même, et la placer *objectivement* devant ton esprit.

Il y a une confiance métaphysique dans ce fait d'espérer que la succession psychologique de tes pensées puisse prendre figure de construction.

....

C'est ainsi que se font les *canzonieri,* tu l'as dit dans *Certaines poésies non encore écrites.* Serait-elle donc illusoire la différence entre « poèmes » et « pensées » ? Suffit-il de dire que les pensées sont des tentatives d'élucider *pour toi-même* un problème, un état, et les poèmes des tentatives de créer une image *universelle ?* Il me semble que cela ne suffit pas.

....

Le problème est comme pour les *opera omnia* de toute une vie, chacune étant construite s'entend, mais dans leur ensemble forment-elles une succession ou une construction ? C'est un sophisme que de rappeler que les siècles littéraires sont inexistants dans l'historiographie concrète : un siècle est une entité empirique, abstraite, mais une vie, un individu, c'est quelque chose de plus.

Certainement, quelque chose de plus en ce que ce quelque chose veut l'être et se construire ; mais en lui-même, dans la succession mécanique des jours, dans la mesure où il s'interroge *après coup,* il a donc une unité-construction implicite ? ce que tu appelles une unité métaphysique.

....

Inversement. Une œuvre isolée, construite, est-elle faite autrement qu'en en joignant *après coup* — au besoin, bien entendu, avant sa rédaction — les divers morceaux ?

Il viendra un temps où notre foi commune en la *poésie* fera envie.

Il se trouve que je suis devenu homme quand j'ai appris à être seul ; d'autres quand ils ont senti le besoin de s'apparier.

23 février

Plus que dans son œuvre, la grandeur inhumaine de Shakespeare se voit dans le fait qu'il est mort en en laissant les deux tiers inédits — entre autres *Antoine et Cléopâtre, Macbeth* (?), de nombreuses comédies, etc.

C'est tellement énorme que l'on en vient à soupçonner qu'au début du XVIIe la mentalité « éditrice » n'était pas encore très répandue et qu'on croyait avoir lié une œuvre à la postérité quand on l'avait écrite, tout simplement. Mais alors, comment expliquer les textes à l'état de brochures d'acteur que Shakespeare *savait* laisser corrompus et corruptibles ? Et on ne peut pas dire non plus que le temps et le loisir de s'en occuper lui aient manqué.

Il y a là une sagesse qui confine à l'ironie cosmique. Un *geste* surhumain.

24 février

La personne ou l'institution que nous chargeons de nous rendre heureux a le droit de se plaindre si nous lui rappelons que, néanmoins, nous restons libres et maîtres de nous rebiffer. *Tout ce que nous ne parvenons pas à accomplir tout seuls diminue notre liberté.* Le patient dans les mains du docteur est comme la société dans les mains du sauveur — héros ou parti.

Comment ? vous nous chargez de réorganiser la société — c'est-à-dire vous-mêmes — et ensuite vous prétendez rester libres ?

Précisément parce qu'il n'existe pas de société économique pure, toute organisation scientifique de l'économie porte en soi l'affirmation d'une mystique — c'est-à-dire un credo d'état qui heurte aussi la vie intérieure, et de même que l'organisateur *doit* éliminer toute hétérodoxie économique, de même il *devra* éliminer toutes les hétérodoxies intérieures.

La société tout entière contrôlée économiquement et tout entière libre spirituellement est une contradiction.

(Cf. 30 juillet et 27 août 39.) L'*idéal moral* est une notion collective. L'individu n'a pas d'idéal moral, parce que, dans son absolu (éternel présent), il ne se conforme pas à une norme mais *est.* (Bergson, *Les deux sources*, etc.)

Si la société ne peut pas réaliser l'absolu, dans la mesure où l'un de ses individus peut toujours se rebiffer, l'individu ne *peut* pas non plus le faire *dans le temps,* parce que, une fois l'absolu atteint dans un de ses moments, il peut cesser *un instant après.* Cela reprend le pr. du 22 février 40 et nie en somme qu'une vie saisie dans la succession mécanique de ses instants, même les plus conscients, puisse prendre la configuration d'une construction métaphysique. En fait, la succession mécanique des pensées tombe dans le schéma — reconnu empirique — du temps. Pour qu'une expérience ait une valeur métaphysique, elle doit échapper au temps. Dans la vie pratique, il semble que cela arrive seulement dans l'instant isolé — évasion du temps.

La « fausseté de la poésie » (3 octobre 38, III) — substitution du temps absolu au temps empirique — est finalement plus séduisante que le « royaume des cieux », parce que celui-ci se réalise seulement en instants et celle-là en constructions qui, bien que valant comme un seul instant absolu, s'étendent néanmoins agréablement et embrassent parfois de longs laps empiriques.

....

L'unité d'une œuvre consistera donc dans l'appartenance de tous ses moments à une même période absolue ou, si l'on veut, métaphysique.

De là la difficulté de la déterminer en dehors du développement déterministe de ses événements et de ses phénomènes, pour nous qui sommes habitués à expérimenter la vie toujours selon le schéma du temps empirique et à connaître — pratiquement — le temps absolu seulement comme négation du temps empirique, dans les actes moraux. (De là, en attendant, le caractère *individuel* de l'œuvre d'art comme de l'acte moral : expériences non collectives à cause de leur nature, parce qu'absolues.)

Il est facile de créer une œuvre d'art « instantanée » (le « fragment »), comme il est relativement facile de vivre un bref instant de moralité, mais créer une œuvre qui dépasse l'instant est difficile, comme il est difficile de vivre plus longuement que le temps d'un battement de cœur le royaume des cieux. L'art d'organiser le royaume des cieux par-delà l'instant (sainteté) est au même niveau que l'art d'organiser une œuvre de poésie par-delà le fragment ou, si l'on veut, des amas de fragments.

Que tu aies défini le premier comme presque impossible (d'autant que tu considères en substance la moralité comme l'affaire d'instants isolés) et que tu espères au contraire en le second, provient du fait que ta vocation est poétique et non éthique. Satisfait ?

26 février

Il en est de même pour l'espace que pour le temps. Poésie et Peinture. Dans un poème, il ne doit pas exister de temps empirique, de même que dans un tableau il ne doit pas exister d'espace empirique.

Créer une œuvre, c'est donc transformer en absolus son temps et son espace. L'une des méthodes les plus accréditées fut toujours de recourir à l'intensité sentimentale qui, comme on le sait, transforme le temps et l'espace empiriques. (Une heure remplie de forte passion est plus longue qu'une heure d'horloge. Noter que l'ennui est une forte passion, et, en conséquence, l'*absence d'occupation* allonge le temps dans la mesure où elle l'emplit de tension.)

....

Ce que tu appelles contemplation (*ton* caractère poétique) est le passage du plan empirique au plan poétique.

L'hypothèse que l'évolution procède (*De Vries*) par *mutations* brusques du germe [qui ensuite se maintiennent par la sélection naturelle (J. Rostand, *Hérédité* et *Racisme*)] s'accorde avec ton expérience que la vie intérieure (création de concepts, et d'images) ne procède pas par développement de pensée en pensée (d'individu à individu, en biologie) mais par brusques intuitions (transformations *toujours* germinales) que l'on découvre, seulement *après coup,* liées à des intuitions précédentes et qui se maintiennent (sélection intérieure).

Le 29 octobre 39, II, et l'exemple du 1er novembre sont un autre parallélisme de vie intérieure et de biologie. Une fois rapprochés, deux concepts ou deux images donnent un fruit de valeur (une brusque mutation), plus qu'un concept ou une image mûrie isolément. Croisement de races éloignées qui produit des individus souvent très heureux.

27 février

L'analyse du 24 février, où tu niais la possibilité de construction métaphysique d'une vie dans la mesure où l'ensemble de ses moments significatifs serait une succession empirique, est fausse. Il n'est pas exclu que la succession empirique des moments éternels (actes moraux, actes poétiques, actes conceptuels) puisse *après coup* être interprétée ou disposée sous forme de construction vitale.

D'autant plus qu'on admet (22 février, IV, et 26 février, II) que *n'importe quelle* œuvre de construction est toujours faite d'illuminations instantanées — moments métaphysiques — qui sont jointes *après coup,* c'est-à-dire de découvertes unifiables.

Il se pourrait qu'aucune pensée, si fugitive, si inavouée soit-elle, ne passe dans le monde sans laisser de trace. Cela est certainement vrai pour chaque individu isolé. Néanmoins, il serait intéressant de savoir s'il en reste une trace *sur les choses* non seulement dans la mesure où l'individu, modifié par cette pensée quelconque, agit différemment sur elles, mais carrément sur les choses en soi — dans le cas, par exemple, où l'individu mourrait tout de suite après avoir pensé. Ce qui est une manière de croire à l'âme du monde et à autre chose encore.

1er mars

L'équilibre d'un récit est dans la coexistence de deux personnes : l'une, l'auteur qui sait comment il finira, l'autre, les personnages qui ne le savent pas. Si auteur et protagoniste se confondent (*Je*) et savent comment ça finira, il faut grandir la taille des autres personnages pour rétablir l'équilibre. C'est pour cela que le protagoniste, *si c'est lui qui raconte,* doit être plus que toute autre chose un spectateur (Dostoïevsky : « dans notre district ». *Moby Dick :* « appelez-moi Ismaël »).

Si l'on raconte à la première personne, il est évident que le protagoniste doit savoir dès le début comment son aventure va finir. A moins de le faire parler au présent.

Ta conception du style comme vie intérieure qui se fait (cf. 24 octobre 38, 5 novembre 38) *tend* à transporter le récit au présent et à la première personne, d'où négation de l'équilibre entre auteur et personnages, entre celui qui sait et celui qui ignore. D'où impossibilité de construction qui est jeu de perspectives entre présent (celui qui sait) et passé [1] (celui qui ignore).

1. Dans le manuscrit futur ? passé.

Ce qu'il y a de beau au théâtre, c'est que tous les personnages paraissent à la première personne et au présent mais ne savent pas comment ça finira.

9 mars

Le naturalisme a enseigné aux narrateurs — et, maintenant, nous avons tous ça dans le sang — que rien qui ne soit action ne doit entrer dans leur propos. Alors, on décrivait objectivement le milieu qui faisait partie de l'action et les événements, maintenant tout cela se décrit en regardant par les yeux du personnage, mais il est acquis pour tout le monde que l'on ne doit plus se livrer à des digressions. De même que, dans le naturalisme, l'auteur devait disparaître devant la réalité, de même, maintenant, il doit disparaître devant l'œil du personnage.

17 mars

Si une vie absolument libre du sentiment du péché était réalisable, elle serait d'un vide épouvantable.

On peut dire que ce sentiment (« la chose non permise ») est, dans la vie, ce que la difficulté de la matière est en art. Qui embêterait tout le monde, et en premier les artistes, s'il n'était pas difficile.

Naturellement, le *vivant* de la vie, c'est la lutte, les expédients, les compromis avec ce sentiment. Mieux vaut l'avoir et le violer, que ne pas l'avoir (22 juillet 38, III, sur le remords). Savoir que nous ne pouvons pas ou ne devons pas faire certaines choses nous flatte (cf. ton *Adam et Ève,* et le 17 septembre 38, VII).

25 mars

Il n'est pas vrai que celui qui, comme toi, est habitué au peu, au simple, aux expédients, ait moins à souffrir quand il se trouve en butte aux duretés et aux privations de la guerre ou d'un autre événement semblable. La raison ? Celui qui est habitué au raffiné, au complexe, au choisi, découvrira, face à la dure réalité, le charme du simple et du rare ; tandis que, toi, tu ne pourras pas descendre plus bas et tu n'auras plus rien à découvrir.

L'équilibre *vivant* d'une œuvre naît du contraste entre la logique naturaliste des *faits* qui se déroulent sous la plume et la notion, présupposée et rappelée, d'une logique intérieure qui domine comme un but. (*Beckons from afar.*) La première se débat dans les liens de la seconde et s'y charge de sens symboliques ou, si l'on veut, stylistiques. D'autant plus lointaines les deux manières d'être, d'autant plus vivante et passionnante la rédaction de l'œuvre (14 décembre 39).

28 mars

Les adjectifs géographiques de la poésie latine (« *ante tibi Eoae Atlantides abscondantur* ») sont le moyen extrême — réfléchi — de *faire* le mythe, en plongeant la réalité imaginaire dans le passé et dans l'éloignement. Ils sont le seul exotisme dont soit capable l'esprit antique : la légende devenue définition et limitée à l'attribut — parce qu'alors, tout était limites. Là on voit justement comment le symbole (l'allusion ?) devient style (cf. pensée précédente). Cf. surtout le 10 décembre 39, définitif sur le *symbole*.

29 mars

Tu dois reconnaître que les magnifiques promesses de la science à venir te terrifient et que tu les verrais volontiers avorter. Non point pour la raison que la science crée des armements homicides (on trouvera toujours la défense équivalente ; et quoi qu'il en soit, ce n'est pas le *massacre* des hommes qui est pour te déplaire : on vient au monde pour mourir), mais parce que la science pourra fournir un jour de tels moyens de contrôle sur la vie intérieure et sur la vie physique de l'individu (*sincerity test,* stérilisation, etc.) ou des ersatz de l'individu lui-même (*robots*) ou intervention dans l'activité intérieure et physique individuelle (inoculation de sperme artificiel, classification des attitudes, contrôle statistique des gestes à la Taylor, etc.) que la vie ne vaudra plus la peine d'être vécue. La conclusion typique des romans d'anticipation est, en fait, après une description du mécanisme très contrôlé de cette vie, un *climax* de cassage de couilles à cause duquel les masses se déchaînent, se tuant et devenant folles, afin de sortir du cauchemar. En somme, mourir (que ce soit par l'épée ou par un rayon mortel) n'est rien ; vivre scientifiquement apparaît comme épouvantable. Un réconfort, c'est la pensée du 25 octobre 38.

6 avril

[...]
Vieux rythmes :
Pupe fiape

côme rape
rape d'uv̈a
d'une fômna patanuv̈a [1].

[...]

7 avril

Il y a celui qui a l'impression d'être plus vieux que son âge, et celui qui se retrouve de plus en plus jeune que les années qu'il a. Ce sont deux types d'hommes : ils ont probablement d'autres différences.

Toi, tu es de ceux qui sont plus jeunes que leur âge. A trente ans, tu ne croyais pas être aussi vieux.

16 avril

Il doit être important qu'un jeune homme toujours occupé à étudier, à tourner des pages, à se tirer les yeux, ait fait sa grande poésie sur les moments où il allait sur le balcon, sous le bosquet, sur la colline ou dans un champ tout vert. (Silvia, Infini, Vie solitaire, Souvenirs.) La poésie naît non de l'*our life's work,* de la normalité de nos occupations mais des instants où nous levons la tête et où nous découvrons avec stupeur la vie. (La normalité, elle aussi, devient poésie quand elle se fait contemplation, c'est-à-dire quand elle cesse d'être normalité et devient prodige.)

On comprend par là pourquoi l'adolescence est grande matière à poésie. Elle nous apparaît à nous — hommes — comme un instant où nous n'avions pas encore baissé la tête sur nos occupations.

1. « Rengame » en dialecte piémontais. « Nichons flasques, comme des grappes, grappes de raisin, d'une femme à poil. »

19 avril

Les générations ne vieillissent pas. Chaque jeune homme de n'importe quelle époque et de n'importe quelle civilisation a les mêmes possibilités que toujours.

L'Empire Romain ne s'est pas écroulé par la décadence de la race (c'est si vrai que les générations contemporaines et successives de celles qui ont vu s'écrouler l'édifice politique en ont construit un spirituel — l'Église Catholique), mais par un changement des conditions sociales et économiques qui a déplacé les forces (ankylose économique, décentralisation provinciale, entrée des barbares, etc.).

20 mai

Les *Paradis arficiels* décrivent le vrai *paradis* baudelairien, sont son programme ; seulement, ils excluent qu'il soit licite d'y parvenir par un truc mais exigent que tout ce monde intérieur soit l'œuvre fière et pénible de l'intellect. Tout en en évoquant les vertus, ils polémiquent en somme contre la concurrence des drogues. (Spécialement le chap. IV *L'Homme-Dieu* qui est son authentique poétique.)

21 mai

S'il est vrai que l'individu s'accouple de préférence avec son contraire (la « loi de la vie »), cela provient du fait qu'il existe une horreur instinctive d'être lié à quelqu'un qui exprime les mêmes défauts que nous, les mêmes idiosyncrasies, etc. La raison est évidemment que défauts et idiosyncrasies, découverts dans quelqu'un qui nous est proche, nous enlèvent l'illusion — d'abord nourrie par nous — que c'étaient en nous des singularités excusables parce qu'originales.

28 mai

Les images de Faulkner (*Sanctuary*) sont des tournures dialectales et imagées — type « *a l'è fol côme na vacca'n bici*[1] ». Par exemple les yeux du vieux sourd « comme tournés vers l'intérieur des globes » ou Temple qui croit devenir homme et qui a l'impression d'être un tube qui se retourne comme un doigt de gant — flop ! Ce sont en somme l'image élisabéthaine : « *Fate is a spaniel we cannot beat it from us.* » Ce sont des images *narratives,* non contemplatives, qui substituent à l'objet une évidence expressive ; les images qui créent la langue (*ad-ripare,* arriver).

29 mai

The Revenger's Tragedy de Tourneur aurait pu être l'histoire du vengeur exacerbé qui, en se mettant à l'œuvre, découvre que chaque valeur la plus chère est corrompue ou prête à se corrompre : et telle elle semble devenir dans la corruption pratiquée par lui de Graziana sa mère (Acte II, sc. I) et dans le discours de sa sœur Castiza (Acte IV, sc. IV). Sauf que sa mère se repent vite et que sa sœur faisait semblant. L'histoire se réduit ainsi à un jeu d'intrigues et de sang entre les ambitieux et les luxurieux de la cour et les vengeurs ; et Vindice ne fait au cours des cinq actes aucune *découverte* morale, ne recueille pas une expérience, mais procède mécaniquement à ses vengeances et est ensuite,

1. Dialecte piémontais : « Il est fou comme une vache à vélo. »

aussi mécaniquement, puni. C'est si vrai que ses dernières paroles ne sont pas le hiératique chant du cygne des personnages shakespeariens ou webstériens (*White Devil :* les dernières répliques de Flamince et de Vittoria) qui ont eu une expérience, mais une « pique » née d'une imprudence qui le détruit et qu'avec habileté il pouvait éviter : « *We die after a nest of dukes* » trop peu.

Images de Tourneur, type 28 mai :
« *... 'Sfoot, just upon the stroke*
jars in my brother : 'twill be villainous music » ;
et d'un pauvre que
« *...hope of preferment*
will grind him to an edge... »

1er juin

Pourquoi les gens prennent-ils des poses et jouent-ils les *dandies,* ou les sceptiques, ou les stoïques, ou les *sans-souci*[1], etc. ? Parce qu'ils sentent qu'il y a une supériorité dans le fait d'affronter la vie selon une force, selon une discipline que l'on impose à ses pensées sinon à autre chose.

C'est là en fait le secret du bonheur : se donner une attitude, un style, un moule où doivent tomber et se modeler toutes nos impressions et toutes nos expressions.

Toute vie vécue selon un modèle cohérent, compréhensif et vital, est classique.

5 juin

La douleur fait vivre dans une sphère enchantée et éblouie, où les choses quotidiennes et banales pren-

1. En français dans le texte original.

nent un relief inquiétant et *thrilling*, pas toujours désagréable. Elle donne conscience d'une séparation entre la réalité et l'âme ; elle nous fait nous élever et nous laisse entrevoir le réel et notre corps comme quelque chose d'à la fois lointain et étrange. C'est là son efficacité éducative.

La réalité de la guerre suggère cette simple pensée : il n'est pas douloureux de mourir quand meurent tant de tes amis. De la guerre naît le sentiment de groupe. Bienvenu.

9 juin

Celui qui a une passion dominante hait le genre humain en fonction de celle-ci, car, tout le monde lui apparaît, par rapport à sa passion, comme un rival ou, en tout cas, comme une résistance.

12 juin

La guerre hausse le ton de la vie parce qu'elle organise la vie intérieure de tous autour d'un schéma d'action très simple — les deux camps — et, sous-entendant l'idée de la mort toujours prête, donne aux actions les plus banales un sceau de gravité plus qu'humaine.

13 juin

Une déclaration de guerre est comme une déclaration d'amour. On devient l'égal de l'ennemi et on s'élève ou on s'abaisse avec lui. On reproche à l'ennemi les mêmes énormités insupportables que — une fois amoureux — nous sommes plus que prêts à accomplir nous-mêmes, et on les reproche pour le même motif d'humanité lésée.

Répéter pour l'amour ce que tu as dit le 12 juin pour la guerre.

14 juin

La raison pour laquelle n'importe quelle saloperie est permise en politique, et le critérium est habile-idiot, et non bon-méchant, semble la suivante : le corps politique ne meurt pas et ne répond donc devant aucun dieu. La seule et exclusive raison de la moralité individuelle, c'est qu'un jour on mourra et qu'on ne sait rien de la suite.

16 juin

(Alertes aériennes.)

Les bruits stridents, les bruits sourds, les éclatements qui font tressaillir tout le monde ces jours-ci, non seulement ne faisaient pas peur, avant la guerre, étant inoffensifs, mais n'étaient même pas perçus. Toute passion — ici, la terreur — crée une sensibilité particulière à l'égard de ses propres stimulations et de ses propres prétextes, et révèle toute une province de la vie objective qui auparavant passait inaperçue. L'homme le plus grand est celui qui est « transformable de toutes façons ». Tant qu'on aura des passions, on ne cessera pas de *découvrir* le monde.

La nature abstraitement descriptive des *Géants* de Doeblin révèle que *Berlin-Alexanderplatz,* là même où il semblait farci d'expérience humaine et de méditation, était seulement composé de vérité brute et banale quotidienne, *décrite* et non dramatisée ; ce qui est un défaut commun à beaucoup de la prose narrative actuelle et à la tienne.

Doeblin, Dos Passos, toi : si vous voulez échapper au vérisme épidermique, vous tombez dans la construction expressionniste abstraite. Il vous manque surtout le sens du drame.

Il faut non seulement apprendre à être de nombreuses personnes différentes (Dos Passos y réussit), mais aussi à faire ces personnes en *les choisissant* et en en choisissant les traits (les portraits de Dos Passos peuvent être échangés d'un personnage à l'autre).

18 juin

La création des gouvernements parlementaires est l'aboutissement des luttes entre roi et nobles.

On sent le besoin du gouvernement parlementaire quand les oligarchies sont en décadence, et non quand les monarchies (ou les dictatures) sont en décadence. De celles-ci naissent les oligarchies.

21 juin

Animer la *nature* en la décrivant dans des attitudes humaines (« le champ se recrée sous l'eau ») est initialement dialectal, en ce qu'on recourt ainsi à la forme la plus instinctive de l'image (« la pluie *murmure* ») et réduit en substance la description des *choses* à une présentation de silhouettes, à un trait d'esprit jugeant, de type impressionniste — ce qu'est justement la silhouette.

Disons alors que l'impressionnisme est du « silhouettisme ».

Le point d'attache de ton métier à la vie est le *besoin d'expression* du premier et le *besoin de contact avec le prochain* de la seconde.

Tant qu'il y aura quelqu'un de haï, de méconnu, d'ignoré dans la vie, il y aura quelque chose à faire : s'approcher de lui.

Ta poétique est forcément dramatique parce que son message est la rencontre de deux personnes — le mystère, le charme, et l'aventure de ces rencontres — non la confession de ton âme.

Tu as préféré jusqu'à présent les contrastes de milieu (nord contre sud, ville contre campagne) parce qu'ils habillent somptueusement ceux des deux personnes.

23 juin

Pour exprimer la vie, il ne faut pas seulement renoncer à beaucoup de choses, mais avoir le courage de taire ce renoncement.

L'esthétisme du XIXe anglais — les belles images de Keats à Hardy, le ton soutenu et oxonien — est un reflet d'Élisabeth.

Il y a un rapport entre la phrase dostoïevskienne, nue et cursive, et ses inventions toutes cérébrales et ratiocinantes. La force avec laquelle il sent la vie s'exprime, non en images vivantes, mais en entités dramatiques et visionnaires faites de quotidienneté. Cf. Platon la dialectique, les mythes (les dialogues, les visions de Dostoïevsky).

Cf. II aujourd'hui. Defoe est le plus grand romancier anglais parce qu'il est le moins élisabéthain. Il a une voix *unmarred*. Les autres — même Dickens — rappellent le XVIIe soit dans le poétique soit dans l'humoristique — sont imagés, ils parlent par *images* qui n'ont plus la carnalité instinctive et linguistique (*wit*) des élisabéthains mais forment une phrase rhétorique, *ne naissent pas du personnage* et, en conséquence, ne sont pas dramatiques.

Même un récit avec un seul protagoniste apparent (Defoe) peut être dramatique. Mais, dans ce cas, il y a un homme et un milieu qui s'affrontent.

24 juin

Tess d'Uberville ne vit pas, parce qu'aucun de ses personnages (sauf les silhouettes) n'a un langage. Comment parle Tess ? et comment Angel ? Il y a le langage de l'auteur, ça oui, qui enveloppe tout, mais qui est justement un descriptivisme abstrait et riche, et parfois sobre, qui sert tout au plus à développer une scène très forte (rencontre de Tess et d'Angel à Sandbourne, chap. IV) où il y a le pathos mais non les figures vivantes (mélodrame).

Il y a *mélodrame* quand les personnages parlent pour le pathos extérieur de la scène, n'existant pas comme personnes, mais provisoires et postiches dans le but d'être un prétexte à émotion.

Les *personnes* doivent être respectées aussi dans le récit sinon on donne dans le mélodrame qui est, en art, ce que l'ambition ou l'hédonisme sont dans la vie.

•

Bien sûr, on a le droit d'*employer* les personnages, mais non pour un effet, mais bien pour une construction — comme dans la vie, non dans le but de sentir, d'expérimenter, mais de réaliser une signification.

27 juin

A un vieux peuple, on demande une grande cohérence, le respect de la légalité, etc. A un jeune peuple, on permet beaucoup de choses. Jeunesse et vieillesse chez les peuples sont la jeunesse et vieillesse des idéologies qui les ont formés, et il en résulte qu'on concède à une jeune idéologie comme bons de nombreux méfaits, pour la simple raison qu'on ne voit pas encore bien jusqu'à quel point ce sont des méfaits ou, au contraire, des interventions chirurgicales. Aux vieux, on ne demande que la légalité.

28 juin

Même en histoire, il arrive que, quand une chose ferait plaisir, elle ne peut pas se produire ; elle se produira quand elle nous sera indifférente. Les vieux empires tombent quand ils sont devenus pacifiques, civilisés et bienfaisants ; tant qu'une puissance est impertinente, illégale et violente, personne ne peut l'arrêter.

3 juillet

Toutes ces histoires de révolutions, cette envie de voir se produire des événements *historiques*, ces attitudes monumentales, sont la conséquence de notre saturation d'historisme, et c'est pour cela que, habitués à traiter les siècles comme les feuilles d'un livre, nous prétendons entendre la sonnerie de l'avenir chaque fois que braie un âne.

En plus d'un *dédoublement* des individus, il s'en est également produit un pour les peuples.

En outre, voyant tout sous un aspect historique, nous jugeons par des idées, par des abstractions qui doivent plus ou moins triompher, et nous ne savons plus ce qu'est un homme. C'est-à-dire que nous sommes revenus, par largeur de doctrine, aux temps où l'on haïssait le *nom* d'ennemi, la plus religieuse des barbaries. Mais il y a une différence avec ces temps : nous ne sommes pas du tout religieux.

6 juillet

On enseigne seulement ce qui est infailliblement. (Les techniques le sont en fait.) Du reste, pour enseigner une chose, il faut croire à sa valeur absolue — qui existe aussi sans nous ; il faut qu'elle *soit* objectivement.

7 juillet

La valeur esthétique, l'essence morale, la lumière de la vérité, ne peuvent pas s'enseigner — chacun doit se les créer au-dedans de soi. Ce sont des *absolus*, c'est-à-dire qu'ils sont hors du temps et, donc, de la société (cf. 27 août 39 et II, 24 février 40) et, en conséquence, incommunicables. Les mots en expriment seulement un schéma.

8 juillet

Les *héroïnes* de Dostoïevsky n'arrivent jamais à décider qui prendre (Nastasia Filippovna entre le prince et Rogojine ; Katerina Nikolajevna entre Versilov et l'adolescent ; Grouchenka entre Dimitri et Fiodor Karamazov). Tel qui est parfois pôle négatif (Rogojine) est d'autres fois positif (Dimitri). Les femmes ne sont jamais protagonistes, elles sont toujours *vues* par autrui.

L'adolescent n'est pas faible parce qu'il traite plus que d'habitude de malades psychiques ; mais bien parce que c'est le plus panoramique des grands romans de Dostoïevsky. Il y manque cette scène qui résume et absorbe en soi tout le récit fiévreux, cette espèce de jungle soudaine dans le désert ; et l'histoire devient plutôt traînante en longueur, diluée, une *chronique ;* c'est-à-dire qu'il y a de continuels sursauts de crise, de scènes pleines et hallucinantes, mais ce sont justement des reprises continuelles, jamais décisives, comme un moteur qui ronfle et n'embraie jamais.

9 juillet

Ce n'est pas par réflexion et par conscience de moi-même que je suis malheureux, mais bien quand j'en manque, *ne disait pas* Leopardi.

10 juillet

Cette guerre est peut-être la plus riche en *trahisons* que l'on ait jamais connue, ce qui indique un climat révolutionnaire, c'est-à-dire un climat où l'état de choses initial se transforme peu à peu, et où le critère de jugement *devient* différent de celui de l'appartenance à tel ou tel groupe.

13 juillet

Du *Crépuscule du Moyen Age.* Gerson, chancelier de l'Université de Paris, dit : la vie contemplative est pleine de dangers. Beaucoup en sont devenus mélancoliques ou fous.

Et, auparavant, il distinguait entre le blasphémateur par goût de faire une chose perverse, et celui qui parle sans penser à la gravité de ce qu'il dit.

Il juge de la vie religieuse selon le respect des dogmes, mais il sent que cela ne suffit pas et introduit des mesures psychologiques, cas par cas, évaluant si l'intensité n'est pas pathologique.

Il condamne Jean de Varennes qui, par manie de la virginité, disait que le prêtre indigne administre des sacrements vidés de leur substance. Cela jetait en l'air la charpente ecclésiastique.

(*Frères de la Vie commune.*) Il analyse la *dulcedo,* la ferveur, des *dévots modernes* des Pays-Bas (bourgeois retirés qui maintenaient le ton ravi de la haute émotion religieuse, par une tranquille habitude d'amitié et d'onction) et trouve que le fidèle s'en contente et oublie Dieu. L'anéantissement en Dieu de Ruysbroeck ne lui va pas, parce qu'alors on prétend ne plus pécher et on perd sa responsabilité. Bégards. Frères du Libre Esprit. (Turlupins = saints dissolus).

Historique. Ces mystiques vivent des images de faim, de soif et de luxure. Ils passent de la *dulcedo* aux diableries complaisantes et charnelles = goût des sorcières. Et voilà la raison pour laquelle, avec le XVe siècle, la sorcellerie augmente : c'est une décadence de la piété véritable, on croit aux symboles de façon matérialiste.

14 juillet

La tendance médiévale à voir l'universel dans chaque objet et dans chaque individu ; non pas *fra'*

Dolcino mais l'*hérétique,* non pas Henri VII mais l'*empereur,* etc. ressemble à la nôtre de voir les individus sous l'aspect de classes ou de nation (cf. 3 juillet II). Avec la différence qu'alors était vivante la dignité absolue de l'âme individuelle (problème du salut) et que maintenant elle ne l'est plus.

Très belle la trouvaille de Huizinga (p. 300-1) que le réalisme médiéval (tout est cristallisé en réalités essentielles, même les phénomènes et les pensées les plus fugitifs) est en substance du *matérialisme.* (Cf. thesaurus des bonnes œuvres des Saints.) (Le péché est une corruption du sang. Le Christ lave avec son sang. Métaphores qui deviennent des réalités.)

21 juillet

Dans Dostoïevsky, il n'y a jamais l'*histoire* d'une réalité naturelle (homme, famille, société) mais bien des fragments de blocs tourmentés et dialectiques, assemblés comme des anecdotes durant une discussion (mythes de Platon). L'unique histoire plus naturelle est *Crime et Châtiment.*

22 juillet

Rêver que l'on rentre, sortant de prison ou du « confino », chez soi, une maison très riche, princière, pleine de salons et d'escaliers, et y trouver les gens qui connaissent votre famille, à qui on est présenté, et attendre avec énormément de curiosité qu'entrent en scène vos parents, pour voir *comment ils sont,* quels types ont été choisis pour vous — c'est un autre cas de rêve fait comme un roman qui se lit sans savoir comment il va finir, c'est-à-dire où lecteur et protagoniste coïncident.

Le rêve est une construction de l'intelligence, à laquelle le constructeur assiste sans savoir comment cela va finir.

23 juillet

Une autre singularité des rêves est que — à moins qu'on les saisisse, qu'on les repense et qu'on les revive immédiatement et très fortement — on ne se les rappelle pas. Un rêve est une chose moins nôtre même qu'un récit composé par d'autres, parce que, jamais, en écoutant, nous ne sommes aussi passifs qu'en rêvant. Et pourtant il est indubitable que c'est nous qui créons le rêve. *Créer sans en avoir conscience,* voilà ce que le rêve a d'étrange.

25 juillet

Un cas où l'injustice tyrannique s'en tire aisément, c'est quand elle est exercée, même effrontément, contre un groupe nettement défini et pas très nombreux.

Les écrivains qui plaisent par leur existence — par l'attitude prise par eux dans l'existence — (Stendhal, etc.) sont en général des stylistes même dans l'écriture.

Les *artistes* sont les moines de l'âge bourgeois. En eux, l'homme commun voit se réaliser cette vie de contact avec l'éternel, cette ascèse, que les vilains du XIIIe-XVe voyaient dans le moine.

26 juillet

Gôgnin.

27 juillet

Les choses de ce monde (les *gestes,* la nature étant, bien entendu, exclue) sont des symboles de notre réalité intérieure ou de celle d'autrui. Il en résulte que, plus on est savant, moins on est disposé à sacrifier l'ultime instance (la vie charnelle) pour faire honneur à un symbole vain et arbitraire.

Voilà un cas où l'apparent réalisme de la pensée se révèle défaitiste, et où, au contraire, la transcendance se fait tout entière discipline, donnant au symbole une signification terrible. Le croyant se fait tuer pour ne pas accomplir un geste qui est symbole de mal.

Pour l'esprit fervent, tout est symbole. Cf. l'amoureux.

Mais n'arrive-t-il pas que, dans l'idéalisme, les gestes soient symbole et dans la transcendance les objets naturels ? Ne serait symbole que ce qui a été mis au monde par l'esprit créateur.

Si les anachorètes se macéraient ainsi, c'était pour se faire pardonner par les gens du commun la béatitude dont ils devaient jouir au ciel.

28 juillet

On ne se rappelle pas les jours, on se rappelle les instants.

1er août

Tous les libertins sont des sentimentaux. Avant tout, cela provient du fait de feindre longuement et en paroles de l'être ; ensuite, du commerce des femmes, qui habitue justement aux élégantes mollesses formelles. Mais surtout cela provient du fait de considérer les rapports entre homme et femme comme un domaine non pas de devoirs mais d'émotions.

On se corrige du sentimentalisme non pas en devenant cynique mais en devenant sérieux.

2 août

Dans les rêves, celui qui rêve est toujours très lâche et tolère des choses qu'il ne tolérerait pas dans la vie. Il manque absolument de sens moral et social. Il devient un nœud d'instincts.

5 août

Il ne faut jamais dire par jeu que l'on est découragé, parce qu'il peut arriver que nous nous prenions au mot.

C'est un signe d'amour certain que de désirer connaître, *revivre,* l'enfance de l'autre.

L'état d'une personne qui se sent inférieure au *nôtre,* justement au nôtre, émeut et attendrit. Si, au contraire, l'état envié et convoité est celui d'autrui, cette personne ne nous intéresse pas et même nous blesse.

7 août

Ton de Gôgnin. Liberté de jugement sexuel et social ; comme on la trouverait dans un milieu de *viveuses* et de *viveurs* [1]. Intériorité fermée et sau-

1. En français dans le texte original.

vage, de vierge. Rupture commune aux époques de transition : les formes sont nouvelles et l'âme vieille. Non, comme on le croit, vice versa.

D'abord changent les formes, puis les choses intérieures. Puissance de la parole, de la forme, du style.

8 août

La vie n'est pas recherche d'expériences mais de soi-même. Une fois découvert son propre stratus fondamental, on s'aperçoit qu'il coïncide avec son destin et on trouve la paix.

11 août

L'une des choses les plus déplaisantes de la vie, c'est se tromper de ton — même une simple phrase. Il est si facile — même trop facile — de donner un ton à un personnage de l'art et de ne jamais le faire détonner. C'est pour cela qu'il existe de nombreux types idéaux dans les romans, que lecteurs et lectrices aiment.

Nous haïssons une personne quand elle se trompe de ton.

Les mariages heureux semblent peu nombreux, parce que les romanciers ne trouvent pas leur compte dans un mariage heureux.

Sans nul doute tu préfères ceux qui font une chose parce qu'ils *doivent la faire,* à ceux qui la font parce que leur instinct les y porte. Bien entendu, le *devoir* n'est pas seulement le devoir courant. Confirmation de la théorie du style, du ton (25 juillet, II et avant, 1er juin).

12 août

(Cf. 16 décembre 37.) Amour et poésie sont mystérieusement liés, parce qu'ils sont l'un et l'autre désir de s'exprimer, de dire, de communiquer. Peu importe avec qui. Un désir orgiaque, qui n'a pas de succédanés. Le vin provoque un état factice de ce genre, et effectivement l'ivrogne parle, parle, parle.

14 août

Seul réussit à accomplir une certaine œuvre celui qui vaut plus que cette œuvre.

16 août

L'idée que les *erreurs* n'existent pas mais que ce seraient des « portals of discovery » pose comme postulat cette autre idée que c'est un devoir d'avoir de la chance : c'est-à-dire que l'intelligent ne commet jamais d'erreurs, ce qui revient à dire qu'il a de la chance. Ou bien il en commet et elles lui servent. Idées suggérées par Gôgnin qui dit qu'être belles est un devoir pour les femmes.

17 août

La façon qu'a Gôgnin de « parler à tort et à travers », abandonnant capricieusement un sujet et le reprenant ensuite aussi capricieusement, est devenue un style, et celui qui l'accepte et l'adopte devient son ami. Elle y prend plaisir et s'en fait une habitude. Puissance du style.

19 août

... comme tous les hommes sensuels, un peureux... Sensuel veut dire non pas qui a le sang riche mais qui ne sait pas le dominer et considère comme *seuls* plaisirs ceux des sens. C'est un manque d'inhibitions.

La sensualité est du sentimentalisme. De fait, les chansons et les musiques les plus sentimentales naissent de l'ambiance corrompue du café mondain. (Cf. 1er août.)

21 août

S'asseoir sur un banc avec un homme mais non au café est un tabou de vierge.

Quoi qu'on en dise, le style recherché et formaliste de la *haute*[1] est préférable au style relâché et commode de la commune bourgeoisie. Parce que, dans les moments de crise, la première sait se conduire, tandis que la seconde devient nature brute.

31 août

Il n'y a pas d'idée plus sotte que de croire conquérir une femme en lui offrant le spectacle de son talent. Le talent ne correspond pas en cela à la beauté, pour la simple raison qu'il ne provoque pas d'excitation sensuelle ; la beauté si.

On peut tout au plus la conquérir de cette manière quand le talent apparaît comme un moyen d'acquérir puissance, richesse, considération — valeurs

1. En français dans le texte original.

dont la femme, s'étant laissé conquérir, jouirait par conséquent, elle aussi. Mais le talent, en tant qu'étonnante machine qui se meut avec désintéressement, laisse indifférente n'importe quelle femme.

Vérité que tu ne devrais pas oublier.

6 septembre

En fait d'amours, on ne tolère que les siennes propres.

7 septembre

L'idée centrale de Proust, que les situations et les personnes changent continuellement et insaisissablement, ressemble à l'idée de Croce que situations et personnes sont des résultats pratiques qui ne donnent pas une satisfaction absolue mais qui, aussitôt atteints, se transforment et nient dialectiquement leur premier être.

Différence énorme : pour Proust, cela est un encouragement à se retirer de la vie, et pour Croce un encouragement à s'y jeter.

9 septembre

Je vois la scène. Elle qui se dérobe toujours, changeante, à la compagnie ; elle se lève de table, interrompt des conversations, va au téléphone, etc., et quand on lui rappelle ses devoirs, elle répond : « C'est ta faute si tu es incapable de m'intéresser et de me faire rester assise. »

Une telle réponse présuppose un durcissement intérieur d'adolescence, parce qu'elle sous-entend que les choses auraient pu se passer différemment si le compagnon avait été différent. Erreur que l'on commet quand on est adolescent et non après, quand on a compris que *quoi qu'il arrive, c'est notre faute.*

12 septembre

La vie pratique se déroule dans le présent, la vie contemplative dans le passé. Action et mémoire.

21 septembre

Certaines actions banales ou indifférentes qui me débarrasseraient d'un malaise effectif — recouvrir mon lit quand, le matin, je reste chez moi ; dépenser beaucoup pour fêter quelqu'un qui s'y attend ; me laver, avec beaucoup de savon, etc. me procurent une horreur instinctive, et pour les accomplir — quand je parviens à y penser — je dois faire un grand effort. C'est là le vestige d'une éducation infligée avec dureté à une nature en soi très sensible et timide. C'est le reste des terreurs de toute mon enfance. Et quand on pense que mes parents n'étaient ni méchants ni excessifs. Mais alors, ceux qui ont vraiment été maltraités, dans quel état sont-ils ?

Pour moi il est bizarre, et c'est toujours un étonnement, de m'apercevoir tout à coup que je puis faire tranquillement certaines choses, que personne ne me les défend ou *grudges,* qu'il n'est pas interdit de trouver du plaisir à un geste au lieu de l'accomplir sèchement. Voilà expliquée ma capacité poétique : partant d'un état de durcissement, expérimenter la volupté de se fondre, de s'amollir — volupté qui durera longtemps, jusqu'à ce que j'aie fait se volatiliser tout ce qu'il y a de dur dans mon enfance.

(Pensées dues à un mot gentil de Gôgnin.)

25 septembre

lettre

soir du 29 septembre

pfff !...

30 septembre

La meilleure défense contre un amour, c'est de se répéter jusqu'au *bourrage*[1] que cette passion est une idiotie, qu'elle ne vaut pas la chandelle, etc. Mais la tendance d'un amour est justement de se figurer qu'il s'agit d'un grand événement, et sa beauté réside justement dans la conscience continuelle que quelque chose d'extraordinaire, d'inouï, est en train de nous arriver.

Après tout, le geste du 25-29 septembre réalise ce qu'énonce la pensée triomphante du 4 novembre 38 (V). Il a l'unique défaut de ne pas être trop triomphal.

Mon comportement avec Gôgnin (pourvu que ce soit fini...) a été un résumé de 34-38.

5 octobre

Non, ce n'est pas fini.

7 octobre

Serait-il vrai que tu t'éprends seulement de femmes très *répandues* (danseuse, ***. Gôgnin) et qu'en conséquence te plaise en elles ce qui est *all-*

1. En français dans le texte original.

desidered et que tu souffres parce que tu voudrais être le seul à posséder tout cela ?

Le vrai génie, en ce genre de choses, ce n'est pas de conquérir une femme déjà désirée par tous, mais d'en dénicher une précieuse dans un être inconnu. (Cendrillon.)

10 octobre

Il y a un art de recevoir en face les coups de fouet de la douleur, un art qu'il faut apprendre. Laisser s'épuiser chaque assaut isolé ; une douleur donne toujours des assauts isolés — elle le fait pour mordre plus résolument et de façon plus concentrée. Et toi, pendant qu'elle a les dents plantées en un point et y injecte son acide, n'oublie pas de lui présenter un autre point et de t'y faire mordre — tu soulageras le premier. Une vraie douleur est faite de *plusieurs* pensées ; or, on ne pense qu'une seule pensée à la fois ; sache évoluer au milieu d'elles et tu soulageras successivement les secteurs endoloris.

12 octobre

L'amour a la vertu de dénuder non point les deux amants l'un face à l'autre, mais chacun d'eux face à soi-même.

14 octobre

Revoir la personne infiniment désirée depuis quinze jours, unique pensée de tous les instants, vous frappe par un effet de flou : la personne réelle est différente, plus concrète et plus fuyante, de celle dont on rêvait. (Cf. Leopardi. *Dialogue du Tasse et de son Génie fam.*)

Les femmes ont une profonde et fondamentale indifférence pour la poésie. Elles ressemblent en cela aux *hommes d'action* — les femmes sont tout entières des hommes d'action. Il semble qu'elles s'y intéressent — étant jeunes — pour une raison subtile : la poésie naît d'une exaltation dyonisiaque, et l'exaltation dyonisiaque est le fond de toute la réalité féminine, il en résulte donc que, dans leur inexpérience et à la surface, les femmes ne confondent jamais leur émotion avec la vraie émotion active et vitale qui les prendra ensuite devant la vie.

Les grands amants seront toujours malheureux parce que, pour eux, l'amour est grand et qu'en conséquence ils exigent de la *bien-aimée* la même intensité de pensées que celle qu'ils ont pour elle — sinon ils se sentent trahis.

Une femme trouve répugnant un homme qui pense nuit et jour à elle — pour la raison qu'elle *ne pense pas* à lui.

Il n'est pas vrai qu'avec les années, l'amour devienne moins terrible. Aux souffrances habituelles (jalousie, désir violent, etc.), s'ajoute la terreur du temps qui fuit irrémédiablement.

Personne ne renonce à ce qu'il *connaît.* On renonce seulement à ce qu'on ignore. C'est là pourquoi les jeunes gens sont moins égoïstes que les adultes et les vieillards.

15 octobre

On obtient les choses quand on ne les désire plus.

Pour consoler le jeune homme à qui arrive un malheur, on lui dit : « Sois fort, prends cela avec courage ; tu seras cuirassé pour l'avenir. Cela arrive une fois à tout le monde, etc. » Personne ne pense à lui dire ce qui est par contre vrai : ce même malheur t'arrivera deux, quatre, dix fois — il t'arrivera toujours parce que, si tu es ainsi fait que tu lui as tendu le flanc maintenant, la même chose *devra* t'arriver dans l'avenir.

Typologie des femmes : celles qui exploitent et celles qui se laissent exploiter. Typologie des hommes : ceux qui aiment le premier type et ceux qui aiment le second.

Les premières sont mielleuses, urbaines, des dames.

Les secondes sont âpres, mal élevées, incapables de se dominer. (Ce qui rend grossier et violent, c'est la soif de tendresse.)

Ces deux types confirment l'un et l'autre l'*impossibilité* de communion humaine. Il y a des serviteurs et des maîtres, il n'y a pas d'égaux.

La seule règle héroïque : être seul, seul, seul.

Lorsque tu passeras *une* journée sans présupposer ni impliquer dans aucun de tes gestes ou de tes pensées la présence d'autrui, tu pourras te dire héroïque.

Ou autrement être le Christ — c'est-à-dire s'annihiler. Mais tu l'as dit hier — personne ne renonce à ce qu'il connaît — et toi, tu connais trop de choses.

17 octobre

On ne ment pas à sa propre nature.

Tu as voulu faire une chose forte, fuir comme le

stoïque qui se domine, et le résultat c'est que tu n'as pas fui et que tu ne jouis plus de la compagnie naturelle de naguère.

La leçon la plus atroce de ce nouveau coup de pied, c'est que tu n'étais en rien changé, en rien *corrigé*, par deux ans de méditation.

Cela pour t'enlever aussi le réconfort de pouvoir encore sortir de ce puits grâce à la méditation.

20 octobre

Ton malheur particulier — qui est celui de tous les poètes — réside en ceci que, par vocation, tu ne peux avoir *qu'un public,* et qu'au lieu de cela tu cherches des *âmes sœurs*.

Les artistes intéressent les femmes non point en tant qu'ils *sont* artistes, mais en tant qu'ils réussissent dans le monde.

C'est naturel. Se marier, c'est se faire une situation, et quel homme — le plus altruiste — ayant des possibilités de choix, accepterait un emploi dans une entreprise non solide ? De même les femmes, et elles ont raison.

Même se sacrifier (ou renoncer) est une question d'habileté.

Tu parles toujours d'habileté, toi qui es justement né pour tout autre chose.

Ce qui distingue l'homme de l'enfant, c'est le fait de savoir dominer une femme.

Ce qui distingue la femme de l'enfant, c'est le fait

de savoir exploiter un homme. (Le second groupe de femmes — du 15 octobre — est en substance le groupe des fillettes — tant il est vrai qu'il s'agit d'âmes incapables de self-control.)

Et puis : on naît Enfant ou Adulte, on ne le devient pas.

Et maintenant console-toi.

21 octobre

Comme ce qu'un homme recherche dans les plaisirs est un infini, et comme personne ne renoncerait jamais à l'espoir de parvenir à cet infini, il en résulte que *tous* les plaisirs finissent par le dégoût. C'est une trouvaille de la Nature pour s'en détacher violemment.

22 octobre

(Cf. 9 octobre 39, IV Lavelle.) Une personne compte pour ce qu'elle *est,* non pour les actions qu'elle *fait.* Les actions ne sont pas de la vie morale ; la manière dont nous traitons les autres est seulement du bien — ou du mal. La vie morale, c'est l'être éternel, immuable, du moi — les actions ne sont que les ondulations de cette mer, qui ne révèle ses abîmes réels que dans les tempêtes, et cela même pas, du reste.

23 octobre

Je ne suis pas ambitieux : je suis orgueilleux.

La vie active est une vertu féminine ; la vie contemplative, une vertu masculine. (Cf. 14 octobre, II, et *Analyse amoureuse de F.*) Une signification de ma présence en ce siècle pourrait être la mission de détruire le mythe léopardien-nietzschéen que la vie active est supérieure à la contemplative. Démontrer que la dignité du grand homme consiste dans le fait de *ne pas* consentir au travail, au social, au *bourrage*. Sans, naturellement, cesser de vivre dostoïevskiennement. Toutes les passions qu'on voudra. Mais ne pas oublier que l'on compte pour ce qu'*on est* et non pour ce qu'*on fait* (22 octobre).

24 octobre

La stratégie amoureuse ne peut s'employer que quand on n'est pas amoureux.

30 octobre

La douleur n'est nullement un privilège, un signe de noblesse, un souvenir de Dieu. La douleur est une chose bestiale et féroce, banale et gratuite, naturelle comme l'air. Elle est impalpable, elle échappe à toute prise et à toute lutte ; elle vit dans le temps, elle est la même chose que le temps ; si elle a des sursauts et des hurlements, c'est seulement pour mieux laisser sans défense celui qui souffre, pendant les instants qui suivront, pendant les longs instants où l'on savoure de nouveau la torture passée et où l'on attend la suivante. Ces sursauts ne sont pas la douleur proprement dite, ce sont des instants de vitalité inventés par les nerfs pour faire sentir la *durée* de la vraie douleur, la durée fastidieuse, exaspérante, infinie du temps-douleur. Celui qui souffre est toujours en état d'attente — attente du sursaut et attente du nouveau sursaut. Le moment vient où l'on préfère la crise du hurlement à son attente. Le moment vient où l'on crie sans nécessité, afin de rompre le cours du temps, afin de sentir qu'il *arrive quelque chose,* que la durée éternelle de la douleur bestiale s'est un instant interrompue — même si c'est pour s'intensifier.

Parfois, il vous vient le soupçon que la mort — l'enfer — consistera encore en l'écoulement d'une douleur sans sursauts, sans voix, *sans instants,* tout entière temps et tout entière éternité, incessante comme l'écoulement du sang dans un corps qui ne pourra plus mourir.

La force de l'indifférence ! — c'est celle qui a permis aux pierres de durer sans changer pendant des millions d'années.

31 octobre

La preuve que tout en toi est orgueil, la voici. Maintenant que tu as de nouveau obtenu la permission de lui téléphoner et de lui écrire, non seulement tu ne le fais pas, mais tu n'éprouves même pas le besoin brûlant de le faire.

Ce qui pourrait aussi être la preuve qu'*en tout nous recherchons seulement la possibilité future.* Si nous savons que nous *pourrons* faire une chose, nous sommes satisfaits et nous ne la ferons peut-être même pas.

1er novembre

Fern. cherche chez l'homme pauvre les vertus du riche (délicatesse, finesse des sentiments, sociabilité, etc.) et chez le riche les vertus du pauvre (sérieux, simplicité du sens pratique, bonté laborieuse, etc.).

2 novembre

Celui qui ne se sauve pas tout seul, personne ne peut le sauver.

Je me suis souvent aperçu que ce que je découvrirai comme ayant le plus de valeur et d'importance, commence toujours par me déplaire et par me répugner.

8 novembre

A en croire Freud (*Essais de Psychanalyse*), toute la pensée naît de l'instinct de la mort : c'est un effort pour *lier* les mouvements fugitifs, dyonisiaques, libidineux de la vie en un schéma qui satisfasse le narcissisme du moi. Le moi tend à la régression vers le calme, à se suffire à lui-même, par son immobilité et son absence de désirs.

C'est une vérité qu'on apprécie quand on souffre et qu'on cherche à analyser, à comprendre, à *fixer* sa propre crise et, en définitive, à la tuer.

9 novembre

Tout ce que fait notre corps, y compris l'exercice des sens, échappe à notre perception. Nous ne connaissons pas nos fonctions les plus vitales (circulation, digestion, etc.). Il en est de même de notre esprit : nous ignorons tous ses mouvements et toutes ses transformations, ses crises, etc. qui ne sont pas l'idéation schématisante superficielle.

Seule une maladie nous révèle les profondeurs fonctionnelles de notre corps. De même nous pressentons celles de notre esprit, quand nous sommes déséquilibrés.

12 novembre

On a seulement pitié des personnes qui n'en ont pas pour elles-mêmes.

24 novembre

Enceinte pourvue de grilles et de barreaux, partagée en plusieurs parties (=piscine). F... ouvre à trois hommes (= les trois Siciliens du refuge de cette nuit) calmes, menaçants-souriants, taciturnes. F..., en ouvrant, prend une expression dure. Moi, je suis prisonnier de ces trois hommes — j'en ai la pleine sensation et, de temps en temps, je regarde F... qui ne dit rien et est dure. Je pense au piège qu'elle m'a longuement tendu pour me faire tomber dans les mains de ces hommes (= connaissances mystérieuses des nombreuses, mais aussi peut-être un frère). Lequel frère se promet de nouveau obscurément de discuter âprement avec moi sur des questions d'études de sa sœur F... Ils ont des poings pesants et plaisantent entre eux. Moi je suis surveillé du coin de l'œil. Le sentiment du danger qui viendra d'eux est très fort et angoissant.

Jusqu'au moment où j'ouvre une grille et, m'enfuyant furtivement, crie à F... que je la reverrai et que je lui expliquerai. C'est-à-dire que je ne crois pas à sa trahison.

30 décembre

FOSCOLO. *Proses littéraires,* Le Monnier édit.

Vol. II, p. 65 : « Celui, donc, qui est capable de plus fortes sensations, a plus de vigueur d'idées. »

Leçons d'éloquence :

p. 129 : « dans l'histoire littéraire, tant d'hommes qui pouvaient pourtant se flatter d'une vraie et utile gloire, et qui, néanmoins, après leurs premières et nobles tentatives, cessèrent tout travail et préférèrent vivre inconnus, bien que, peut-être, ils n'aient pas trouvé dans l'oisiveté et l'obscurité la satisfaction et la paix auxquelles ils aspiraient si modestement. »

p. 19 note. « *Que la nature a doté les hommes de semblables facultés de raisonner* (*Disc. sur la Méthode,* num 1) : Jean-Jacques Rousseau commence le *Contrat Social* par cette phrase : *L'homme naît libre :* l'une et l'autre, des erreurs toujours très funestes à la philosophie des lettres et du gouvernement. »

p. 152 « de même que vous tombez justement dans cette déception qui est l'unique écueil que l'homme doit soigneusement éviter ».

Sur le texte du « Décaméron » :

Vol. III, p. 20 : « Il n'est néanmoins pas moins vrai que les divers dialectes ont perpétuellement contribué à composer une langue littéraire et nationale en Italie, une langue jamais parlée par personne, comprise toujours par tous, et écrite plus ou moins bien selon le talent, l'art et, plus que tout, le cœur des écrivains. »

p. 38 (dialectes comme langue littéraire) : « Les anciennes comédies toscanes et les comédies vénitiennes de Goldoni sont les meilleures : mais au royaume de Naples, à Rome, et en Lombardie, elles paraîtraient très froides au peuple. »

p. 41 (Boccace) : « Tout le monde écrivait d'une façon différente de la sienne : qui affirmera qu'il écrivait exactement comme il parlait, et que la langue écrite par lui était ni plus ni moins le dialecte du peuple florentin ? »

p. 42 : « Si ce n'est parce que l'art, nécessaire dans

toutes les langues, est très difficile aux Italiens ; parce qu'ils n'ont ni Cour, ni capitale, ni parlements où la langue puisse s'enrichir en favorisant... un courant et des échanges d'idées. »

p. 43 : « par son essence littéraire, la langue italienne fut l'unique parmi les langues récentes qui ait conservé tous ses mots harmonieux, évidents et gracieux, et toutes ses tournures élégantes, pendant cinq siècles et plus ».

p. 58 : « Ailleurs, je l'espère, j'ai établi que la langue homérique ne fut pas organisée comme une mosaïque de dialectes différents, comme c'est l'opinion générale : mais bien qu'elle fut étudiée par des poètes et des historiens pour impartir une qualité littéraire aux dialectes de leurs villes, de façon qu'en les écrivant ils parussent plus agréables à toute la Grèce (*History of the Aeolic Digamma*). »

p. 76 (la *Crusca*) : « reste pourtant toujours le dictionnaire d'un dialecte et non d'une langue ».

Sur le texte du Poème de Dante.

p. 117 : « les écrivains grecs et romains... non parce qu'ils enseignent des théories de liberté naturelle et de droits imprescriptibles, alors que, plutôt, pour eux, tout droit et toute obligation étaient décrétés par le destin et par la victoire ».

p. 120 : « et les opinions ne prévalent jamais que quand elles règnent en compagnie de la force des gouvernements grâce auxquels, seulement, elles peuvent prospérer ».

p. 321 : « Les langues, là où il y a nation, sont un patrimoine public, administré par les éloquents : et là où il n'y a pas nation, elles restent le patrimoine des lettrés ; et les auteurs de livres écrivent seulement pour des auteurs de livres. »

p. 382 : « Et je crois, et en cela je me sens sûr de tenir la vérité, que de très nombreux passages et plus particulièrement les passages doctrinaux et allégoriques du *Paradis,* ont été les premiers pensés et composés longtemps avant que le Poète ait pris possession de sa langue et de son art. Parce que rarement dans le premier Chant, et plus rarement dans le second, il est forcé de se contenter de latinismes très crus, d'ambiguïtés de syntaxe et d'expressions rudes qui parfois gâtent le dernier. »

p. 453 : « celles d'entre ces idées d'où jaillissent le plus naturellement des images poétiques ».

p. 458 : « D. les conservait ; et avec eux les significations les moins rares dans le mot même de durée du temps, et de constance et de vigueur croissante de l'action. On peut donc comprendre, autrement cela paraîtrait une énigme, ce qu'il disait à son interprète : " que, maintes et souventes fois, il faisait dire aux mots dans ses Rimes autre chose que ce que les autres poètes avaient coutume d'exprimer " (l'*Anonyme*). En conséquence, le conflit d'idées concomitantes jaillit simultané et puissant de ses locutions. »

p. 479 : « La langue littéraire néanmoins fut écrite par ses fondateurs et jamais parlée ; et en conséquence les livres ne s'étant pas pliés aux prononciations successives, les organes de la voix doivent obéir à l'œil. »

Sur la Langue italienne (écrit en italien, en Angleterre) :

Vol. IV, p. 180 (Langue d'Homère) : « elle procède constamment simple et naturellement grammaticale dans ses mots. Ses phrases ne sont jamais trop pleines de métaphores, et ne sont jamais appliquées à des idées métaphysiques, ni à des pensées ou des sentiments qui ne soient pas, pour ainsi dire, tangibles. De sorte que, si l'on enlevait le mètre des vers, et que l'on mît l'*Iliade* et l'*Odyssée* en prose, elles sembleraient des histoires romanesques et merveilleuses comme mille autres que l'on écrit de nos jours dans des langues et un style mille fois pires... »

« La langue poétique de Dante... n'a pu ni ne pourra jamais servir de modèle à des compositions en prose. »

p. 197 : « Finalement, Thucydide utilise les mots comme une matière passive et les force à condenser des passions, des images et des réflexions plus nombreuses qu'ils ne peuvent parfois contenir ; c'est pourquoi il paraît presque un tyran de sa langue. Tandis que Boccace la caresse en amoureux... »

p. 210 (Pétrarque) : « Mais *sa* langue est plus celle de l'auteur que celle de sa nation. »

p. 211 : « Villani, le plus idiomatique des écrivains florentins. »

Cf. pour ses tendances et ses capacités analytiques de romancier, l'*Essai d'un Gazetier du Beau Monde* (*Au Lecteur*, où s'exprime la résignation de la quarantaine) et les Fragments, spécialement le 10e « ... Moi, le cœur durci par l'expérience... » ; la préface de sa grande traduction (*Didimo Chierico a'lettori salute*) où il décrit Sterne « ... et il semble que ses yeux scintillants de désir se baissent, honteux » ; la *Notice à propos de Didimo Chierico* tout entière ; la *Lettre Apologétique ;* les tirades des *Actes de l'Académie des Pythagoriciens* (*essay* humoristique et dolent type le *Beau Monde;* la traduction du *Voyage Sentimental;* la traduction *Des effets de la faim et du désespoir sur l'homme,* tirée d'un *Voyage en Pennsylvanie* de Crèvecœur ; et, enfin, la tentative juvénile de *Jacopo Ortis.* S'il ne devint pas romancier, c'est aussi parce qu'il se trouva en Sterne et se contenta de traduire, mais son type d'*humour* était précisément celui-ci — comme le démontrent le *Beau Monde,* les *Actes* et les divers Fragments.

1941

14 janvier

Pour sentir ce qu'est le style, il suffit de lire une prose quelconque de Foscolo et puis une de ses proses traduites de l'anglais, voire même par Ugoni. Ou mieux : *d'abord* lire la prose traduite puis une quelconque prose originale — par exemple la *Leçon Inaugurale.*

Si, cette année, tu n'as pas fait ton examen de conscience, c'est parce que tu en avais plus que jamais besoin — tu étais en état de transition et la clarté intérieure te faisait défaut.

30 janvier

Ce sentiment doux et indulgent d'amour pour l'humanité, que l'on éprouve par un jour froid, durant un moment passé dans un café — quand on observe le visage émacié et triste de quelqu'un, la bouche crispée d'un autre, la voix dolente et bonne d'un troisième, etc. — et qu'on s'abandonne à une voluptueuse et mélancolique étreinte sentimentale à toute cette souffrance quotidienne, n'est pas du vrai *amour du prochain*, mais une introversion agréable et détendue. A de tels moments, je ne remuerais le petit doigt pour personne : on est, en somme, heureux de sa tranquille futilité devant la vie.

Si même la *lecture silencieuse* que nous faisons d'un poème pour le connaître est de l'interprétation, on ne voit plus comment on peut construire un jugement historique sur un poème — étant donné que le connaître veut dire créer au-dedans de nous *une autre* œuvre. Jugerons-nous cette autre ? Et l'universalité du jugement historique ? Sa *vérité ?* (Ceci en lisant *L'interprétation musicale* de Pugliatti.)

2 février

L'ami P. a un sentiment débonnaire et têtu de sa valeur, qui se manifeste aussi dans son fondamental détachement des affaires du prochain, une réserve massive comme celle d'un paysan qui ne tolère pas l'intrusion des autres dans son monde actif. C'est un homme qui n'a jamais de doutes à propos de son comportement et qui ignore en conséquence la mise au point nerveuse de rapports, que d'autres ont avec le monde. S'il n'était pas « artiste », c'est-à-dire s'il n'avait pas cultivé en lui une disposition à observer avec indifférence les attitudes et les aspects du prochain, ce serait un parfait campagnard. Mais on pourrait aussi discuter sur cette indifférence : est-elle désintéressée, une faculté qu'il fait servir *sans écarts* à la composition active de son univers, et qui ne se permet pas de déviations inutiles, par exemple des lectures qui ne convergent pas vers cette culture qu'il imagine « théâtrale » ? Lui est-il jamais arrivé de vivre une expérience, une réalité, qui, n'entrant pas dans son schéma juvénile initial (et pour le tracer ce schéma, il a, bien entendu, *expérimenté* de temps en temps), l'ait fait trébucher ?

Catholique et, certainement, convaincu du devoir de l'humilité, il est néanmoins ainsi fait qu'il s'empare des valeurs de la vie, sans fièvre et sans surprise, comme dues. C'est là son schéma. Quand je lui dis qu'il ignore la psychologie, je veux dire non pas qu'il ignore les mécanismes humains sur lesquels il bâtit ses drames, mais que, en dehors de ce domaine du « possible » psychologique vécu dans l'art, il n'a jamais vécu dans la réalité un doute psychologique, une maladie de l'esprit — de ces maladies qui, seules, font expérimenter et entrevoir les abîmes de la conscience. On dirait que, *in corpore sui,* il se refuse à ces expériences — peut-être pour la raison déjà dite qu'il ne voit pas le côté pratique des maladies. Et certainement, même si, demain, il se laissait aller à une crise psychologique et s'il chancelait, il le ferait pour explorer une matière à tragédie et non par exigence vitale. Puisque les exigences vitales sont déjà satisfaites par son schéma têtu et catholiquement campagnard et — faute d'un meilleur mot — égoïste.

De là provient le ton mélodramatique de ses meilleures pages. Sa littérature, justement parce qu'elle est pure dramaticité et peut-être à cause de cela, a toujours été — jusqu'à maintenant — de la littérature. Et je ne vois pas comment il pourrait en sortir.

Peut-être P. n'a-t-il jamais eu d'adolescence — de

celle qui fait méditer sur le suicide. Et le prix de ce manque est une particulière et éternelle adolescence de l'esprit — celle qui sous toutes les virilités (comportement, famille, sens des responsabilités, succès) fait de lui non un créateur mais un *homme de lettres* d'une espèce nouvelle. Que moi, après une telle explication, je l'aime néanmoins presque comme je pourrais aimer une femme, est compréhensible : P. est l'antithèse de moi-même et de mes expériences.

P. a quelque chose de féminin dans son sage et calme égoïsme — c'est-à-dire d'adolescent, de cette certaine adolescence qui est simplicité mais aussi grâce reposante et calmante.

3 février

Qu'y a-t-il en somme dans mon idée fixe que tout consiste en le secret et amoureux « en soi » que chaque créature offre à qui sait la pénétrer ? Rien, parce que cette amoureuse communion, je n'ai jamais pu la réaliser.

Au fond, le secret de la vie, c'est de faire comme si nous avions ce qui nous manque le plus douloureusement. Le précepte chrétien est là tout entier. Se convaincre que tout *est* créé pour le bien, que la fraternité humaine *existe* et si ce n'est pas vrai, qu'importe ? Le réconfort de cette vision consiste dans le fait d'y croire, non dans celui qu'elle soit réelle. Parce que si j'y crois, si toi, si lui, si eux y croient, elle deviendra vraie.

10 février

Marcel Raymond : *De Baudelaire au Surréalisme :*

Après les trois Phares : « Mais le réel, l'absolu, si l'on veut, on ne songe pas à le rencontrer ici au terme d'un enchaînement de concepts ou d'une dialectique, c'est dans le concret psychique qu'on pense le découvrir. Une sensibilité nouvelle, infiniment délicate... une métapsychologie... voilà la faculté propre au poète moderne... » (p. 48).

« ... les derniers venus des poètes posent volontiers en principe que les données de leur *moi* ne leur appartiennent pas en propre, et qu'un esprit universel se manifeste par elles » (p. 261).

Apollinaire : « Le nouveau est tout dans la surprise » dit Apollinaire (p. 273).

Dada : « il n'y a que l'inconscient qui ne ment pas » (p. 316).

Dada : « il s'agit toujours de savoir si les accidents linguistiques qui se produisent chaque fois que l'on brise les associations traditionnelles, sans souci de reproduire un modèle ou d'exprimer un sentiment, ne sont que des jeux, sans conséquence, ou s'ils peuvent en certaines circonstances, et presque à notre insu, correspondre à quoi que ce soit ayant une existence authentique » (p. 324).

Surréalisme : « Chaque texte surréaliste présuppose un retour au chaos, au sein duquel s'ébauche une vague surnature ; des combinaisons chimiques " stupéfiantes " entre les mots les plus disparates, des nouvelles possibilités de synthèse, se révèlent brusquement dans un éclair » (p. 332).

« ... laisser se former involontairement, inconsciemment, des évidences d'une autre nature, des évidences purement psychiques, si la chose est possible, qui s'imposent en nous à un certain sens intérieur et poétique, lequel se confond peut-être avec le sentiment de notre vie profonde » (p. 333).

Critique du surréalisme : « ... les textes surréalistes... on est conduit à les regarder comme des produits de la culture, et de la culture la plus avancée — tout autre chose que le résultat du libre exercice d'une faculté d'invention verbale plus ou moins généreusement départie à tous les hommes » (p. 335).

Définition surréaliste : « pénétrer dans un monde où la liberté serait infinie » (p. 337) « c'est peut-être l'enfance qui approche le plus de la vraie vie » (p. 338).

Breton : « Tout porte à croire qu'il existe un certain point de l'esprit d'où la vie et la mort, le réel et l'imaginaire, le passé et le futur, le communicable et l'incommunicable, le haut et le bas cessent d'être aperçus contradictoirement. Or c'est en vain qu'on chercherait à l'activité surréaliste un autre mobile que l'espoir de déterminer ce point » (p. 340).

Critique du surréalisme : « notre rêve vaut ce que valent nos veilles » (p. 365).

Après Rimbaud, ses disciples « subordonnent l'activité poétique à des fins qui la dépassent » (p. 391).

Ils humilient l'art devant la nature (non plus = raison, non plus = sentiment, non plus = imagination) qui est pensée onirique, spontanée, etc. La poésie ne peut s'accommoder d'aucune forme parce qu'elle est phénomène psychique (p. 392).

« le poème tend à devenir autre chose qu'une *expression* plus ou moins fidèle que l'on apprécierait par rapport à un modèle intérieur imaginé par induction, aux circonstances particulières d'une vie.

A la limite, il serait un *objet* existant pour lui-même, sans communication avec son créateur... un objet autonome, aérolithe tombé d'une planète inconnue... » (p. 400).

Émouvoir non par un exposé, mais par un fait naturel : la poésie est un crépuscule, une plage, etc.

18 janvier 41, fini la *Plage*.

14 février

En rêve, Fern. me raconte qu'elle a assisté au concert derrière les musiciens et goûté énormément « ce divin trio ».

Peu après, nous entrons — elle, je ne la vois plus — et je vois mon camarade musicien se mettre derrière les deux joueurs de clavecin tout près du mur et feindre de diriger avec ses mains l'orchestre (les musiciens se tournent en cachette pour regarder).

Évidemment le musicien est plus indiqué que Fern. pour faire cela — *plus imaginairement indiqué* — et un processus d'adaptation narrative s'est produit pendant le rêve. C'est-à-dire que je n'ai pas là deux événements successifs qui se déroulent le second à partir du premier, mais le développement simultané d'un seul fait, d'un état, qui apparaît d'abord sous forme embryonnaire et puis on dirait qu'il trouve une expression plus riche et plus appropriée (et change de protagoniste et de sens, en plus de s'enrichir magiquement de détails cohérents, qui à leur première apparition m'étaient tout à fait inconnus).

C'est peut-être là l'explication du fait (27 décembre 39) que, dans le cours d'un rêve, certains détails nous apparaissent narrativement anticipateurs d'autres qui les compléteront. Ce serait simplement une première esquisse embryonnaire qui se concrétise ensuite en quelque chose d'autre. En somme, on ne se raconterait pas à soi-même mais on imaginerait un tableau, une situation statiques, exprimant un état psychophysique, la « *passion* » dominante. L'apparent déroulement d'action en rêve proviendrait de la succession des tentatives inconscientes visant à définir toujours mieux la vision (d'abord Fern., puis le musicien qui font la même chose). Dans la sphère de chaque vision isolée, il y a, du reste, naturellement une certaine progression naturaliste d'événements (séquence d'événements).

Comme si quelqu'un vous montrait un tableau ; puis, tout de suite après, le même tableau avec des personnages changés et retouchés. Si c'était fait rapidement et comme il se doit — c'est là le récit cinématographique, mais un récit où chaque séquence est une tentative renouvelée de dire la même chose.

Noté en rêvant que, en rêve, il n'existe pas de faits antérieurs, tout est action ; rien n'est résumé — modèle d'art évocateur.

2 mars

Lévy-Bruhl, *L'expérience mystique,* etc.

Chap. I. — Le primitif se laisse prendre par la passion du jeu de hasard et perd même tout, pour des raisons mystiques ; parce que, une fois lancé, peu lui importe la valeur perdue, mais il veut se démontrer à lui-même qu'il n'est pas *abandonné par les puissances surnaturelles,* et ce qu'il possède n'est plus qu'un moyen de se préciser et de ressaisir cette protection... Cf. ta tendance, quand ça a mal marché pour toi dans la vie, à être encore plus malheureux, à toucher le fond, comme pour trouver dans la condamnation absolue du sort une confirmation de valeur absolue — la confirmation que ce malheur ne t'est pas arrivé par hasard mais parce que, *in alio loco,* on t'en veut, ce qui pourrait vouloir dire que *in alio loco* compte.

4 avril

Rien n'est plus essentiel quand on commence une œuvre d'art que de s'assurer la *richesse du point de vue.* Le moyen le plus immédiat et le plus banal de le faire, c'est de puiser à une expérience un peu insolite et suffisamment lointaine (cf. 6-7 juillet 39) et de travailler sur la complexité réaliste d'associations que celle-ci présente. Mais il y a un moyen technique de se composer un point de vue qui consiste dans le fait de disposer divers plans spirituels, divers temps, divers angles, diverses *réalités* — et d'en faire dériver des projections entrecroisées, un jeu d'allusions, une richesse de sous-entendus à quoi tend toute ta préparation et tout ton goût. Un bon exemple pourrait être la découverte de ce matin que l'histoire de Corradino peut se raconter à la troisième personne mais en entourant les faits d'une atmosphère à la première personne du pluriel, laquelle non seulement donne un milieu et un fond au trop gratuit Corradino, mais, en outre — plus grande qualité — permet de l'ironiser.

En toutes choses, l'erreur est de croire que l'on peut faire une action, prendre une attitude une fois et puis que c'est fini. (Erreur de ceux qui disent :

« Soyons laborieux, avares si nécessaire, jusqu'à trente ans, et puis nous nous amuserons. » A trente ans, ils auront le pli de l'avarice, de l'activité, et ils ne s'amuseront plus. De ceux qui disent : « Grâce à un seul crime, je serai heureux toute ma vie. » Ils commettront leur crime et vivront toujours prêts à en commettre un autre pour cacher le premier.) Ce que l'on fait, on le fera encore et même *on l'a déjà fait dans un lointain passé.* (Cf. 26 novembre 1937, II et 5 janvier 1938.) L'angoisse de la vie est cette ornière que nos décisions nous mettent sous les roues. (La vérité, c'est que, déjà avant de nous décider, nous allions dans cette direction.)

Une décision, un acte, sont d'infaillibles présages de ce que nous ferons une autre fois, non pas pour une quelconque et mystique raison astrologique, mais parce qu'ils sont issus d'un automatisme qui se reproduira.

12 avril

L'un des plaisirs humains les moins observés est celui de se préparer des événements à échéance, de s'organiser un groupe d'événements qui aient une construction, une logique, un commencement et une fin. La fin est aperçue presque comme une acmé sentimentale, une joyeuse ou flatteuse crise de connaissance de soi. Cela s'étend à la construction d'une réponse du tac au tac à celle d'une vie. Et qu'est-ce que cela sinon la prémisse du fait de narrer ? L'art narratif apaise justement ce goût profond. Le plaisir de raconter et d'écouter, c'est de voir se disposer des faits selon ce graphique. A la moitié d'un récit, on se retourne vers les prémisses et on a le plaisir de retrouver des raisons, des clefs, des motivations causales. Que fait-on d'autre quand on repense à son passé et qu'on se plaît à y reconnaître les signes du présent ou de ce qui se passera ensuite ? Cette construction donne en substance une signification au *temps*. Et le fait de narrer est en somme seulement un moyen de le mythologiser, un moyen de lui échapper.

14 avril

Aucune femme ne fait un mariage d'intérêt : elles ont toutes l'habileté, avant d'épouser un millionnaire, de s'éprendre de lui.

27 avril

Les Confessions de Rousseau.

(L. IV, 1731-1732, édit. Flammarion, p. 135) :

« D'ailleurs des couturières, des filles de chambre, des petites marchandes, ne me tentaient guère : il me fallait des demoiselles... Ce n'est pourtant pas du tout la vanité de l'état et du rang qui m'attire : c'est un teint mieux conservé, de plus belles mains, une parure plus gracieuse, un air de délicatesse et de propreté sur toute la personne, plus de goût dans la manière de se mettre et de s'exprimer, une robe plus fine et mieux faite, une chaussure plus mignonne, des rubans, de la dentelle, des cheveux mieux ajustés... »

« Et pourquoi m'arrêter aux choses permanentes, tandis que toutes les folies qui passaient dans mon inconstante tête, les goûts fugitifs d'un seul jour, un voyage, un concert, un souper, une promenade à faire, un roman à lire, une comédie à voir, tout ce qui était le moins du monde prémédité dans mes plaisirs ou dans mes affaires, devenait pour moi tout autant de passions violentes, qui dans leur impétuosité ridicule, me donnaient le plus vrai tourment ?... » (L. V, 1732-1736, p. 223).

« ... cette possession mutuelle (avec Mme de Warrens), et peut-être unique parmi les humains, qui n'était point, comme je l'ai dit, celle de l'amour, mais une possession plus essentielle, qui, sans tenir aux sens, au sexe, à l'âge, à la figure, tenait à tout ce par quoi l'on est soi et qu'on ne peut perdre qu'en cessant d'être... » (*id.* p. 225) [et noter que Mme de Warrens s'était déjà donnée à lui].

2 mai

Il y a les *verticaux* qui expérimentent successivement, qui passent d'une personne, d'une chose à l'autre, abandonnant l'une pour l'autre, qui se rebiffent et qui souffrent si l'une de leurs anciennes passions revient les tenter pendant qu'ils se consacrent à une nouvelle. Ce sont les *romantiques,* les éternels adolescents. Il y a par contre les *horizontaux,* qui rapprochent leur expérience d'une vaste gamme de valeurs mais simultanément ; et qui sont capables de s'enthousiasmer pour des personnes et des choses sans renier celles qu'ils connaissaient déjà, qui, du foyer d'un calme, d'une certitude intérieure, tirent la force de dominer et de tempérer les béguins les plus variés. Ce sont là les *classiques,* les hommes.

10 mai

La banalité des idéologies totalitaires correspond à la banalité de la prédication humanitaire qui les a provoquées. Tolstoï, Ruskin, Gandhi ont créé...

22 mai

Béguin, *L'âme romantique et le rêve.*

(Idée qu'on retrouvera chez Schubert, Carus, Schopenhauer et C.G. Jung.)

Le goût de K. P. Moritz pour les *souvenirs d'enfance* est un moyen de retrouver des témoignages d'un état antérieur à la vie qui est encore frais dans l'enfance et y laisse des traces. C'est-à-dire qu'il représente la fuite non seulement devant la réalité contemporaine mais devant la réalité en bloc. Aspiration typique du proto-romantisme. C'est ainsi qu'ils désirent se transformer en objets naturels (Shelley-Leopardi). C'est ainsi qu'on entrevoit dans la *nature* (le nuage, le tonnerre, la vague, de Shelley et Leopardi) le point d'appui pour participer à une vie qui n'est plus la condition humaine. C'est ainsi qu'on recherche les *rêves* non seulement comme fuite devant la réalité diurne, mais comme point d'appui d'une expérience prénatale. C'est ainsi qu'on tente désespérément de s'intégrer *au Tout* qui apparaît comme réalité prénatale.

(p. 72) « Contre les hommes, mais aussi contre ses propres faiblesses et ses doutes, l'oubli peut être trouvé dans le jeu. Puisque la vie, lorsqu'on l'affronte avec toute la gravité de son interrogation et de ses espoirs, est terrible, il faut jouer d'elle. Se donner un rôle aux yeux d'autrui n'est pas encore assez : jouons si bien que nous soyons nous-mêmes notre dupe. Montrons à la vie que nous sommes capables de la démasquer, de nous faire d'elle un jouet, de nous prouver ainsi la souveraineté de notre esprit. Les romantiques appelleront *ironie* cette virtuosité, qu'ils apparenteront à la poésie... »

Il y a des vêtements féminins si beaux qu'on voudrait les lacérer.

24 mai

Il est curieux que le Romantisme, qui passe pour la découverte et la protestation de l'individu, de l'originalité, du génie, soit tout entier imprégné d'une anxiété d'unité, de totalité cosmique ; et qu'il ait inventé les mythes de la chute de la primitive Unité et recherché les moyens (poésie, amour, progrès historique, contemplation de la nature, magie, etc.) de la reconstituer. Preuve de cette tendance est la création de tant de concepts collectifs (la nation, le peuple, le christianisme, le germanisme, le gothique, la latinité, etc.).

27 mai

Pensant que l'artiste est le vase, le réceptacle d'une inspiration qui agit par sa propre force, *à son insu à lui,* les Romantiques découvrent l'*inconscient,* c'est-à-dire un faisceau de forces positives qui mettent l'homme en contact avec la réalité cosmique. Il viendra une seconde génération romantique qui prétendra dominer cet inconscient, le provoquer, le connaître, c'est-à-dire en porter le fonctionnement *à la conscience* (Poe-Baudelaire, etc.). L'art qui, auparavant, était une découverte ingénue de symboles de comportement devient une création calculée de symboles esthétiques (symbolisme français).

Le terme de *rêve* acquiert sa seconde signification de *rêverie poétique* avec le romantisme qui découvre l'autonomie de l'imagination et l'auto-suffisance de l'inconscient, lequel est justement atteint dans les rêves nocturnes.

Une loi comique de la vie est la suivante : ce n'est pas celui qui donne mais celui qui exige qui est aimé. C'est-à-dire, est aimé celui qui n'aime pas, parce que celui qui aime donne. Et cela se comprend : donner est un plaisir plus inoubliable que recevoir ; celui à qui nous avons donné nous devient nécessaire, c'est-à-dire que nous l'aimons.

Donner est une passion, presque un vice. La personne à qui nous donnons nous devient nécessaire.

11 juin

Béguin, II, 152.

Devant une belle couleur, le rêve qui est en nous tend à se fondre en un rêve plus exquis et plus mystérieux, non pas pour chercher une explication mais une compréhension « afin de se transformer lui-même et de s'y épanouir, pour devenir lui-même une existence dans le cœur d'une existence amie ». (Tieck, Les conversations de *Phantasus*, encadrant les *Märchen*.)

Comme poète, Tieck utilise des rythmes libres, selon sa *mood*, et s'il accepte des *caras rimas* c'est pour exprimer avec des sons complexes. Il naît une symbologie de la rime et des formes strophiques.

Tieck voudrait un dialogue de sons d'espèce différente (*Sternbald*) et invente (*Fantasie*) l'*audition colorée* et en général l'échange des sens. (Wolzel, *Le Romantisme allemand*.)

Que la musique soit un moyen de connaissance

auquel ne parvient pas la parole est une idée de Wackenroder.

Il revient souvent sur l'*ironie*. Schubert note que le rêve est ironique (il exprime la joie sous des apparences tristes, et vice versa). Le poète est un scandale perpétuel devant la *matter of factness*. Jean-Paul (et Schlegel) disent que l'ironie est la raison claire au milieu du rêve et de la poésie anarchique. Tieck dit que dominer le rutilement de l'inconscient, le juger et le faire jouer librement, c'est l'ironie. (Cf. 22 mai, II.) Hoffmann, que l'ironie est le mélange des lieux communs de la vie avec les *révélations* de l'existence supérieure.

13 juin

Si l'on doit en juger par son analogie avec la journée, la vieillesse est l'âge le plus fastidieux parce qu'on ne sait plus quoi faire de soi, comme, le soir, quand l'œuvre quotidienne est finie.

25 juin

De Béguin, sur *Aurélia* de G. de Nerval :

« Ainsi s'explique l'apparente incohérence chronologique du récit d'*Aurélia :* au mépris de leur enchaînement fortuit, les moments de toute une vie s'ordonnent par rapport à leur signification commune. Une sorte de mémoire intemporelle, analogue à celle du rêve, donne pour point initial à toute une destinée son instant de crise, et l'enfance même de G. de Nerval, que vient transformer cette perspective différente, semble postérieure aux événements de l'âge mûr, dont elle reçoit maintenant sa coloration nouvelle. »

nuit 26 juin

Rêve de roman implicite.

(Atmosphère centrale de grande scène. Préparée par tout le reste. Avec le mystère du rassemblement qui se révèle peu à peu. Récit implicite.)

Rêvé que j'étais dans une auberge avec le lieutenant. Je venais d'arriver et je l'avais rencontré pour le travail : avec le lieutenant, je vis un sergent qui, me dirent-ils, vous cherche de la part du colonel. Tenté de lui échapper. Il y avait toutes sortes de gens qui allaient et venaient. J'allais continuer tout de suite vers Turin. Était-ce Serralunga ? Au moment d'aller avec lui aux portes, je passe dans une grande salle souterraine où les soldats du groupe étaient tous assis à des petites tables type réfectoire. Compris qu'il y avait quelque chose d'étrange. Vague peur. L'un d'eux me dit qu'ils savaient que nous nous aimions bien non comme officiers et que nous les aimions bien, et qu'ils demandaient à être tous nommés officiers. Je redoutais énormément que l'un des hommes présents pût le dire au colonel et je demandai avec énergie s'ils n'avaient pas honte d'enfreindre ainsi la consigne. Je dis diverses phrases analogues avec violence, que « tout le monde savait ce que nous pensions, le lieutenant et moi » et que, s'il devenait colonel, j'étais d'accord. Eux se taisaient comme déçus et menaçants. (Je continuais à donner des coups de coude au lieutenant, lui criant à voix basse de me laisser faire et de ne rien dire.) Finalement, il n'y eut plus que moi qui parlais et le lieutenant, derrière, me laissait dire. J'étais comme son représentant. Les soldats dirent quelque chose en aparté avec âpreté. Moi je leur criais de cesser, et j'entrevoyais avec honte au bout des tables des visages connus qui fraternisaient avec eux. Je clignai presque de l'œil à un soldat voisin, et celui-ci comprit et me cligna de l'œil, mais je fis semblant de rien. Il se forma une atmosphère d'attente et de débonnaire anxiété.

« Vous avez fraternisé avec mes amis ? » demandai-je à deux (têtes d'intellectuels au fond de la salle) entre qui je me trouvai. Je devais sortir et partir. Je ne sais comment, nous avions laissé (moi et le lieutenant qui maintenant buvait du vin) les caleçons suspendus à la grille de sa villa. Il me recommanda de passer les prendre. Nous sortîmes au milieu de croisements d'autobus. Ensuite il pleuvait à verse. J'étais seul. Je cours chercher les caleçons (il faisait sombre et on n'y voyait pas). A la grille, voilà que je savais que la villa était Serralunga, avec les miens. Je monte sur le perron de la grille et je crie : « C'est Cesare ! » et il y avait Maria et aussi les voisins (deux filles, je vois qu'elles sont jolies). Je pense que je vais dormir et M. cria : « Il est resté quatre pommes. »

5 juillet

Je ne sais que faire des femmes des autres.

11 septembre

Lu le petit livre de Cohen sur *Chrétien de Troyes,* et pensé une fois de plus que la narration n'est pas faite de réalisme psychologique ni naturaliste, mais d'un *dessin autonome d'événements,* créés selon un style qui est la réalité de celui qui raconte, unique personnage irremplaçable. Cf. l'ordre d'*Erec* à Enide de ne pas parler, et les trois infractions d'Enide. Ou bien les caprices de Guinièvre qui impose à *Lancelot* de combattre tantôt pour rire tantôt sérieusement. Ou encore le courroux de Landine parce qu'*Yvain* est resté loin d'elle plus d'un an, d'où résulte tout le calvaire d'Yvain. Ou *Perceval* ignorant que l'on doit demander au Roi Pêcheur ce que signifie la procession du Graal.

Par style, j'entends ce déroulement d'un enchaînement de faits qui disposent autour d'eux la réalité psychologique et naturelle, la soutiennent et sont un pur parti pris — détentes de l'intelligence et rien de plus. Quelque chose comme la source arbitraire du rêve, qui déchaîne toute la projection des événements, les colorant selon une « passion » qui est parti pris et irréalité.

[Voir la théorie du *lien-symbole* (4 décembre 38) et celle de la *situation stylistique* (1er janvier 40, II). La religion (les *Fioretti*), la fable (*Chrétien de Troyes*), l'art moderne (Stendhal, Baudelaire, Kafka) se fondent pour me donner cette leçon — ce que naguère j'appelais confusément *image-récit*.]

2 octobre

Pourquoi le réalisme naturalisto-psychologique ne te suffit-il pas ? Parce qu'il est trop pauvre.

Il ne s'agit pas de découvrir une nouvelle réalité psychologique, mais de *multiplier les points de vue* qui révéleront dans la réalité normale une grande richesse. C'est un problème de construction (on revient au 16 novembre 1935 !).

9 octobre

J'aime les écrivains qui traitent toujours le même thème, dit Pintor. A part ce qui, dans cela, est simple goût de la cohérence et de la « définissabilité » de l'écrivain — marchepied pour la critique — P. n'explique pas s'il entend naturalistement le contenu ou l'attitude stylistique. D'accord que varier le premier est un indice de pauvreté intérieure, mais le second doit forcément être une recherche toujours renouvelée — de la simple nuance au changement de genre — sinon il manquera à la page le sentiment de la découverte, qui est le vrai et seul plaisir de celui qui écrit.

Hiver 41-42

En ce monde, on n'est jamais tout à fait seul. En mettant les choses au pire on a la compagnie d'un jeune homme, d'un adolescent et peu à peu d'un homme fait — de celui que nous avons été.

Ce n'est pas que, de notre temps, le représentant de la culture soit moins écouté que dans le passé le théologien, l'artiste, le savant, le philosophe, etc. C'est que, maintenant, on est conscient d'une masse qui vit de pure propagande. Dans le passé aussi, les masses vivaient de très mauvaise propagande, mais, alors, la culture élémentaire étant moins répandue, cette masse ne singeait pas les gens vraiment cultivés et par conséquent, ne faisait pas naître le problème de savoir si elle était plus ou moins en concurrence avec eux.

Les milieux ne seront pas décrits, mais vécus à travers les sens du personnage — et en conséquence sa pensée et sa façon de parler.

Ce qui te dégoûte comme impressionnisme devient ainsi — *bedingt* à partir du personnage — vie en action. Voici la *norme* que tu cherchais déjà au fond du « Métier de Poète ». Qu'est d'autre le *récit de la narration* d'Anderson, le *monologue intérieur* de Joyce, etc., sinon ce fait de baser la réalité-personnage sur l'objectivité ?

Quand une femme se marie, elle appartient à un autre ; et quand elle appartient à un autre, il n'y a plus rien à lui dire.

1942

28 janvier

On découvre les choses à travers les souvenirs qu'on en a.

Se rappeler une chose signifie la voir — maintenant seulement — pour la première fois.

Tu dois créer une relation entre le fait qu'aux moments les plus vrais, tu es inévitablement ce que tu fus dans le passé (26 novembre 37, II) et le fait que seules les choses qu'on se rappelle sont vraies (aujourd'hui, I).

10 février

Passant en train devant la mer de la Pinède, une mer basse et nocturne, tu as vu les petits feux lointains et tu as pensé que cette scène, cette réalité a beau t'emplir de velléités « de dire », t'inquiéter comme un souvenir d'enfance, elle n'est pourtant pour toi ni un souvenir ni une constante de ton imagination, et elle te suggestionne pour de frivoles raisons littéraires ou analogiques mais ne contient pas, comme une vigne ou l'une de tes collines, les marques de ta connaissance du monde. Il en résulte que de très nombreux mondes naturels (mer, lande, forêt, montagne, etc.) ne t'appartiennent pas parce que tu ne les as pas vécus en temps voulu et que, si tu devais les exprimer poétiquement, tu ne saurais pas te mouvoir en eux avec cette secrète richesse de sous-entendus, de sens et de prétextes, qui donne sa valeur poétique à un univers. Tu dois dire la même chose pour la sphère des rapports humains, pour les êtres humains : seuls, ces situations et ces types qui, peu à peu, ont émergé de toi et qui se sont détachés sur le fond de ta connaissance initiale ont eu le temps (jusqu'à maintenant) de se graver dans ton esprit et de projeter ces innombrables et secrètes radicelles allusives qui donnent sang et vie aux créations. En somme, tu ne peux *en le voulant* t'intéresser poétiquement à un pays donné ou à un milieu donné et les faire vivre, qu'en les réduisant aux moules (insuffisants) de ton enfance-jeunesse. Tu ne peux donc échapper (du moins pour le moment) à un monde déjà implicite dans ta nature perceptive, de même que, dans la vie pratique, tu ne peux échapper à la détermination de ta nature volitive, détermination qui s'est produite en grande part durant ta première adaptation au monde. Reste à voir si, dans les deux domaines, l'actif et le créateur, tu dois te limiter à fouiller et à comprendre toujours plus à fond la réalité qui t'est déjà donnée, ou s'il est profitable d'affronter continuellement des choses, des figures, des situations, des décisions qui te sont étrangères, amorphes, et de tirer de ce heurt et de cet effort un développement et un accroissement continuels de tes capacités. La question est tout entière de savoir si, une fois que s'est produite la première connaissance, on vit spirituellement de rentes ou si l'on ne peut pas accroître tous les jours son capital. Il semble évident que, si fatigant et pénible que ce soit, les deux voies peuvent se conjuguer, et une expérience infantile élaborée dans la maturité sera un point de départ différent et nouveau.

12 février

L'art moderne est — dans la mesure où il vaut quelque chose — un retour à l'enfance. Son thème éternel est la découverte des choses, découverte qui ne peut se produire, sous sa forme la plus pure, que dans le souvenir de l'enfance. C'est là l'effet de l'*all-pervading* conscience de l'artiste moderne (historisme, notion de l'art comme activité suffisante en soi, individualisme), qui le fait vivre à partir de seize ans dans un état de tension — c'est-à-dire dans un état qui n'est plus propice à l'absorption, qui n'est plus ingénu. Et, en art, on n'exprime bien que ce qui fut absorbé ingénument. Il ne reste, pour les artistes, qu'à se retourner vers, et à s'inspirer de, l'époque où nous n'étions pas encore des artistes, et cette époque c'est l'enfance.

21 février

Mes récits sont — dans la mesure où ils sont réussis — les histoires d'un contemplateur qui regarde se produire des choses plus grandes que lui.

23 février

Suite du 27 avril 1941 — Lecture de Rousseau : « ... Il faut, à travers tant de préjugés et de passions factices, savoir bien analyser le cœur humain pour y démêler les vrais sentiments de la nature. Il faut une délicatesse de tact, qui *ne s'acquiert que dans l'éducation du grand monde,* pour sentir, si j'ose ainsi dire, les finesses de cœur dont cet ouvrage est rempli. Je mets sans crainte sa quatrième partie à côté de la *Princesse de Clèves,* et je dis que si ces deux morceaux n'eussent été lus qu'en province, on n'aurait jamais senti tout leur prix... » (vol. II, p. 221).

« ... tout sentiment pénible me coûte à imaginer » (et c'est pourquoi il ne met ni rivalités, ni disputes, ni jalousie dans la *Nouvelle Héloïse*) (vol. II, p. 93).

« On s'imaginait que je pouvais écrire par métier comme tous les autres gens de lettres, au lieu que je ne sus jamais écrire que par passion » (vol. II, p. 285).

26 février

Cf. 4 avril 41. Le grand art moderne est toujours *ironique*, de même que l'art antique était *religieux*. De même que le sentiment du sacré enracinait les images par-delà le monde de la réalité, leur donnant des arrière-plans et des antécédents pleins de signification, l'ironie découvre sous et dans les images un vaste champ de jeu intellectuel, une vibrante atmosphère d'habitudes imaginaires et ratiocinantes qui fait des choses représentées autant de symboles d'une réalité plus significative. Pour *ironiser*, il n'est pas nécessaire de plaisanter (de même que pour *consacrer* il n'était pas nécessaire de liturgiser), il suffit de construire les images selon une norme qui les dépasse ou les domine.

Cela se voit dans l'attaque initiale de ıes choses

réussies : tu débutes par un discours plus vaste que la fable qui va suivre, tu aperçois cette fable avec nonchalance, comme si ton intérêt embrassait un horizon plus large que ne l'est la portée des faits. Conserver ce pivot et disposer tout le récit, dès le premier mot et dès les premières virgules, de façon qu'il n'y ait rien de superflu en ce qui concerne le jeu matériel des faits, tel est ton but. Il ne s'agit pas de se livrer à une digression, mais de projeter une réalité nette sur un *énorme* écran imaginaire.

24 mars

Alain : *Système des beaux-arts* (1926).

Art

« l'artiste... règle ses images d'après ce qu'il fait, j'entends d'après l'objet qui naît sous ses doigts... » (p. 39).

« il faut qu'une œuvre d'art soit faite, terminée et solide... Ce qui n'est pas pris dans la masse ne peut pas orner » (p. 33).

« le modèle... est d'abord l'objet et ensuite l'œuvre » (p. 35).

« toutes les fois que l'idée précède et règle l'exécution, c'est industrie » (p. 36).

« l'idée lui (*à l'artiste*) vient ensuite, comme au spectateur, et il est spectateur aussi de son œuvre en train de naître » (p. 37).

Tragédie

« les mouvements de nature tiennent tous un peu de la folie, surtout pour le spectateur » (p. 138).

« (dans la tragédie), il faut que l'on sente toujours la marche des heures, et la nécessité extérieure qui presse les passions et les mûrit plus vite qu'elles ne voudraient » (p. 139). « On pourrait dire que les passions sont la matière, et le temps la forme, de toute tragédie » (p. 139).

« l'on peut tout oser au théâtre, mais non pas faire paraître avant ce qui est après » (p. 143).

« le déroulement du drame en dialogue, et la marche du temps toujours sensible, affirment assez que tout l'univers accompagne » (p. 146).

« le danger du naturel et de la vraisemblance, dans le théâtre comique, c'est que l'on s'y enferme et qu'on n'en sait plus sortir » (p. 161).

Architecture

« Car ces sculptures de cathédrales ne veulent pas être regardées, sinon en passant. Elles sont comme effacées par le grand mouvement des lignes ; l'esprit est invité à chercher un autre sens à ces choses. Ainsi déjà, par une loi supérieure, se trouvent écartées l'imitation et la ressemblance... » (p. 196).

« l'ornement... la marque de l'invention et de la victoire de chaque moment, ou, si l'on veut, le signe de ces mouvements d'idées qui accompagnent la recherche et qui fleurissent de nos plus sévères pensées » (p. 200).

« le propre du style est de ne résulter jamais d'une règle » (p. 200).

Sculpture

« la pure pensée est rare et d'un court moment ; non point courte, car elle vaut sans durée ; mais assaillie toujours, comme un promontoire » (p. 236).

« l'objet de la sculpture est de représenter plutôt

le véritable immobile et, enfin, au lieu de donner au marbre l'apparence du mouvement humain, de ramener au contraire la forme humaine à l'immobilité du marbre » (p. 215).

Dessin

« la ligne du dessin n'est point l'imitation des lignes de l'objet, mais plutôt la trace d'un geste qui saisit et exprime la forme » (p. 276).

Prose

« un bon écrivain ne compte jamais sur un mot » (p. 305).

« le lien de pensée est le seul soutien de la prose... Le moyen propre de la prose est donc ce que l'on appelle assez bien l'analyse » (p. 306).

« la poésie est soumise à la loi du temps... aussi doit-elle être entendue plutôt que lue... La vraie prose doit être lue par les yeux » (p. 307).

« les preuves ne sont point des raisons » (p. 313).

« le récit tout uni s'oppose à l'analyse par une marche décidée sous la loi du temps » (p. 315).

« c'est le rapport de la rêverie à l'action qui définit le roman, l'action ici donnant de la consistance au rêve, au lieu de l'abolir (*comme dans la réalité* ») (p. 321).

« le thème de tout roman c'est le conflit d'un personnage romanesque avec des choses et des hommes qu'il découvre en perspective à mesure qu'il avance... » (p. 326).

« la règle souveraine de la prose, qui est d'agir par le jugement et non par les mots » (p. 331).

4 mai

Dans l'inquiétude et dans l'effort d'écrire, ce qui soutient, c'est la certitude qu'il reste quelque chose de non dit dans la page.

25 mai

Ce n'est pas que l'enfant vive dans l'imaginaire (comme dit Cantoni — *Les primitifs,* p. 256), mais l'enfant qui est en nous survit et sursaute seulement aux rares moments-souvenir, qui nous font croire — et ce n'est pas vrai — qu'en leur temps ils furent imaginaires.

27 mai

Cher Vittorini,

je te dois cette lettre parce que je pense que cela te fera plaisir d'apprendre que nous sommes tous solidaires avec toi [...] et que toute la valeur et tout le sens de l'*Americana* dépendent de tes notes.

Depuis dix ans que je feuillette cette littérature, je n'en avais pas encore trouvé une synthèse aussi juste et aussi instructive. Je tiens à te dire cela parce qu'il est certain que lorsque tes notes courront le monde dans *Petite histoire de la culture poétique américaine,* il y aura des gens qui diront qu'elles sont certes originales mais qu'elles sont fantaisistes. Or, on doit crier que c'est justement parce qu'elles font figure de récit, de roman si tu veux, d'invention, qu'elles sont instructives. Je ne parle pas de la justesse des jugements isolés, résultat d'autant de monographies profondes et très documentées, je veux parler du jeu thématique de ton exposé, du drame de corruption de pureté de férocité et d'innocence que tu as introduit dans cette histoire. Ce n'est ni par hasard ni par arbitraire que tu la commences par les abstraites fureurs, puisque sa conclusion est, non dite, ta *Conversation en Sicile.* En ce sens, c'est une grande chose : car tu y as apporté la tension et les hurlements de découverte de *ta propre* histoire poétique, et comme ton histoire n'a pas été une chasse aux nuages mais un affrontement de la littérature mondiale (cette littérature mondiale qui est implicite, en universalité, dans la littérature américaine — ai-je bien compris ?), il en résulte que tout le siècle et demi américain s'est réduit à l'évidence essentielle d'un mythe vécu par nous tous et que tu nous racontes.

Il y a naturellement quelques détails sur lesquels je ne suis pas d'accord. (La *Lettre écarlate* plus forte que les *Karamazov ;* la Nouvelle Légende qui fait trop *pendant* à la première ; quelques généralités sur Whitman et Anderson, etc.) mais ils sont sans importance. Il reste le fait qu'en cinquante pages tu as écrit un grand livre. Tu ne dois pas t'enfler d'orgueil, mais pour toi il a le sens et la valeur que devait avoir pour Dante le *De Vulgari.* Une histoire littéraire vue par un poète comme histoire de sa propre poétique.

4 juin

La *composition unitaire* que je recherche pourrait être le procédé platonicien du « discours dans le discours ». Dans *Phèdre,* dans le *Banquet,* etc., il se trouve que chaque réplique, chaque situation, presque chaque geste, a un sens réaliste qui lui est propre et qui se combine avec le reste et forme une structure, mais qui a aussi sa place et sa valeur dans une construction de sens spirituel qui la transcende. Chaque situation est là pour *plus d'un* motif ; pour former un tableau réaliste, pour développer un raisonnement, pour symboliser une position mentale, pour aligner des blocs de réalités spirituelles qui, à leur tour, forment tableau. Le moyen technique grâce auquel cette superstructure se soude à la réalité, *l'atmosphère de miracle significatif* en somme, est la continuelle allusion à la manie θεια et à l'ignorance socratique, l'appel sournois aux *mythes* qui sont, dans l'univers mental de Platon, ce que pourraient être pour toi les *souvenirs,* les racines de passé qui donnent suc et vie aux abstraites sensations du présent représenté (pour les *souvenirs,* cf. 28 janvier et 10 février 42). Entendant par manie platonicienne également l'insistance dialectique des analyses de définition qui sont l'expression de cette ignorance.

1er juillet (à Santo Stefano)

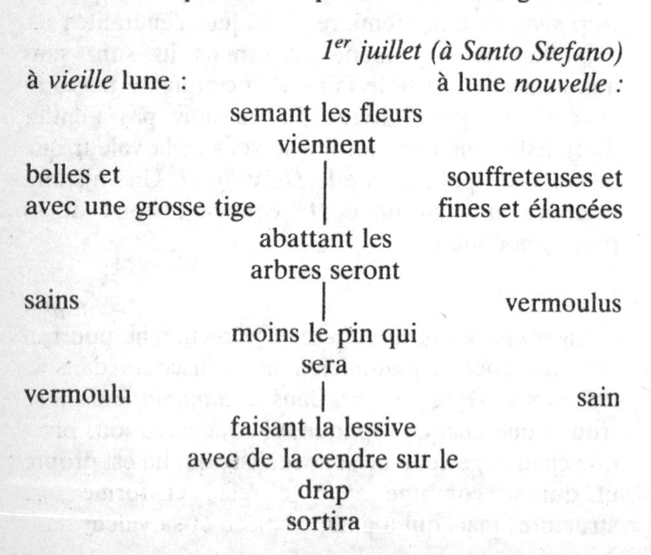

bien propre | sale — la cendre filtrera

taillant vignes et bourgeons ce sera

désastreux | fructueux

10 juillet

« ... l'ordre, la composition de quelque nature qu'ils soient, sont un calcul de proportions, de correspondances. La fantaisie, au contraire, se libère de tout calcul, de toute loi, même discrète ou cachée, ou feint de s'en libérer. C'est pour cela que la composition n'a aucune importance dans les romans de Giraudoux » (p. 154 - D. Mornet, *Introduction à l'étude des écrivains français d'aujourd'hui*).

A la vérité, moi, je disais le contraire (préface à *David Copperfield :* « la fantaisie, qui est construction pure »). Ce Mornet distingue et classifie, en pédant français. La fantaisie n'est pas l'opposé de l'intelligence. La fantaisie est l'intelligence appliquée à établir des rapports d'analogie, d'implication significative, de symbolisme. Je disais qu'elle seule construit, parce qu'elle seule échappe à la tyrannie du réel-*tranche de vie,* de l'événement naturaliste, et substitue à la loi du réel (qui est absence de construction, tant il est vrai qu'il n'a ni fin ni commencement) la fable, le récit, le mythe, construction de l'intelligence.

Mornet appelle fantaisie la rêverie, qui sauf dans les cas pathologiques est du reste toujours, elle aussi, une recherche instinctive de construction intellectuelle.

2 août

L'ennui indicible que provoquent en toi dans les journaux intimes les pages de voyage. Les décors nouveaux, exotiques, qui ont surpris l'auteur. Cela provient sans aucun doute du manque de racines qu'avaient ces impressions, du fait qu'elles sont comme nées de rien, du monde extérieur, et qu'elles ne sont pas chargées d'un passé. Elles ont plu à l'auteur par ce qu'elles ont d'étonnant, mais l'étonnement vrai est fait de mémoire, non de nouveauté.

7 août

Dès le début, je me suis habitué à penser ma poésie comme *trompe-l'œil,* comme bloc psychologique, c'est si vrai que mon style le plus riche est la voix synthétique du protagoniste, et que ma formule est « comment un *tel* s'en tire dans *une situation donnée* ». Cela non seulement dans mes proses mais aussi dans mes vers. Il en est tout autrement pour Vittorini qui, ignorant dantesquement le protagoniste, peut en faire sans effort un symbole.

14 août

Pensé dans le petit train que ces champs que je voyais fuir, ces rideaux d'arbres, ces maisons, ces recoins, ces souvenirs d'autres temps, tout cela servirait à faire du souvenir, à faire du passé. Si banale que fût cette heure et, au fond, si ennuyeuse, la retrouver un jour ne serait plus banal.

17 août

Il arrive que des propos *overheard* vous arrêtent, vous intéressent et vous touchent plus profondément que les paroles qui nous sont adressées.

20 août

On dit qu'écrire en créant, c'est tendre à dépasser tout schéma ; recherche, auscultation de la vérité profonde qui est en nous. Mais souvent la vérité la plus profonde que nous ayons, c'est le schéma que nous nous sommes créé au prix d'un effort lent et acharné et de l'abandon.

22 août (à Pavone)

Les choses, je les ai vues pour la première fois jadis — à une époque qui est irrévocablement passée. Si les voir pour la première fois suffisait à satisfaire (étonnement, extase imaginaire), elles réclament maintenant une autre signification. Laquelle ?

25 août (à Pavone)

Quand tu racontes des anecdotes ou des faits, tu t'embrouilles toujours et tu ne sais pas choisir : tu voudrais dire *tout :* manque de confiance en l'art, espoir qu'en accumulant tous les détails sera finalement dit également le bon détail, celui qui fera le *point.*

Ce qui t'est le plus ennemi, c'est de croire à l'époque heureuse préhistorique, à l'Éden, à l'âge d'or, et de croire que l'essentiel était déjà dit tout entier dès les premières penseurs. Les deux choses en forment une seule.

30 août (à Gressoney)

L'amour est désir de connaissance.

31 août (à Gressoney)

Étant enfant, on apprend à connaître le monde non — comme il semblerait — par un contact immédiat et original avec les choses, mais à travers les signes des choses : mots, vignettes, récits. Si l'on examine un quelconque moment d'émotion extatique devant quelque chose de ce monde, on s'aperçoit que nous nous émouvons parce que nous nous sommes déjà émus ; et nous nous sommes déjà émus parce qu'un jour, quelque chose nous est apparu transfiguré, *détaché* du reste, à cause d'un mot, d'une fable, d'une idée qui s'y rapportait. Naturellement, à cette époque, cette idée nous atteignit comme réalité, comme connaissance objective et non comme invention. (Puisque l'idée que l'enfance serait poétique est seulement une idée de l'âge mûr. Cf. 25 mai.)

4 septembre (à Gressoney)

On désire faire une œuvre qui commence par nous étonner nous-mêmes. (Cf. 4 mai.)

6 septembre

Il vient un jour où, pour celui qui nous a persécutés, nous éprouvons seulement de l'indifférence, la lassitude de sa stupidité. Alors, nous pardonnons.

10 septembre

C'est seulement en suivant son instinct, sa manière d'être initiale, spontanée, qu'on peut se sentir justifié et en paix avec soi-même et avec sa propre mesure. Mais celui dont l'instinct est de se diviser en deux, de se chercher querelle à lui-même ?

12 septembre

Un homme seul, dans une baraque, qui mange le gras et la sauce d'une marmite. Certains jours il la racle avec un vieux couteau ; certains autres avec ses ongles ; il y a longtemps la marmite était pleine et bonne, maintenant elle est aigre, et, pour en sentir le goût, l'homme ronge ses ongles cassés. Et il continuera demain et après.

Il me ressemble à moi qui cherche du travail dans mon cœur.

17 septembre

Le chapitre *Responsabilité et personne* dans Cesare Luporini (*Situation et liberté dans l'existence*) organise tes pensées sur l'instant extatique et sur l'unité continuée (Symbole et Naturel) [27 août 39, 22 février, 24 février II, 27 février 40]. La nouveauté d'aujourd'hui, c'est que l'instant *extatique* correspond au *symbole,* qui serait donc la pure liberté.

Nous vivons dans le monde des choses, des faits, des gestes, qui est le monde du temps. Notre effort incessant et inconscient est de tendre en dehors du temps, vers l'instant extatique qui réalise notre liberté. Il arrive que les choses, les faits. les gestes — le passage du temps — nous promettent de ces instants, les recouvrent, les incarnent. Ils deviennent symboles de notre liberté. Chacun de nous est riche de choses, de faits et de gestes qui sont les symboles de son bonheur — ils ne valent pas en soi, par leur nature, mais ils nous invitent, nous appellent, ce sont des symboles. Le temps enrichit merveilleusement ce monde de signes, car il crée un jeu de perspectives qui multiplie la signification supertemporelle de ces symboles.

Ce qui revient à dire qu'il n'existe pas de symboles négatifs, pessimistes ou simplement banals : le symbole est toujours instant extatique, affirmation, centre.

Ici tu es devenu heureux ! (et tu l'as compris le 6 novembre 43).

(26 novembre 49).

26 septembre

La situation tragique grecque est : *que ce qui doit être soit.* De là le merveilleux des dieux qui font arriver ce qu'ils veulent ; de là les normes magiques, les tabous ou les destins, qui doivent être observés ; de là la catharsis finale qui est l'acceptation du devoir être.

(La même chose ne se passe-t-elle pas aussi dans les cinquièmes actes de Shakespeare ? Et chez O'Neill où le devoir être est donné par les lois naturalistes de la vie ?) Le poétique des Grecs, c'est que ce destin, ces tabous, ces normes paraissent arbitraires, inventés, magiques. Peut-être symboliques.

« Voir les choses pour la première fois » n'existe pas. Celle que nous nous rappelons, que nous notons, est toujours une seconde fois (le 28 janvier dit la même chose et le 22 août devient illusoire, le 31 août est décisif).

27 septembre

Tendanciellement. Dans la tragédie grecque, les *personnages* ne se parlent jamais, ils parlent à des confidents, au chœur, à des étrangers. Elle est *représentation* en ce que chacun expose son cas au public. Le *personnage* ne s'abaisse jamais à des dialogues avec d'autres, mais il est comme il est, statuesque, immuable.

Les meurtres ont lieu en coulisses et on en entend les hurlements, les exhortations, les mots. Le messager arrive et il raconte les *faits.* L'événement se traduit en parole, en récit. Pas de dialogue : la tragédie n'est pas le dialogue, mais récit à un public idéal, le chœur. C'est avec celui-ci qu'a lieu le vrai dialogue.

[De là la pauvreté de la tragédie classique (française, Alfieri) qui en conservant le style, l'absence d'événements et le récit de la tragédie grecque, n'a pas le chœur, c'est-à-dire ce second personnage qui tient tête à ce personnage unique qui est la somme des autres *personnages.*]

18 octobre

Chez Eschyle, le protagoniste est immobile, statuesque, face au chœur, et les épisodes se meuvent autour de lui (*Suppliantes, Prométhée, Perses, Sept contre Thèbes*). C'est probablement là la situation mère. Elle reparaît chez Sophocle (*Œdipe à Colone*) et chez Euripide (*Troyennes, Hécube*).

L'*ubris* c'est le fait de connaître un oracle et de ne pas en tenir compte. Mais l'*ubris* est aussi destin (oracle). Que soit ce qui doit être. Le chœur constate cela. (C'est pourquoi il est l'éternel interlocuteur des agonistes.)

31 octobre

Toutes ces farces, ces *tricks,* ces *witty inventions,* qui, dans le tragique, sont des guet-apens, des vengeances, des entreprises, sont la forme sous laquelle se manifeste la vérité psychologique des personnages, mais ils la dépassent, l'encadrent et la soutiennent, par une stylisation mi-sociale, mi-mythologique. En somme, le *wit* n'est pas psychologie, il est style.

5 novembre

Confessions de Kierkegaard qui décrivent l'homme de lettres, l'intellectuel pur : « mes intérêts ne sont pas tous subordonnés à un seul, mais tous coordonnés » et « ce qui me manqua, ce fut de mener une parfaite vie humaine, et pas seulement celle de la connaissance ». Pensées d'hier soir en parlant de G. avec la femme de Romano, retrouvées ce matin dans Przywara (*Das Geheimnis Kierkegaards,* p. 11 et 12) par l'habituelle coïncidence.

Avant le Romantisme, l'intellectuel n'existait pas, parce qu'il n'existait pas d'opposition entre vie et connaissance. (Ce lien, tu l'as déjà noté jadis.) S'apercevoir que la vie est plus importante que la pensée, cela signifie être un homme de lettres, un intellectuel ; cela signifie que sa pensée n'est pas devenue vie.

1943

3 février (à Rome)

Le problème n'est pas la dureté du sort, puisque l'on obtient tout ce que l'on veut avec une force suffisante. Le problème, c'est plutôt que ce que l'on obtient dégoûte. Et alors, on ne doit jamais s'en prendre au sort, mais à son propre désir.

9-10 février

LÉON CHESTOV, *Kierkegaard et la philosophie existent.* (Vox clamantis in deserto). Les amis de Léon Chestov. 1936.

p. 37 : « Le commencement de la philosophie n'est pas l'étonnement, comme l'enseignaient Platon et Aristote, mais le désespoir. »

p. 42 : (Socrate) : « Le " meilleur " vient avant tout, le " meilleur " doit régner sur le monde. Mais dans ce cas, avant d'aimer la raison il faut se renseigner : assure-t-elle effectivement le meilleur à l'homme ? »

p. 102 : « Le chevalier de la foi seul est heureux : il règne sur le fini, tandis que le chevalier de la résignation n'est ici qu'un passant, qu'un étranger » (Kierkegaard).

p. 140 : « Le mysticisme vit en paix avec la raison et la connaissance humaine, et la récompense qu'il promet aux hommes ne suppose pas, bien mieux, elle exclut une intervention surnaturelle ! Tout se passe naturellement, on obtient tout par ses propres forces. »

p. 148 : « ce n'est pas qu'Adam ignorât la différence entre le bien et le mal, *c'est que cette différence n'existait pas.* »

p. 201 : « Dieu, de même que les apôtres, ne possède pas la puissance, il ne possède que l'autorité : il ne peut que menacer, exiger ou tout au plus attendrir. »

p. 207 : (Dostoïevsky) : « J'affirme que la conscience de notre impuissance à aider ou à apporter le moindre soulagement à l'humanité souffrante, tout en étant profondément convaincus de cette souffrance, peut transformer dans notre cœur l'amour de l'humanité en la haine de l'humanité. »

p. 217 : « Jésus enseignait donc aux hommes à s'élever au-dessus du fini, exactement comme l'enseignaient les anciens, comme l'enseignent les sages modernes. »

p. 222 : « Kierkegaard renia la foi pour acquérir la connaissance ; il répéta le geste qu'avait déjà accompli notre ancêtre, et il en résulta ce à quoi on s'attendait le moins — l'impuissance. »

p. 228-229 : la vie du Christ est un amour malheureux, si la Nécessité règne. Il peut pleurer et c'est tout.

p. 230 : « la tâche du christianisme est de réaliser " l'éthique " sur terre. »

en quoi diffère-t-il alors de la sagesse grecque ? Dans la « superbe diabolique » (d'Épictète, selon Pascal).

p. 240 :« Et il (Kierkegaard) fut obligé de voir dans la guérison de l'impotent non pas une victoire miraculeuse sur l'impuissance — l'impuissance est invincible — mais uniquement l'amour et la miséricorde de l'apôtre. »

p. 288 : K. se permit de croire que « le Créateur du ciel et de la terre était aussi abattu, aussi misérable que lui, Kierkegaard. Et c'est en cet instant que naquit la philosophie existentielle... »

p. 307 : « la conscience raisonnable ne peut supporter ce que lui disent la folie et la mort. »

p. 323 : « Car s'il faut choisir entre le bien et le mal, cela signifie que la liberté est déjà perdue : le mal a pénétré dans le monde et a pris place à côté du *valde bonum* divin ». La liberté infiniment plus grande, qualitativement différente, que l'homme possède « consiste non pas à choisir entre le bien et le mal, mais à débarrasser le monde du mal. l'homme ne peut avoir aucune relation avec le mal : tant que le mal existe, il n'y a pas de liberté, et tout ce que les hommes ont appelé jusqu'ici liberté, n'est qu'illusion et duperie. La liberté ne choisit pas entre le bien et le mal, elle détruit le mal. »

p. 325 : « l'ignorance n'est pas quelque chose de négatif, une absence, un manque, tout comme la liberté n'est pas un défaut et une négation, mais une affirmation d'une valeur immense. L'innocence ne veut pas de la connaissance, elle est au-dessus de celle-ci (je rappelle de nouveau le " survoler la connaissance " de Plotin), tout comme est au-dessus de la connaissance la volonté de Celui qui créa l'homme à son image. »

p. 328-329 : « Et en effet, si la liberté est la liberté de choisir entre le bien et le mal, alors cette liberté devrait être également inhérente au Créateur en tant qu'Être libre *par excellence*. Par conséquent, il serait parfaitement admissible de supposer que le Créateur ayant le choix entre le bien et le mal eût pu choisir le mal. Cette question fut un véritable *crux interpretum* pour la pensée philosophique médiévale. On ne pouvait renoncer à l'idée que la liberté fût la liberté de choisir entre le bien et le mal : le Moyen Âge, captivé par la spéculation grecque, ne parvenait pas à séparer le point de vue religieux du point de vue éthique (et n'osait pas les séparer). On ne pouvait admettre d'autre part, que Dieu “ eût le droit ” de préférer le mal au bien. »

(Duns Scott) : « Dieu est l'arbitraire : aucun principe, aucune loi ne domine Dieu. Ce qu'Il accepte est le bien. Ce qu'Il repousse est le mal. » « Ce qu'Il aime est le bien, ce qu'Il n'aime pas est le mal » (Eutiphron).

p. 332 : « En face de Dieu toute nécessité dévoile son essence réelle et se révèle comme étant un Néant privé de tout contenu. »

p. 342 : « car en dernier ressort la vérité se trouve obligée de recourir à la torture à la violence. Dieu... ne contraint personne. »

p. 343 : « Il fallait que Kierkegaard parvînt à cette monstrueuse idée que l'amour de Dieu est soumis à son immuabilité, que Dieu est lié et ne peut bouger, qu'à Dieu, tout comme à nous, une “ écharde avait été mise dans la chair ”, autrement dit, que les tortures dont la vérité écrase les hommes existent pour Dieu aussi, il fallait tout cela pour qu'il osât opposer la philosophie existentielle à la philosophie spéculative, pour qu'il eût le courage de se demander comment la vérité avait réussi à dominer Dieu et pour distinguer dans cette monstrueuse invention de la raison ce dont elle témoigne en réalité — la chute de l'homme et le péché originel. »

p. 345 : « Toute la théodicée, c'est-à-dire la “ justification de Dieu ”, est basée sur ce fait qu'il n'est pas donné à Dieu de surmonter les vérités qu'Il n'a pas créées. Ainsi la théodicée ne justifie pas tant Dieu que le mal. »

p. 356 : « Et le salut ne consiste ni dans la connaissance que tout ce qui arrive est inévitable, ni dans la vertu qui, ayant reconnu l'inévitable, s'y soumet " de plein gré " ; le salut est dans la foi en Dieu à qui tout est possible, qui créa tout par sa propre volonté et en regard de qui tout ce qui est incréé n'est qu'un Néant misérable et vide. C'est là la signification de l'Absurde... »

p. 359 : « Dieu, cela signifie tout ce qui est possible. Dieu, cela signifie que ce savoir n'existe pas, auquel aspire si avidement notre raison et vers lequel elle nous *entraîne irrésistiblement.* Dieu, cela signifie que le mal n'existe pas non plus : seuls existent le *fiat* originel et le *valde bonum* paradisiaque, devant lesquels fondent et se transforment en fantômes toutes nos vérités basées sur le principe de contradiction, sur celui de la raison suffisante et sur bien d'autres " lois " encore. »

p. 362 : (S. Pier Damiani, Tertullien) : « Dieu détermine tout aussi arbitrairement, sans se soucier des lois de la pensée et de l'être, ce qu'est la vérité. »

p. 372 : « la " contrainte " témoigne non pour, mais contre la vérité d'un jugement, toutes les " nécessités " doivent et peuvent se résoudre dans la liberté. »

p. 376 : « c'est par la volonté divine que l'homme succomba à la tentation et perdit sa liberté. Et cette même volonté divine — devant laquelle s'effondra l'immuabilité pétrifiée, quand elle essaya de lui résister — rendra à l'homme la liberté, la lui a déjà rendue : c'est là le sens de la révélation biblique... »

p. 379 : « La terre promise se trouve là où est parvenu celui qui a la foi, elle est devenue promise *parce qu*'il y est parvenu : *certum est quia impossible.* »

19 février

Le théâtre archétype doit être non action mais représentation. Je veux dire une représentation neutre, égale, sans « vérité ». De fait, les Grecs faisaient se passer tout en dehors de la scène, et les événements devenaient parole sur les lèvres du messager. Tout ce qui arrive en scène n'est pas du théâtre mais de l'histrionisme. Cf. l'absence de décor aux grandes époques (Grecs et Shakespeare). C'est pour cela que tu n'aimes pas le jeu réaliste, c'est pour cela que les didascalies (description de l'action scénique) t'ont toujours paru absurdes. Tu aimes la mise en scène : elle est peinture, spectacle, non théâtre. C'est le passage au cinématographe, qui raconte et ne dialectise pas.

2 avril (à Rome)

Les mots qu'ils diront seront stylisés. Le mouvement sera comme un ballet. Le récit ne doit pas procéder par développement naturaliste d'événements mais par brusques mutations, de construction platonicienne. Il faudrait avoir tout déjà prêt comme des blocs de granit taillés, à disposer à volonté, non comme une hauteur à gravir et à décrire à la façon d'un fait divers.

Quelque mal qui nous arrive, méritons-nous mieux ? Toujours content d'être là.

Langage de haut.

Les épisodes n'entrent pas en vrac comme dans un journal intime par un hasard naturaliste, mais, la coulée intérieure incessante et breath-taking restant ferme, ce sont des mutations signifiant une multiple réalité supertemporelle.

25 avril

Le provincialisme en art n'a de signification que comme réserve éthique.

Le « mot fable fantaisie » du 31 août 42 joint au réel forme le souvenir : *voilà le symbole !*

29 avril

Quand on arrive dans un lieu nouveau — région nouvelle, autre nature, autres usages, autres maisons et autres visages — de nombreuses choses que je vois me frappent qui, si j'avais toujours vécu dans cette région, seraient maintenant des souvenirs d'enfance. C'est pourquoi j'ai l'impression, quand je me promène, d'écarter et de violer les rêves d'autrui.

2 mai

De profundis d'une abjection on pousse deux cris : Nous verrons, ô monde ! Ou bien : Tu le sais que je t'aime ?

13 mai

Écrire mal, c'est-à-dire employer des phrases et des mots faux. Balbo et Petitjean n'écrivent pas mal, mais sans suite.

3 juin

Formation rustique, c'est-à-dire non paysanne, non prolétaire, mais filles avec une ombrelle. Les ruines de Rome plaisent parce que des graminées, parce que des coquelicots et des haies sèches sur les collines en font une chose de l'enfance — et aussi parce que l'histoire (Rome antique) et la préhistoire (Vico, le sang répandu sur la haie ou sur le sillon) s'adaptent à cette rusticité, en font un monde entier et cohérent de la naissance à la mort.

Ta classicité : les Géorgiques. D'Annunzio, la colline du Pino. Sur cela s'est greffée l'Amérique comme langage rustique-universel (Anderson, *An Ohio Pagan*) et la barrière (le *Champ de blé*) qui est rencontre de ville et de campagne. Ton rêve de la gare d'Albe (les jeunes Albains qui créent les formes modernes) est la fusion du classicisme avec la ville-dans-la-campagne. Récemment tu as ajouté la découverte de l'enfance (campagne = force mentale), valorisant tes études d'ethnographie (le *Dieu-bouc*, la théorie de l'image-récit).

Ton classicisme est un classicisme rustique qui devient facilement ethnographie préhistorique.

15 juin

Reprenant le 31 août 42. L'enfance ne compte pas naturalistement, mais comme occasion de baptême des choses, baptême qui nous apprend à nous émouvoir devant ce que nous avons baptisé. A n'importe quel âge, nous pouvons *baptiser*. Mais il faut être assez ingénu pour croire que cette transfiguration est la connaissance objective. C'est pour cela que, d'ordinaire, seul l'enfant y réussit. Là réside la *spontanéité* non pas de la poésie (spontanéité qui est anecdote) mais de l'état prépoétique, celui qui fournit le matériau (spontanéité qui est nécessaire). La spontanéité de l'*inspiration,* qui est tout autre chose que l'*exprimer poétiquement* (cf. 10 février 42).

30 juin

(3 juin. II). Aux racines composantes de ta classicité, tu ajoutes ta manie astronomique des étoiles, qui était une manie des beaux noms. Elle se lia tout de suite merveilleusement à mes premières lectures classiques (*Géorgiques*) : *Ante tibi Eoœ Atlantides abscondantur...* et aussi à d'Annunzio (*Maja*).

Le voluptueux dont tu parlais le 20 avril 1936 s'est déplacé pour toi du domaine de la sincérité passionnelle à celui de l'enquête professionnelle sur les souvenirs. Cesser et agir.

2 juillet

Suite au rêve du 22 juin, rêvé typiquement cette nuit. Après une représentation donnée par moi seul dans un énorme théâtre, très applaudi, me préparant à la seconde partie, l'habilleuse habituelle des loges de théâtre entre avec une plante fleurie dans un vase. Qui cela peut-il être ? Carte. Écriture connue. Petite lettre aigre-douce.

Détail typique de ce rêve tout entier découverte comme une lecture de roman. Mon étonnement était sincère. Si je ne savais pas qui m'envoyait ces fleurs, et si, en lisant la carte, j'étais étonné et un peu effrayé, comment pouvais-je être le même que celui qui imaginait la trame du rêve ?

Et pourtant, la forme des fleurs dans le vase, et le

ton et l'écriture de la lettre sont des choses de ces jours-ci. L'habilleuse est un vieux souvenir cinématographique. Ne se pourrait-il pas que, de seconde en seconde, un souvenir se soit juxtaposé à un souvenir et que, dans ce cas, j'aie reçu des fleurs parce qu'un nombre infini de fois, j'ai lu et vu qu'on reçoit des fleurs dans sa loge ? Mais ce qui reste toujours inexpliqué, c'est qu'à ce moment j'étais à mille lieues de Fern., et pourtant le billet était d'elle qui, c'est à souligner, était dans la salle de théâtre et je l'apprenais seulement alors.

4 juillet

(au 30 juin). Non seulement des beaux noms. Les étoiles étaient surtout des ensembles mythico-rustiques qui préparaient mon goût pour le préhistorique.

Noter que plus que les poèmes (*Iliade,* Comédie, Leopardi, etc.), tu aimais la géologie et l'astronomie, c'est-à-dire le matériau indifférencié d'où devait naître ton goût mythico-rustique, assouvi ensuite par les allusions éparses de ces poèmes (*esperos o callistos en uranò istasi astèr*). Tu es arrivé plus tard à la littérature, au goût de la parole-moyen, par une ennuyeuse recherche culturelle (lectures obligatoires) et puis par l'éclatement baudelairien.

10 juillet

(Cf. 15 juin et 4 juillet.) En somme, l'étonnement de tes 16-19 ans était que la réalité (le sentier de Reaglie sous les étoiles, les bois de gros frênes pour faire des lances, etc.) fût la même qu'Homère et d'Annunzio passaient sous silence. Avant, il y avait eu l'émotion inspirée par les signes des choses (poèmes, fables, mythes) ; à partir de là, tu as reconnu la beauté et l'intérêt du monde des choses.

Bien qu'encore à l'extérieur de la littérature, tu t'es intéressé à l'astronomie, etc., parce qu'ému par des signes (Flammarion, film sur Dante, etc.) qui t'ont amené à baptiser cette réalité et donc à t'y intéresser.

Turin et
armistice —
puis
Serralunga

11 septembre

Caractère, nous ne disons pas de la poésie, mais de la fable (mythe) : la consécration des *lieux uniques*, liés à un trait, à un geste, à un événement. A un lieu, entre tous, on donne une signification absolue en l'isolant du monde. Puis apparaissent des noms, des sanctuaires, des adjectifs géographiques.

Les lieux de l'enfance reviennent à la mémoire de chacun, consacrés de la même manière ; des choses s'y sont passées, qui les ont rendus uniques et les isolent du monde par ce sceau mythique (pas encore poétique).

Ce caractère unique du lieu fait partie, du reste, de cette unité générale du geste et du fait, absolus et *donc* symboliques, qui constitue le mythe. (Faire une chose de temps en temps, qui, par conséquent, s'est emplie de significations et s'en emplit toujours, grâce justement à sa fixité qui n'est plus réaliste.) Dans la réalité, nul geste et nul lieu ne valent plus qu'un autre. Dans le mythe (symbole), il y a au contraire toute une hiérarchie. C'est là pourquoi actuellement beaucoup fuient le naturalisme et font du mythe, en recourant à l'enfance.

15 septembre

On peut dire mythique cette image centrale, formellement impossible à confondre, de chaque écrivain, à laquelle sa fantaisie tend toujours à revenir et qui l'inspire le plus. Par exemple, chez Dostoïevsky, la foule complaisante où on s'avilit, chez Stendhal l'isolement de la prison, et ainsi de suite. Cette image est mythique en ce que l'écrivain y revient comme à quelque chose d'unique, qui symbolise toute son expérience.

J'étais dans le train triste mais curieux, désespéré et attentif.

17 septembre

Une plaine au milieu de collines, faite de prés et de rangées d'arbres successives et traversées par de larges clairières, dans le matin de septembre, quand un peu de brume la détache de terre, t'intéresse par l'évident caractère de *lieu sacré* qu'elle a dû assumer dans le passé. Dans les clairières, fêtes, fleurs, sacrifices, à la lisière du mystère qui appelle et menace d'entre les ombres sylvestres. Là, à la frontière entre le ciel et l'arbre, pouvait surgir le dieu. Le *lieu mythique* n'est pas le lieu individuellement unique, type sanctuaire ou lieux analogues (corriger le 11 septembre) mais bien celui de nom commun, universel, le *pré,* la *forêt,* la *grotte,* la *plage,* la *clairière* qui, dans son indétermination, évoque tous les *prés,* les *forêts,* etc. et les anime tous de son frisson symbolique.

Là on voit de nouveau comment le retour à

l'enfance équivaut à assouvir la soif de mythe. Le pré, la forêt, la plage de l'enfance ne sont pas des objets réels parmi tant d'autres, mais bien *le* pré, *la* plage tels qu'ils se révélèrent à nous dans l'absolu et donnèrent forme à notre imagination transcendantale. Qu'ensuite ces formes transcendantales se soient encore enrichies des sédiments successifs du souvenir, cela vaut comme richesse *poétique* et c'est autre chose que leur signification originelle de mythe.

En somme, les « choses qui ont rendu uniques les lieux de l'enfance » (2e paragraphe 11 septembre) sont une seule chose : la formation des images transcendantales.

Cela suffit-il pour remplacer le frisson religieux ?

30 septembre

Par sa « fantaisie », Milton est encore un élisabéthain ; il fond, dans ses images, le monde des fables, du souvenir et de la nature avec la réalité qu'il traite, de façon à transporter le tout dans une autre sphère ; il le fait même avec un sens (musical : voir l'importance qu'a chez lui la musique dans l'*Allegro, Penseroso* et *Comus,* etc.) du passage insensible et nuancé qui annonce le romantisme — mais il a perdu tout sens de l'*idiom,* du dialecte, de la langue *lusty* et parlée, c'est pourquoi il « *forgets himself to marble* » au lieu d'avoir un goût de chair, de sueur et de vie.

1er octobre

Les préshakespeariens (Peele. Greene) ignorent encore l'image type 28 mai 40, mais, construisant le drame sur des scènes de *wit* bouffonne et des tirades solennelles et imagées, ils en préparent les éléments.

Quand Lily, Marlowe, Shakespeare, etc., fondront la *wit* bouffonne avec les tirades solennelles (cf. 28 mai 40), les interpénétrant, voilà que naîtra l'*image narrative,* éclatante. Il se confirme que le *wit* est style et non psychologie (31 octobre 42), ce qui veut dire que les personnages sont *witty* non pour exprimer le caractère qui les différencie (celui-ci se manifeste dans les gestes et dans les pensées) mais parce que le monde est ainsi. Le *wit* est chant et non analyse. C'est un jeu de l'imaginaire qui imprègne les paroles de tout le monde, qui doit donc être jugé comme image et non comme vérité.

4 octobre

On admire seulement ces paysages que l'on a déjà admirés. De chaînon en chaînon, on remonte à un tableau, à une exclamation, à un signe, par lesquels *d'autres* nous les ont choisis et proposés (10 février, 31 août 42). Naturellement, il vient un moment où, déniaisés par une longue habitude, nous choisissons nous-mêmes des paysages *comme si* ils avaient l'appui d'un signe d'autrui. Ce n'est pas pour cela que la loi est violée.

Admirer, c'est-à-dire goûter comme forme, signifie justement voir comme signe. C'est là pourquoi le début d'une admiration s'adresse toujours à un signe, qui ne peut évidemment pas encore être celui de notre création.

Voila pourquoi *nos* paysages sont limités (10 février 42). Il est difficile d'en ajouter à ceux que des signes fortuits nous révélèrent dans l'enfance, quand se formèrent nos moules imaginatifs.

Tu ne comprends pas cette hantise qu'éprouvent tant de gens de s'évader de la mentalité bourgeoise. S'agissant de poésie, tu te sens déjà suffisamment prolétarisé : figures et gestes se présentent à toi avec des traits élémentaires *en deçà* de la culture.

5 octobre

Le siècle dernier a conduit à son terme la trahison du dialecte en le démasquant et en lui assignant une place près de la langue littéraire. Ainsi le dialecte a fini de perdre cette *all-pervadingness* qui est la sienne et qui est en dessous de tous les efforts littéraires en italien, langue qui déjà, aux siècles de la rigueur académique (XVIIe et XVIIIe siècles), était allée en se desséchant. La grande poésie avait crû sur un terrain de langue littéraire et de dialecte indifférenciés, le vulgaire. (C'est pour cela qu'elle se manifeste toujours aux origines, quand on ne sait pas qu'on fait de la littérature — cf. Leopardi, *Zibaldone* — c'est-à-dire quand on utilise un dialecte.) Bien sûr, le noyau dialectal vit quand on recherche la « dignité rhétorique », mais celle-ci ne s'oppose pas au parler maternel. On pourrait carrément avancer que l'Italie et l'Angleterre ont eu de grands poètes parce qu'on y tenta la poésie avant même de définir la langue, et la France non, parce que, à la suite de nombreuses circonstances, ses ambitieux poètes s'y essayèrent après que l'on sut ce qu'était la langue (XVIIe siècle). C'est là une raison de la force des Américains maintenant et des Russes au XIXe siècle. Les premiers ont la chance d'une langue qui a de nouveau fermenté et refleuri dans une nouvelle société, d'un dialecte ; les seconds ignorèrent, pour des raisons de conscience à eux, ce qu'était la langue littéraire et ils s'en tirèrent plus populairement.

Comme dans toutes les choses de la poésie, il est aussi question ici d'un certain équilibre. Non, certes, que les grandes époques écrivent en dialecte. Elles utilisent un vulgaire en le rehaussant de toutes sortes de procédés rhétoriques, de formules poétiques : en elles, *le passage du dialecte à la langue littéraire se produit directement au nom de la poésie,* qui utilise et rehausse toute la vivacité du dialecte. Alors que, quand une langue littéraire existe, on n'éprouve plus le besoin de ce rehaussement, dans la mesure où il semble que cette langue ait déjà sa *dignité,* et bonsoir.

Mais, en somme, si c'est fait maintenant, c'est fait. Maintenant, le dialecte se distingue de la langue littéraire, et on ne peut plus revenir en arrière sinon en se déguisant en folkloristes. Le problème est d'inventer (fréquentatif d'*invenire*) une nouvelle vivacité (leopardiennement : un nouveau *naturel*).

7 octobre

Henri VI est l'une des œuvres les plus narratives et les plus riches de Shakespeare. Sa triplicité même en diminue le côté théâtral et en augmente le côté narratif. Il est multicolore : les guerres en France, avec des aventures extérieures (la duchesse d'Auvergne, la *Pucelle*) ; les intrigues et les factions intérieures, avec des tumultes (Cade) ; les guerres féroces avec des trahisons, des hauts et des bas, des fuites (forêt en Écosse). Voilà les trois parties. Se peut-il que ce soit son premier drame ? Il a déjà toute la langue tragique de Shakespeare, avec des passages judicieux, des envolées rhétoriques aux savoureuses saillies populaires. Ici le *wit* apparaît plus spécialement comme image élucidatrice de la narration. *Henri VI* abonde en descriptions très vivantes de gestes et d'événements, où règne ce *wit*. A noter que Shakespeare savait déjà très bien utiliser le *wit* sous forme de réplique du tac au tac, de broderie fantasque de dialogue. Ici le *wit* descriptif et narratif se substitue au dialogue. Les comédies contemporaines sont déjà du théâtre, tandis que cette chronique est tout entière récit.

Les trois parties ont chacune un héros : Talbot, York, Warwick, le soldat héroïque et simple, le prétendant capable et persévérant, le soldat héroïque et politique. Mais ce qui compte, c'est le fourmillement, la multiplicité, la richesse des figures ; non la vérité psychologique des personnages isolés mais le monde vital qu'ils constituent avec les milieux *et les images* (de mer, de métiers, de nature, de faune).

8 octobre

Love's labours lost est la plus belle comédie de jeunesse. Se peut-il que ce soit la première. Il y règne la frénésie du langage, jeu des répliques, *wit*, image, tirade, reprise. On ne voit même pas comment les personnages ont le temps de rire. Cela vous coupe le souffle. Comme composition, c'est véritablement et proprement un assaut de *wit*.

(Cf. 1er mars 1940). Dans le rêve, tu es auteur et tu ne sais pas comment ça finira.

9 octobre

Les autres comédies de jeunesse (*Vérone et Erreurs*) sont pleines de tirades solennelles. Shakespeare n'est pas encore arrivé, grâce à la prose, à son nouveau langage comico-tragique, l'*image dialoguée*, comme dans les tragédies (*Henri VI* — les *Richard* — *Andronicus*) il ne s'évade pas encore de l'*image racontée.* Il faudra les efforts successifs de vers imagé (*Nuit d'été, Marchand de Venise*), de prose dialectale (*Beaucoup de bruit, Comme il vous plaira, Douzième nuit*), de finesses psychologiques narratives (*Juliette, Roi Jean, Henri IV et V, Timon d'Athènes*) pour arriver au langage comico-tragique de la maturité égal en substance dans la comédie et la tragédie, théâtral (image dialoguée et non plus racontée).

Typique image dialoguée :

PERDITA :

... to make you garlands of; and my sweet friend,
to strew him o'er and o'er!

FLORIZEL :

What, like a corse?

PERDITA :

No, like a bank for love to lie and play on;
not like a corse; or if, not to be buried,
but quick and in mine arms...

(CONTE D'HIVER, acte IV, sc. IV)

Il va de soi que, dès le début, Shakespeare a d'occasionnels passages de style accompli, d'image dialoguée. Mais il n'a pas encore fondu ce style avec les situations; celui-ci triomphe dans d'occasionnelles trouvailles scéniques presque toujours bouffonnes ou lyriques, mais la conception de *toute* l'œuvre n'est pas encore *ironique* — c'est-à-dire consciente d'une double ou triple réalité qui se reflétera dans le style de deux ou trois tons fondus ensemble — l'imagé (tirades lyriques), le dialectal (escarmouches comiques), le tragique (regards dans la profondeur humaine). Fondus ensemble, c'est là l'important, en une phrase, en un mot : l'image dialoguée. L'*ironie,* comme il est juste, se manifeste d'abord dans les comédies — *Nuit d'été, Comme il vous plaira* — mais avec *Jules César* elle envahit aussi la tragédie. En fait, avec *Jules César,* le style est affirmé et sûr.

10 octobre

Si, comme c'est probable, la *Vraie tragédie de Richard duc d'York* est de Marlowe, Peele et Greene avec un peu de Shakespeare, on comprend où Shakespeare a appris son premier style tragique de l'*Henri VI* (9 octobre). Travaillant avec eux, il en a hérité la construction et le ton théâtral. De lui-même, dans le IIIe *Henri VI,* il mettra la plus grande aisance et la plus grande plausibilité des transitions et la plénitude imaginative. (Les fragments qu'il ajoute sont tous pour combler les transitions, enrichir et vivifier des images glacées, faire vivre des milieux latéraux — les chasseurs de la forêt.) Il lui manque encore l'ironie, et celle-ci il l'inventera lui-même, la faisant dériver de sa comédie.

Marlowe arrive jusqu'à l'interlocuteur dialectal (Ithamore dans le *Juif,* les divers bouffons du *Faust*), mais non jusqu'à l'échange de *wit* entre eux. En fait il ne développera pas cet interlocuteur en ironie.

Évidemment, sauf dans *Tamerlan* et dans *Édouard II*, Marlowe est pressé. Car Ithamore et la courtisane et le ruffian du IVe acte du *Juif* composeraient une vigoureuse scène sacrilège, qui annonce Ben Jonson et a des allusions beaucoup plus païennes. Voilà la différence avec Shakespeare : celui-ci aurait truffé la scène de répliques *witty*, toutes inattendues et toutes construites (cf. même, dans *Henri IV*, *Falstaff*, où il y a pourtant une étude d'après le vrai, la taverne du sanglier).

Dialecte et lyrique ne se fondent jamais, chez aucun préshakespearien. Sauf Lily. Qui pourtant n'a pas l'ironie.

A part des allusions mythologiques sèches et scolaires, Marlowe ne connaît pas l'image. Il est pour l'expression directe et passionnée (les vers exclamatifs sur Gaveston), et occasionnellement il décrit avec une vive réalité. Ses aspirations païennes à la puissance, à la richesse et au sexe, sont exprimées directement. Il est une énergie tendue, non un poète.

Édouard II n'est pas tant une *chronicle play* que le drame délicat d'un *brain-aired king, wanton et frolicky*, et triste dans le malheur. Les Lords n'ont aucune grandeur épique ; il n'y a pas de batailles. Étrange chose.

12 octobre

Force créatrice du rêve. Une radio et une femme, ou une femme nue qui jouait le rôle de radio, ou ainsi de suite ; le jeune G… l'a appelé *Radio-peliga* [1].

1. *Peliga :* mot inventé, évoquant la femme nue du rêve et composé de *pelo :* « poil » et de *figa*, « con ».

Ri et goûté tout de suite cette expression. Senti la force du « g » et non « c » de l'avant-dernière syllabe, de l'image de la toison. Le mot apparu tout de suite magnifique pour *cunnus*. Le mystère c'est d'où venait cette conviction qu'au fur et à mesure que le rêve s'allégeait, il s'évanouissait, à tel point que j'avais de plus en plus de peine à retrouver ce mot et que j'y réussissais seulement en pensant à *pellex-pellicis*.

Elle n'est pas étrange cette analyse philologique faite en dormant ; ce qui est étrange c'est la conviction de la grande force expressive de ce mot jamais entendu. Un lexique d'invention type Finnegan serait-il implicite dans le monde des rêves ?

Ces oiseaux qui s'enfuient en parcourant dans leur vol les couloirs de verdure — je les connais très bien.

Que l'on ne doive pas décrire les *beaux paysages* en racontant, résulte du 4 octobre où il est dit que les paysages qui vous plaisent sont vus comme signe. Le personnage habituel (qui n'est pas un constructeur de signes) ne pourra donc pas les goûter, du moins tant que tu raconteras en filtrant le milieu à travers le personnage, ce qui est l'unique moyen non grossier de raconter. Toujours néanmoins s'il ne s'agit pas de *signes* de son enfance, de son mythe, de cette vie intérieure en somme que lui aussi peut et doit sentir (17 septembre 42, II).

Mais là aussi il faut *présenter* sans décrire : ex. la bien-aimée du personnage qui, bien qu'étant un de ses mythes, n'est pas *décrite* comme bien-aimée mais *présentée*.

14 octobre

Titus Andronicus contient des *scènes sans images*, douteuses. Mais il en contient de très riches, le IIe acte avec son contraste de nature fraîche et joyeuse et de repaire du crime (ce paysage est très shakespearien), et le IIIe (douleur et malédiction). La scène II du IV, naissance du petit prince maure, a de l'*humour* féroce (pas encore de l'ironie). Le reste (Ier et V^e^ actes) est très terne et d'un style tout entier pauvre. Aaron est un *villain* qui annonce Iago et les autres, mais il ressemble aussi au *Barrabas* de Marlowe. Problème inextricable. Le style, là où il est atteint, est semblable au style le meilleur d'*Henri VI* et même, en tant que sens de la scène globale, il le dépasse (IIe acte).

16 octobre

Lu *Every man in his humour*. Noté que les dramaturges élisabéthains tirent leur comique surtout des événements (farces, coups, lazzi, etc.). Shakespeare surtout des mots (*wit,* répliques, calembours, etc.).

19 octobre

Every man out of his humour. Jonson a appris la leçon de la prose *witty* shakespearienne et l'utilise à toute allure dans la nouvelle direction de la création réaliste du personnage. Mais les volcans de *wit* des siens ne sont pas un pur jeu d'imagination comme chez Shakespeare, ils sont utilitaires, ils servent à définir et à élucider le personnage.

22 octobre

Richard II (qui est l'*Édouard II* de Shakespeare : le roi déposé et sa passion) offre tous les caractères de la tragédie de jeunesse de Shakespeare : vers déclamatoires, adjectifs sonores et de remplissage. Ici le *wit* apparaît dans de fréquents jeux de mots (sérieux). Il doit encore filtrer à travers la prose comique pour atteindre le vrai langage (ironique). Il vaut beaucoup plus que l'*Édouard* de Marlowe qui ne cherche ni images ni *wit* ni calembours — mais galope, « parlé » et passionnel.

30 octobre

La poésie consiste à donner à la page ce très simple frémissement que donne la réalité. On croit y parvenir en suivant la réalité. Ratage de la *Grange*.

(Cf. 4 octobre, II.) Mais suffit-il de réduire à des traits élémentaires en deçà de la culture, pour s'évader du bourgeois ? Fuite par le bas. N'y aura-t-il pas une fuite par le haut ?

2 novembre

« ... la première fable... la plus grande de toutes celles qu'on a pu forger par la suite... si populaire, si troublante et instructive... » (*Science Nouvelle*, Livre II, section I, chap. I).

Définition de ta *would-be* poésie populaire — troublante — instructive.

La *poiesis* italienne aime les grandes constructions faites de tout petits chapitres, de parties brèves et pleines de suc — les fruits de l'arbre. (Dante, ses chants brefs ; Boccace, les nouvelles ; Machiavel, les petits chapitres de ses principales œuvres ; Vico, les aphorismes de la *Science Nouvelle;* Leopardi, les pensées du *Zibaldone,* etc. Pour ne pas parler du sonnet.) C'est pour cela qu'elle est peu narrative (où l'on demande un long développement jaillissant : roman russe, roman français) et très cérébrale et sophistiquée. Elle est la négation du naturalisme, qui commencera effectivement avec le développement informe de la prose narrative anglaise (Defoe).

5 novembre

(Sur Vico — 30 août 38.) Vico est le seul écrivain italien qui sente la *vie rustique,* en dehors de l'Arcadie. Les duretés, les naïvetés de sa phrase donnent du relief à ce sens de la réalité campagnarde, *paysanne.* Le fait même qu'il en parle toujours en passant, en polémique, *utilitairement,* est une preuve de cette sincérité.

« ... nos paysans ne se servent-ils pas toujours de l'expression " il continue à manger " pour dire que le malade vit encore ?... »

L. II, S. VII, C. II

« ... c'est ce qu'on peut encore remarquer chez les paysans : obstinés ils se rendent sans doute aux raisons qu'on leur présente, mais par défaut de réflexion, ils les abandonnent tout aussi vite pour revenir à leur première idée. »

L. II, S. VII, C. V

« ... ce feu, les héros durent le produire en mettant au contact de briquets les ronces exposées aux rayons brûlants du soleil d'été... »

L. II, S. X, C. I

« … de la récolte (qui est l'unique ou du moins la majeure occupation des paysans pendant l'année tout entière)… »

L. II, S. X, I

« … comme naît, quand il pleut, l'été, une grenouille… »

L. II, S. X, C. II

« … les enfants étaient battus avec un tel acharnement qu'ils mouraient souvent de douleur sous les coups que leur portaient leurs parents… »

L. II, S. V, C. II

« … les travaux des champs, les biens qu'on en retire sont toujours l'objet des rapports commerciaux à la campagne… »

L. II, S. V, C. II

« … propriété éternelle, à cause de laquelle nous disons maintenant que les serviteurs sont des ennemis payés par leurs maîtres… »

L. II, S. V, C. I

« … et tant d'armoiries où il y a des herses, qui sont certainement des instruments aratoires… »

L. II, S. IV, C. II

« … de même que dans les campagnes de nos provinces les plus reculées, pour signifier qu'un malade est parvenu au terme de sa vie, on dit qu' " il se nourrit de pain de froment "… »

L. II, S. IV, C.I

« ... les sources éternelles qui, pour la plupart, jaillissent dans les montagnes, près desquelles les oiseaux de proie construisent leur nid (c'est pourquoi les chasseurs tendent leurs rets près de ces sources)... »

L. II, S. IV, C. I

« ... les paysans du Latium disaient " sitire agros "... »

L. II, S. IV, C. II

Et, continuellement, les « héros paysan », les « terriens » les « journaliers », etc.

6 novembre

Tu découvres aujourd'hui que le parcours que refait chacun de ses propres ornières t'a angoissé pendant un certain temps (4 avril 41, II), et puis (12 avril 41) ce parcours t'est apparu comme le prix joyeux de l'effort vital et, en fait, depuis lors, tu ne t'es plus plaint, mais (42, 43) tu as recherché avec plaisir comment ces ornières se creusent dans l'enfance. Avant même de relire *Jacob* de Thomas Mann (décembre 42). Tu as conclu (septembre 43) par la découverte du mythe-unicité, qui fond ainsi toutes tes anciennes hantises et tes plus vifs intérêts mythico-créateurs.

Il est prouvé que, pour toi, le *besoin de construction* naît sur cette loi du retour. Bravo.

Il est prouvé en même temps que le *sens* de ta vie ne peut être que la construction.

Comment se fait-il que, sans le savoir, tu aies tout dirigé vers un centre ? Logique intérieure, providence, instinct vital ?

Tout est répétition, re-parcours, retour. En fait, même la première fois est une « seconde fois ». (26 septembre 42, II.)

10 novembre

Pour les femmes, l'*histoire* n'existe pas. Mourasaki, Sapho, Madame de La Fayette sont contemporaines entre elles. Et pourtant la *mode* existe pour elles. Ont-elles le *trick* de se manifester au moment où la mode leur demande d'être justement telles, ou bien leur grand talent les porte-t-il inévitablement à imaginer la même fable ?

11 novembre

Raconter les choses incroyables comme si elles étaient réelles — système antique ; raconter les choses réelles comme si elles étaient incroyables — moderne.

12 novembre

Plaisir de marcher sur les crêtes. Là il y a les petits arbres, les contingences, les traits éternels de *son* horizon. En y marchant, on arrive aux confins de cet horizon, on s'y détache et on voit de l'autre côté. Il est dans les *lieux uniques*.

14 novembre

La nature, chez Mourasaki, est, en somme, symbolique.

Une branche fleurie, un bourgeon, un paysage

stylisé résument toujours une situation, en contiennent le parfum. Ils sont du reste monotones comme tous les symboles : la signification est toujours la même.

17 novembre

Ton idée de l'ambivalence (avarice-prodigalité, paresse-activité, amour-haine, etc.) risque de devenir une loi de toute la vie : la *même* énergie qui produit un effet est corrigée par l'effet opposé.

18 novembre

(Sur le style de Shakespeare, cf. 9 octobre 43, II.) Le fool, plein de *wit* dialectal, doit devenir le protagoniste fou ou exaspéré (Hamlet - Cléopâtre - Lear - Macbeth) et alors le langage *witty* deviendra tragique sans perdre son suc. C'est-à-dire ironique.

19 novembre

Shakespeare découvre le paysage et l'art de l'introduire dans le dialogue (IIe acte de *Titus Andronicus* la lune sur les arbres de la sc. I du IIe acte et le grenadier à l'aube de la sc. I du IIIe acte de *Juliet and Romeo*). C'est une simple allusion, qui dramatise également la nature.

Dans *Juliet,* il découvre de nombreuses choses : le parler fantastique (*sa* poétique), avec la Queen Mab ; le *wit* juge de l'action, avec Mercutio ; la conclusion désolée, en jugements tragiques sur le monde — Ve acte — les deux plans, passionnel et moqueur, avec Roméo et Mercutio ; la silhouette comique et très vraie, prédickensienne, avec la nourrice.

1944

14 janvier

Nous, nous tendons vers le dialogue, vers la *conversation.* Nous aimons éviter les longues remarques d'information (la *narration*), ou plutôt nous transformons celles-ci aussi en discours en les faisant à la première personne et en leur donnant la couleur du personnage qui les prononce. Nous cherchons en somme dans la prose narrative le *théâtre,* mais non le *scénique.* Cela viendrait-il de la fréquentation du cinéma, qui nous a appris à distinguer entre le visuel et la parole, qui naguère se fondaient au théâtre ?

Il se trouve maintenant que le *cinéma* raconte visuellement, et que le *roman* représente verbalement ; et nous, nous ne voulons plus entendre parler du théâtre, et quant à celui du passé, nous préférons le lire.

29 janvier

On s'humilie pour demander une grâce, et on découvre la profonde douceur du royaume de Dieu. On oublie presque ce que l'on demandait : on voudrait seulement connaître toujours ce jaillissement de divinité. C'est là sans nul doute *ma* voie pour parvenir à la foi, ma manière d'être fidèle. Un renoncement à tout, un naufrage dans une mer d'amour, un refus de la lueur de cette possibilité. Peut-être tout est-il là : dans ce frisson du « si c'était vrai ! » Si vraiment c'était vrai...

1ᵉʳ février

Ce jaillissement de divinité, on l'éprouve quand la douleur nous a forcés à nous agenouiller. A tel point que la première manifestation de la douleur provoque en nous un mouvement de joie, de gratitude, d'attente... On en arrive à se souhaiter la douleur.

La riche et symbolique réalité derrière laquelle il y en a une autre, vraie et sublime, est-elle autre chose que le christianisme ? Accepter celui-ci veut dire à la lettre entrer dans le monde du surnaturel.

Elle ne se confond néanmoins pas avec le pécule de symboles que chacun de nous se constitue dans la vie : dans ceux-ci, il n'y a pas de surnaturel, mais bien un effort psychologique, volontaire, etc., de transformer des instants d'expérience en instants d'absolu. C'est du protestantisme sans Dieu.

2 février

Un certain type de vie quotidienne (heures fixes, lieux clos, mêmes personnes, formes et lieux de piété) amenait des pensées surnaturelles. Sortir de ce schéma et les pensées s'envolent. Nous sommes tout entiers habitude.

3 février

Le lieu de ta personne est certainement le boulevard turinois, aristocratique et modeste, printanier et estival, calme, discret et vaste, où s'est faite ta poésie. Les matériaux venaient de nombreux endroits, mais c'est là qu'ils trouvaient leur forme.

Ce boulevard, et le bistro du boulevard, furent ta chambre, ta fenêtre sur les choses. Quand l'envie d'écrire des poèmes te revient, tu cherches de tels lieux. Pour raconter, non. Est-ce seulement parce que raconter est moins contemplatif ? Les *mémoires de deux saisons,* tu les as écrits au café, et, au fond, aussi, *Par chez nous* et la *Tente*. Donc...

Le fait est que tu as perdu le goût de voir, de sentir, d'accueillir, et que maintenant tu te manges le cœur.

6 février

Cyprès et maison sur l'arête de la colline, sombres contre le ciel rouge, lieu de passion de ta terre. L'ethnologie parsème ces lieux familiers de sang versé irrationnellement et mythiquement. Voilà pourquoi.

7 février

Le sang est toujours versé irrationnellement. Chaque chose est un miracle, mais dans le cas du sang, cela se sent avec plus d'acuité parce qu'au-delà, il y a le mystère.

Pleurer est irrationnel. Souffrir est irrationnel. (Cf. « souffrir ne sert à rien » de 38.)

Ton problème est donc de valoriser l'irrationnel. Ton problème poétique est de le valoriser sans le démythiser.

Quand on saigne ou qu'on pleure, l'étonnant c'est que ce soit justement *nous* qui fassions ce qui élève à l'universel, au *tous,* au *mythe.*

8 février

Pourquoi l'irrationnel élève-t-il au *tous,* à l'universel ? Idée romantique. Mais faut-il la rejeter à cause de cela ? Sans nul doute, l'irrationnel est l'énorme *réservoir* de l'esprit, comme les mythes le sont des nations. Tu tires tes créations de l'informe, de l'irrationnel, et le problème c'est comment les amener à la conscience raisonnable. Si vrai que cela semble banal.

L'étonnement est le ressort de toute découverte. En effet, il est émotion devant l'irrationnel.

Ta *modernité* réside tout entière dans ton sentiment de l'irrationnel.

12 février

Μυδτέριον et *sacramentum* signifiaient aussi « symbole ». Voilà la voie qui mène à la conception du symbole magiquement ou religieusement efficace.

Voilà la racine commune de la poésie et de la religion. Étant donné que l'image est aussi symbole.

Le rite fut à l'origine la chose même, la cause efficiente de l'effet ; plus tard, le symbole de celui-ci (baptême païen et baptême de Jean) (L. Allevi, *Hellénisme et Christianisme,* « Vie et pensée », 1934, p. 117).

13 février

La richesse de la vie est faite de souvenirs oubliés.

15 février

L'admiration, avant d'être esthétique, est religieuse. Du shintoïsme (et du polythéisme grec) est né l'amour de la nature des Japonais (et des Grecs).

24 février

Il y a des gens pour qui la politique n'est pas universalité, mais seulement légitime défense.

28 février

Les choses sur lesquelles nous n'écrivons pas sont plus nombreuses que celles sur lesquelles nous écrivons. De même que la masse des hommes se meut dans le cercle de ses préoccupations et vit *sainement* ses problèmes les plus divers, de même toi, bien que tu sois *malade* de littérature, tu ne traites pas autre chose par écrit que des questions littéraires et, pour le reste, tu te meus au milieu de tes préoccupations, les vivant *sainement* et consciencieusement. Voilà comment on peut en finir avec la stupide polémique contre les hommes de lettres et soutenir qu'eux aussi sont des hommes. Pour le moins autant que les analphabètes ou que ceux qui n'écrivent pas.

3 mars

Je l'ai appris le 1er mars[1]. Les autres existent-ils pour nous ? Je voudrais que ce ne fût pas vrai, pour ne pas être mal. Je vis comme dans un brouillard, y pensant toujours mais vaguement. On finit par prendre l'habitude de cet état, où l'on renvoie toujours à demain la *vraie douleur,* et, de la sorte, on oublie et on *n'a pas* souffert.

8 mars

L'attente enfermée devant des collines.
La seconde fois revient déjà.

1. Leone Ginzburg était mort le 5 février 1944.

17 mars

Dans la *Maid's Tragedy,* il manque simplement l'image et de la façon la plus désolante. Il semble impossible qu'à partir de là (1609) un nouveau style ait commencé. Le sens du *wit* s'est perdu. La chaleur fastueuse et fantasque de l'image shakespearienne et websterienne n'est plus qu'un pâle langage littéraire où l'émotion est coup de théâtre ou beau sentiment. La psychologie disparaît aussi. Il reste — surtout dans les premiers actes — un sentiment de sexe, dur et obsédant (comique et tragique), qui sent le moderne, le contemporain. Evadne est vivante tant qu'elle représente durement le sexe ambitieux ; puis quand elle se rachète, elle déchoit. Mais la langue est morte. Ben Jonson savait au moins parler en dialecte.

22 mars

Philaster (1608) est tout autre chose. Dans le comique et dans le tragique, le langage est riche, mouvant, plein, shakespearien. Il en résulte des personnages bien colorés, un ton théâtral. Je crois que le mérite en revient à Beaumont. Il manque la construction ironique et significative de Shakespeare. Le drame est déjà sentimental et mélodramatique (bien que *Cymbeline* et *Winter's Tale* lui ressemblent). Et ça, c'est Fletcher.

24 mars

Avec *Bonduca,* on comprend tout. C'est Fletcher seul.

Il manque la fantaisie riche et unitaire. Dans le comique, il y a les répliques non les images de *wit.*

Dans le tragique, on déclame, on ne rêve pas. Les personnages ont des tics (Caratach, Petilius, Penius), ils n'ont pas la vie profonde de la fantaisie. On comprend par là comment l'apparent vernis égal des images continues donne aux personnages shakespeariens une humanité riche et indifférenciée sur laquelle justement peuvent se détacher les traits particuliers. Comme dans la vie où tout le monde se ressemble. Chez Fletcher, au contraire, la caractérisation est abstraite.

30 mars

R. Guardini, *L'esprit de la liturgie.*

P. 185. « Si néanmoins on examine de plus près et plus longuement la question, on s'aperçoit aisément que la formule " primauté du Logos sur l'Ethos " pourrait aussi ne pas être la formule décisive et suprême. On doit peut-être plutôt dire : dans la sphère globale de la vie, *ce n'est pas l'agir mais bien l'être qui doit avoir* la primauté définitive. Au fond, elle ne concerne pas l'agir, mais bien le devenir : c'est non pas ce que l'on fait, mais bien ce qui est et qui se déroule qui constitue la valeur suprême. Ce n'est pas dans le temps, mais dans l'éternité, dans l'éternel présent que sont les racines et que l'on trouve l'accomplissement de toute chose. Et la valeur définitive réside non dans la conception morale, mais dans la conception métaphysique, non dans le jugement de valeur, mais dans celui d'essence, non dans l'effort, mais dans l'adoration. » P. 187 : « ... primauté de la vérité, mais dans l'amour... » Cette position triomphera dans la liturgie : placide, calme, contemplative, indifférente, non parénétique, non éducatrice, jeu.

31 mars

Peter Wust, *Incertitude et risque.*

P. 196. « A la vérité, le primordial et inconscient instinct objectif de bonheur de la nature humaine vise en première ligne à cette réalisation de l'être où il atteint sa perfection personnelle, son salut éternel dans le sentiment de l'accomplissement de sa nature. La tendance à l'endémonie qui s'agite dans la profondeur intime de l'homme est donc en premier lieu la perfection substantielle de sa forme, et seulement en seconde ligne le moment subjectif du bonheur, du repos et de l'harmonie définitive de l'âme, lié à ce moment objectif de l'endémonie. »

4 avril

« Il est maintes aurores qui n'ont pas encore brillé : donne-nous de les voir, ô Varuna ! » (Rig-Veda, II, — 28, trad. Darmesteter de la trad. M. Müller — D'*Origine et développement de la Religion étudiés à la lumière des religions de l'Inde.*)

12 avril

Comment Dieu peut-il exiger les longues humiliations de la prière, les interminables répétitions du culte ? Ne préfères-tu pas, toi, par instinct, une rapide pensée de reconnaissance, un coup d'œil qui te lie celui à qui tu as fait le bien, et n'abhorres-tu pas les plaintives expressions de reconnaissance ? Tu n'es pas Dieu, mais...

La vraie poésie géorgique italienne — et en même temps le seul naturalisme qui s'accorde avec notre humeur — ce sont les proses sur l'agriculture. Pier dei Crescenzi, Davanzati, Soderini, etc. La description est tout entière naturelle et, ce qui la maintient en vie, utilitaire. Ici une épithète est vraiment, souvent, un poème entier. Ce qui ne se produit pas pour les vers de la même époque.

16 avril

Les poètes classiques n'ont pas besoin de descriptions de la nature, parce que dieux et lieux sacrés apportent dans le discours de multiples visions de la nature. (En lisant l'*Hippolyte.*)

A l'angoisse que provoquent en nous un bruit, une odeur, une sensation désagréables — angoisse brusque et bestiale, très aiguë — se mêle une anxiété joyeuse que cette sensation se répète, que son auteur recommence, comme pour avoir, nous, la latitude et une raison de le haïr davantage, d'éclater.

18 avril

Preuves certaines :

a) Les Pharisiens ne mettent pas en doute la résurrection du Christ. (Baravalle.)

b) La promesse de Dieu à Ève et celle à Adam ne parlent pas du peuple élu mais de tout le genre humain.

De même aussi celle de Jacob à Juda. (Bossuet.)

De même aussi Zaccharie, et Aggée, et Malachie.

20 avril

Dans l'*Hélène* d'Euripide, ou bien le chœur résume les faits ou bien il rappelle des choses connues. Le caractère tragique-grec de jugement devant le chœur-public et non d'événement se confirme.

Le mobile tragique est presque toujours une chose cachée qui a peine à se manifester (*Hippolyte, Ion*), d'où un véritable et réel débat. Cette chose cachée est habituellement une méchanceté divine, qui, en se découvrant, produit la mort-purification ou la fin heureuse. Cette méchanceté est le *que ce qui doit être soit* découvert par toi en 42.

24 avril

Les peuples qui ont eu une riche mythologie sont les peuples qui ont philosophé ensuite avec acharnement : hindous, grecs, allemands.

29 avril

Preuves certaines :

Samaritains et Judéens ont le même Pentateuque. Il en résulte que celui-ci est antérieur à la séparation, c'est-à-dire à Jéroboam et à Roboam, et *a fortiori* à Esdras (Bossuet).

15 mai

Jamais réfléchi sur le fait que les précurseurs du roman italien — les chercheurs désespérés d'une prose narrative — sont avant tout des lyriques — Alfieri, Leopardi, Foscolo ? La *Vie,* les *Fragments de journal* et le *Voyage sentimental* sont le sédiment d'une fantaisie tout entière adonnée aux illuminations d'éloquence lyrique. Et le premier roman réussi — *Les fiancés* — est la maturité d'un grand lyrique. Cela doit avoir laissé des traces dans notre idéal narratif.

Penser par contre au XVIIIe siècle anglais ou français et au XVIe siècle espagnol : là, la prose de roman naît en ignorant toute étincelle de l'imaginaire. De même le XIXe siècle russe.

22 mai

Ta conviction que tel quelqu'un était enfant, tel il sera adulte et que ne changera jamais la « portée du pont », a perdu tout caractère cafardeux et s'est déplacée dans la recherche des racines imaginaires de l'instant-éternité.

27 mai

Cette idée, présentée par toi comme une bizarrerie, de *modifier son passé* (printemps 39) s'éclaire en principe par toutes tes pensées actuelles : la redécouverte de l'enfance, faite of course en en modifiant — c'est-à-dire en en découvrant — la signification.

Qui sait combien de choses me sont arrivées : question excellente pour préparer ta *somme.* Tu veux dire : qui sait de combien de manières différentes je verrai encore mon passé, c'est-à-dire y découvrirai des événements insoupçonnés.

Il est ardu de se transformer en *je* dantesque, symbolique, quand ses propres problèmes sont enracinés à une expérience aussi individuelle que la ville-campagne et que toutes leurs transfigurations parviennent seulement à des symboles psychologiquement individuels. (La vigne, le ciel derrière, l'horizon marin, les arbres fruitiers, les roseaux, les fenils, etc. aboutissent tout au plus à un absolu d'utilité laborieuse. Ce qui prouve ton désarroi, c'est le fait que tu cherches l'épanchement dans la puissance magique de ces images ou dans la richesse — d'artichaut — de leurs couches superposées. Si personne d'autre n'a de ces images, tu es servi.)

8 juin

— Et celui qui a fait cela est un chrétien. — Si ce n'était pas un chrétien, il aurait fait pire.

13 juin

La mémoire est l'absence d'imagination (Rousseau, *Émile,* 1, II) « dans ce que l'on voit tous les jours, ce n'est plus l'imagination qui agit, c'est la mémoire » — « l'habitude tue l'imagination » — mais la mémoire des choses lointaines présente des objets renouvelés, *déshabitués,* par le temps et par l'oubli intercalé, c'est pourquoi elle est un stimulant de l'imagination, d'autant plus que les choses que l'on se rappelle sont nouvelles mais mystérieusement nôtres.

14 juin

En 1824, les lettres de Leopardi deviennent sèches, tout entières choses, les effusions méditatives et même les plaintes en sont absentes. Il écrivait les *Petites œuvres morales.* En 25-26, il se plaint peu de la vie, il est presque en bonne santé et il s'amuse. Il vivait à Milan et à Bologne et travaillait comme un sénateur.

17 juin

Les nations qui parviennent à une grande puissance hégémonique sont en général inconscientes qu'elles sont en train de créer un empire. Consacrées à de menues tâches contingentes, entraînées de conquête en conquête, elles se trouvent avoir réalisé un grand dessein historique. Celles qui partent en trombe pour devenir *la grande nation* se cassent les jambes à la première occasion — comme il est terrestre que cela se produise — et comme elles ont alarmé par leur programme toutes les autres, on s'occupe tout de suite de leur couper les jarrets.

En somme, là aussi : on obtient ce que l'on ne cherche pas. Toujours.

26 juin

Pierre Corneille. *De la tragédie, et des moyens de la traiter selon la vraisemblance ou le nécessaire.* Il dit d'Aristote : « *... les théâtres de son temps où ce n'était pas la mode de sauver les bons par la perte des méchants, à moins que de les souiller eux-mêmes de quelques crimes...* » A propos des quatre actions tragiques qui *se passent entre proches :* a) on connaît la victime et on la tue ; b) on ne la connaît pas et on la reconnaît après l'avoir perdue ; c) on ne la connaît pas et on la reconnaît à temps pour s'abstenir ; d) on la connaît mais on ne réussit pas à la tuer. Selon Aristote, le dernier cas est le pire. Corneille distingue : si l'on change d'idée par inconstance oui, mais si c'est à la suite d'une grande péripétie, c'est le meilleur cas de toute la tragédie. Puisque cela suppose le « *combat des passions contre la nature, ou du devoir contre l'amour* ». Chimène fait tout pour perdre le Cid. Ou ce combat, ou la punition des méchants : voilà la tragédie moderne. Psychologie chrétienne.

Pour les anciens tu as déjà écrit jadis que compte le héros isolé, qui tient un discours-monologue, qui *est* devant le chœur. Ces combats n'existent pas. Les méchants, n'étant pas vus en combat, ne sont pas des méchants, mais ils *sont*, simplement, comme les bons.

P. S. Noter qu'Aristote condamne a) et d) et approuve b) et c). C'est-à-dire qu'il condamne les cas de possible lutte intérieure et approuve les cas de coup de théâtre, où il n'y a pas de vie morale.

2 juillet

Corneille, *Épître* de la *Suite du Menteur*.

« ... moi, qui tiens, avec Aristote et Horace, que notre art n'a pour but que le divertissement » « ... pourvu qu'ils aient trouvé le moyen de plaire, ils sont quittes envers leurs arts ; et s'ils pèchent, ce n'est pas contre lui, c'est contre les bonnes mœurs et contre leur auditoire... »

« La récompense des bonnes actions et la punition des mauvaises... cette règle imaginaire est entièrement contre la pratique des anciens ; et sans aller chercher des exemples parmi les Grecs, Sénèque... Plaute et Térence... »

7 juillet

Hérodote est pour Jünger ce qu'Homère est pour Vico.

9 juillet

L'énorme succès de Rousseau s'explique par le fait qu'il a approfondi, en l'interprétant, un monde culturel déjà connu et accepté depuis plusieurs siècles, l'Arcadie. Ce sont là les innovations qui font fureur : elles flattent et troublent par ce qu'elles ont de nouveau et permettent de continuer à courtiser ce qui est très connu et cher.

11 juillet

Hath not our mother Nature, for her store
and great encrease, said it is good and just,
and willed that every living creature must
beget his like ?
(*The Faithful Shepherd,* acte V, sc. IV)

Toutes les fables pastorales contiennent cette idée et cet appel à la Nature. Le Rousseauisme qui se prépare.

Pas seulement. Elles ont toutes un *ermite de la forêt,* qui, généralement, herborise (Rousseau !) et étudie les vertus plus ou moins magiques des simples. Étrange que Rousseau n'ait pas connu la magie. Mais les philosophes allemands de la nature ont réparé cela.

Il y a déjà longtemps que tu as noté que toutes les fables pastorales sont basées sur la chasteté de Diane, que l'on doit ou que l'on veut conserver par caprice et puis qui cède à l'amour. Quand elle ne cède pas, cela donne justement les ermites.

13 juillet

Il y a dans *Guerre et Paix* toutes les choses insupportables que le XIXe siècle a produites. Il y manque l'une des bonnes, le démonisme.

La nature redevient sauvage quand ce qui est prohibé s'y produit : sang ou sexe. Cela semblerait une illusion suggérée par l'idée que tu te fais des cultures primitives — rites sexuels ou sanguinaires.

D'où l'on voit que le sauvage n'est pas le naturel mais le violemment superstitieux. Le naturel est impassible. Que quelqu'un tombe d'un figuier dans une vigne et gise à terre au milieu de son sang cela ne te paraît pas sauvage comme ce le serait si ce quelqu'un avait été percé d'un coup de couteau ou sacrifié.

Est superstitieux quiconque cède à la passion brute.

14 juillet

En fait, comme le superstitieux, l'amoureux et le haïsseur se fabriquent des symboles. C'est de la passion que de conférer de l'*unicité* aux choses ou aux personnes. Celui qui ne connaît pas de symboles est un ignare de Dante.

Voilà pourquoi l'art se réfléchit dans les rites des primitifs ou dans les passions fortes : il cherche des symboles. Et en prenant le primitif comme pivot, il jouit du sauvage. C'est-à-dire de l'irrationnel (sang et sexe).

17 juillet

La plaie des descriptions de la nature, des allusions complaisantes aux choses et au monde dans les œuvres d'art naît d'une équivoque : l'œuvre, qui veut être un objet naturel parmi les autres, croit y réussir en en réfléchissant le plus qu'elle peut. Mais la *nature* d'un miroir, ce ne sont pas les apparences qui en effleurent. Celles-ci sont seulement son *utilité*.

Quand on dit que la poésie est rythme et non imitation, on entend justement en définir la nature. Voilà pourquoi notre poésie veut éliminer de plus en plus les objets. Elle tend à s'imposer elle-même comme l'objet, comme *substance* de mots. La sensualité verbale dannunzienne et en général décadente prend encore cette substance pour la chair des choses. C'est une onomatopéique universelle. Chez nous, l'expression se fait chaste et décharnée, elle trouve son rythme dans quelque chose de bien plus secret que la voix des choses : elle s'ignore presque elle-même et, s'il faut tout dire, elle est parole à contrecœur. C'est là notre inquiétude : défiance envers la parole qui est en même temps notre unique réalité. Nous cherchons la substance de ce qui ne nous convainc pas : c'est pour cela que nous hésitons et souffrons.

Même mon livre — *Travailler fatigue* — a obscurément fait cela. Il cherchait l'objet en décharnant la parole, c'est-à-dire qu'il tendait à une substance qui n'était plus objet ni peut-être parole. Il voulait un rythme — ni chant ni sensualité verbale. C'est pourquoi il évita le vers musical et utilisa des mots neutres. Il eut l'unique tort de se laisser aller à la phrase colorée du « parlé », qui est un autre moyen de copier la nature. Mais il s'en libéra peu à peu, contraint par le rythme, qui radioscopait toujours mieux les choses. Puis, dans les proses, nous retombâmes dans le parlé. Pourquoi ? Parce que là, l'appui du rythme nous faisait défaut. Maintenant, le problème est de pénétrer jusqu'à la substance en présupposant cet appui.

Vie de l'inconscient. L'œuvre que l'on réussit à faire est toujours *une autre chose.* On avance, d'autre chose en autre chose, et le moi profond est toujours intact ; s'il semble épuisé, c'est seulement la fatigue qui le secoue et le brouille comme une eau qui se trouble, mais ensuite il s'éclaircit et son fond pareil recommence, ambigu, à transparaître. Il n'y a pas de moyen de l'amener à la surface ; la surface n'est toujours qu'un vain jeu de reflets d'*autres choses*.

18 juillet

L'amour est une crise qui laisse de l'aversion. Le sentiment des corps vivants et gaillards accompagne par contre chaque jour de la vie : il est naturel que le suc de notre expérience soit ce dernier.

20 juillet

L'appui du rythme dans la prose (17 juillet), d'autres l'ont trouvé dans la répétition cadencée, dans le *repetend* (Stein, Vittorini, etc.).

25 juillet

L'odeur écumeuse de macération qui est le saumâtre de la campagne.

30 juillet

« Il semble qu'en écoutant des sons purs et délicieux on est prêt à saisir le secret du Créateur, à pénétrer le mystère de la vie » (*Corinne,* I. IX, ch. II). Ce qui se passe *quand on sent* n'importe quel fait naturel : le parfum d'une fleur, le bruissement d'une eau, le goût délicieux d'un raisin. La musique est le plus matériel des arts (cf. Lamartine, *Histoire des Girondins,* I. XLIX, ch. XIII) « la musique, le moins intellectuel et le plus sensuel de tous les arts ») puisque seule la pensée est immatérielle et que, dans la musique, il n'y a pas de conscient. Elle tend à habiller la *forme* de ses sensations comme un symbole, mais la comparaison est trop large et ne lie jamais. De fait, une musique accomplit parfaitement la substitution du 17 juillet d'une chose à la nature : au point que rien, dans la nature, n'y équivaut.

8 août

La pensée que même l'homme marié n'a pas trouvé de solution à sa vie sexuelle est jolie et consolante. Il croyait s'en payer désormais vertueusement et en paix, et il se trouve que, au bout de quelque temps, vient le dégoût de la femme, vient un étouffement comme de prostitution rien qu'à la voir. Cf. Tolstoï et ***. On s'aperçoit alors que de toute manière on est mal avec cette femme. Si déjà on n'est pas tombé avant dans la question du « chaque fois un enfant », qui doit inciter ou bien à s'abstenir ou à prendre des précautions. Dans les deux cas, à ce qu'il semble, on a perdu cette belle franchise.

10 août

Dans la tragédie grecque, tout est sacré — c'est-à-dire prédit, voulu par Dieu.

19 août

Ce qui te ravit chez Vico, c'est ce passage perpétuel du *sauvage* au *rural,* et leurs violations de frontières réciproques, et la réduction de toute l'histoire à ce noyau.

20 août

On peut appeler *sens héraldique* cette faculté de voir partout des symboles.

Bien que toutes ses interprétations soient erronées et absurdes, Vico a apporté dans l'histoire le sens de l'interprétation, le goût d'étudier les documents à contre-jour, et il s'est créé dans ce but une psychologie qui élargit son besoin héraldique pour en faire une faculté nécessaire de l'esprit humain. Ce ne sont pas les faits qui intéressent mais qu'ils soient cachés et qu'on puisse les dévoiler. Analogue aux artistes du XXe siècle — non pas le récit mais le fait de raconter. L'esprit humain dans la mesure où il s'exprime. Contempler un symbole c'est contempler une expression. Monomanie du technicisme.

23 août

Tomber du figuier et être étendu dans le sang (13 juillet, II) n'est pas sauvage en tant qu'événement, mais devient tel si on le voit comme loi de la vie. Que le sang jaillisse d'une manière ou d'une autre, en torrents sur la terre, que *naturellement* les bêtes se dévorent et que celui qui a chu n'ait pas de droits à invoquer, cela est sauvage parce que notre sentiment voudrait que cela soit interdit, que ce soit un simple événement et non une loi. En cela le sentiment naturel condamne la nature qui, dans son impassibilité, semble célébrer un rite — être, elle, superstitieuse.

Toute théodicée insuffisante est superstition. Quand une justification de Dieu est dépassée, elle devient superstition. Le juste, tant qu'il est juste, est naturel.

26 août

La nature impassible célèbre un rite ; l'homme impassible ou ému célèbre ses rites les plus épouvantables ; tout cela n'est superstition que si cela nous apparaît comme injuste, comme interdit par la conscience, comme sauvage. Est donc sauvage ce qui est dominé par la conscience. Tant que nous croyons à la superstition, nous ne sommes pas superstitieux. C'est pour cela qu'elle est essentiellement rétrospective — royaume de la mémoire — propre à devenir poésie. Comme le mal, qui est toujours du passé-remords. Tandis que l'activité, qui est le royaume du présent, est le bien.

Mais d'où vient que l'exercice de la mémoire soit un plaisir — un bien ?

Encore. Célébrer un rite, c'est se justifier. La nature n'est donc pas superstitieuse en tant qu'elle célèbre un rite (celui du sang) — mais en tant que son rite ne sert plus à la justifier et nous paraît un hasard (même s'il est commandé par une loi). Comme les rites sauvages quand ils ne nous paraissent plus suffisants à justifier celui qui les célèbre.

Peut-être l'exercice de la mémoire est-il un plaisir, un bien, parce que c'est du présent. (Cf. 10 septembre.)

Alexandrine des *Écherolles* (histoire du siège de Lyons).

Jeanne de *La Force* (histoire des guerres de religion de 1622).

Madame de La *Rochejaquelein* (Vendée).

Madame *Roland* — Mémoires.

27 août

La grande tâche de la vie c'est de se justifier.

Se justifier, c'est célébrer un rite. Toujours.

29 août

Seule l'*unicité* justifie la valeur absolue que l'on donne à toutes les contingences (*Du mythe, du symbole*, etc.).

1er septembre

La *nature impassible* est peut-être simplement un ensemble de rites dépassés par nous, la plus ancienne des superstitions par laquelle l'univers tenta de se justifier. Elle fut telle par l'instinct qui se fonda sur ses lois et en tira une raison de vie. Puis, avec l'avènement de l'esprit, la nature devint *arbitre*, volonté divine, et les rites s'y formèrent. Maintenant elle est redevenue loi, mécanisme — voilà pourquoi l'instinct émerge de nouveau et pourquoi le vrai rite des époques rationalistes c'est l'art (= le rituel de l'inconscient instinctif).

Du 23 août, il résulte qu'en dehors de la conscience morale, il n'y a pas critère de certitude mais superstition. La vérité de l'univers se modèle sur notre sens moral. La religion est une rencontre de la vérité et de la justice. Toute crise peut se réduire au déséquilibre entre ces deux exigences.

2 septembre

Est superstitieuse toute explication de l'univers qui croit concilier vérité et justice et qui n'y parvient plus. En dehors de la religion, il n'y a que la suspension du jugement — pour autant que c'est possible.

Le sauvage n'est pas pittoresque mais tragique.

Jusqu'à présent, tu as traité deux sortes de sauvage. Dans *Nudisme*, le sauvage de l'adulte, la campagne vierge, ce que l'œuvre humaine n'a jusqu'à présent pas touché (et ici on sous-entend qu'une œuvre, un rite quelconques suffisent à justifier la nature). Dans *Histoire secrète*, le sauvage de l'adolescent, ce qui est lointain, insaisissable en tout cas, également et d'autant plus si d'autres par contre l'atteignent ou l'ont atteint. (Dans les deux cas, il est ce qui nous manque, « ce que nous ne savons pas ».)

Poésie est, *maintenant*, l'effort de saisir la superstition — le sauvage — l'horrible — et de lui donner un nom, c'est-à-dire de le connaître, de le rendre inoffensif. Voilà pourquoi l'art vrai est tragique — c'est un effort.

La poésie participe de chaque chose interdite par la conscience — ivresse, amour — passion, péché — mais elle rachète tout par son exigence contemplative, c'est-à-dire de connaissance.

3 septembre

Fumer est une chose pleine de rusticité et de nature. Cette transformation d'une herbe sèche en une fumée odorante, vivante, fertilisante, n'est pas sans signification. En d'autres temps, ce serait vite devenu un symbole (comme le calumet du *gitce manitou* chez Longfellow).

4 septembre

Écrivains importants qui sont balayés une fois leur génération passée. Non par suite d'une critique, d'une évaluation — mais simplement on nie en bloc leur consistance. On condamne quelque chose qui est antérieur à leur œuvre.

5 septembre

Des sept passages où Hérodote, dans sa description de l'Égypte, dit qu'il se fait un scrupule de toucher aux mystères, il s'agit, dans trois cas, des dieux-animaux, dans deux du rite phallique, dans les autres d'autolésionnisme et d'illumination sacrée. Pourquoi Pan est-il représenté avec une tête et des pattes de bouc (XLVI), pourquoi le porc — immonde le reste de l'année — est-il sacrifié et mangé pendant la fête de Bacchus (XLVII), pourquoi les animaux en général sont-ils sacrés (LXV) ? Ici Hérodote ressent une horreur totémique et n'ose pas parler. Pourquoi les images phalliques à la fête de Bacchus ont-elles le phallus dénoué et mû par des fils (XLVIII), pourquoi les Athéniens font-ils les statues d'Hermès phalliques (LI) ? Ici Hérodote sait que le phallus et le dieu coïncident et il n'ose pas le dire. En l'honneur de qui se bat-on pendant la fête d'Isis (LXI), pourquoi fait-on à Saïs la fête des lampes (LXII) ? Il y a probablement là quelque autre horreur que la respectueuse curiosité mondaine d'Hérodote n'a pas le courage d'affronter. C'est là un exemple de la manière grecque de traiter le sauvage : on le reconnaît, avec un respect tolérant comme sacré, un point c'est tout. A cet égard, il y a la conscience rationaliste que *tout* le monde du sacré et du divin cache de ces abîmes et qu'il faut tirer un voile dessus.

[Jadis, on sacrifiait aux Dieux mais sans les nommer (LII). Il y a peu de temps qu'Homère et

Hésiode ont décrit et raconté les dieux (LIII) — le ton d'Hérodote est presque de reproche.]

7 septembre

Les passages mystérieux du livre II d'Hérodote sont encore ceux-ci : LXI, LXXXI, LXXXVI, CXXXII, CLXX, CLXXI. Dans tous il est fait allusion à Osiris, dont on ne veut pas prononcer le nom. Pourquoi ? D'autres fois, il en dit le nom et dit que c'est Bacchus (CXLIV).

8 septembre

La prédiction par oracle n'est pas autre chose que l'expression imagée du destin. Les choses arrivaient, et les anciens leur donnèrent un sceau d'unicité en les faisant prévues par le dieu.

Une *belle* paysanne, une *belle* prostituée, une *belle* maman, toutes ces femmes chez qui la beauté n'est pas l'occupation artificielle de toute une vie, ont une dure impossibilité de raillerie.

10 septembre

L'exercice de la mémoire est un plaisir et un bien (26 août) parce qu'il implique la connaissance. *Réévoquer* une superstition, ce n'est pas la pratiquer mais la connaître.

30 septembre

Les arches à colonnes des loggias créent des paysages stylisés en les encadrant. Évidemment l'impression est augmentée par le souvenir de tant de polyptiques du XIVe siècle qui sont justement divisés en compartiments à colonnades à arceaux. L'inventeur de la loggia ne se doutait pas de cet effet qui naquit quand cette nouvelle architecture fit son entrée dans la peinture.

1er octobre

Il vient une époque où l'on se rend compte que tout ce que nous faisons deviendra en son temps souvenir. C'est la maturité. Pour y arriver, il faut justement avoir déjà des souvenirs.

3 octobre

Boiardo est un adroit *poète narrateur.* Ses adjectifs sont des épithètes, c'est-à-dire des petits blocs lyriques qui transparaissent dans le courant du récit comme des objets et non comme des sensations. Ses dialogues, ses exclamations sont des fenêtres mélodiques, bien délimitées, des modulations (pourrait-on dire) préexistantes, qui, elles aussi, font bloc comme des choses avec le courant. Après avoir lu un épisode, on se rappelle des gestes et des actions, et non des sensations.

7 octobre

« si l'homme, avant, est juste et puis ensuite fait les choses justes, ou si en les faisant il devient juste » (*Concile de Trente,* Ed. Barbera, vol. II, p. 77) l'opinion scolastique que l'on peut être juste ainsi dans l'abstrait n'est pas sans se réfléchir sur la pratique de l'allégorie médiévale : les abstraits s'incarnent dans l'homme indépendamment de son activité objective et psychologique.

20 octobre

Avoir du courage et *avoir raison :* les deux pôles de l'histoire. Et de la vie. L'un, en général, nie l'autre.

3 novembre

Un rêve laisse toujours une impression de quelque chose de grandiose et d'absolu. Cela provient du fait que, dans un rêve, il n'existe pas de détails banals, mais que, comme dans une œuvre d'art, tout est calculé en vue d'un effet.

7 novembre

Horace, *Epistola ad Augusto :*
... *vestigia ruris*... (v. 160)
où le *rus* est opposé à l'*ars* et désigne les temps de l'inculture primitive. C'est ton *sauvage.* Même pour la nier, on n'est pas capable de sortir de la campagne. Voir Vico. C'est un caractère nettement humaniste, qui s'oppose à l'actuelle habitude scientifique de considérer la barbarie comme antérieure à la *rusticité.* Ce qui est indéniable mais abstrait (peuples ramasseurs, peuples chasseurs, etc.). Vico, lui aussi, connut cette barbarie mais il la relégua dans le chaos prédivin.

Le rustre, le lourdaud, le « bouseux », opposé au citadin. Mais l'humanisme mêlait le mythique au rustique. Et ainsi il avait le sauvage (cf. Vico). Maintenant il semble que le sauvage remonte par-delà le rustique, qui s'est dépouillé du mythe.

26 novembre

On rêve des *symboles de la réalité.* Tu as rêvé que quelqu'un avait vendu méchamment tes livres et tu éprouvais un ennui désolé, alors que ce qui te chagrine c'est la lente destruction qui les menace dans la cave. Ce qui ne ment pas, c'est la *passion :* elle se crée un événement (un symbole) qui la rende possible.

2 décembre

Il semble impossible que même une seule étincelle de bonté, d'espoir, d'amour, même enveloppée par toute une écorce d'iniquité ou d'indifférence, doive s'évanouir anéantie dans la peine éternelle.

De nouveau l'expérience que l'on désire la douleur pour s'approcher de Dieu.

28 décembre

(*Eratry,* Comm. sur l'Évangile de Matthieu.)
Le simple soupçon que le subconscient serait Dieu — que Dieu vivrait et parlerait dans notre subconscient, t'a exalté.

Si tu revois, avec l'idée de Dieu, toutes les pensées ici parsemées *de subconscio,* voilà que tu modifies tout ton passé et que tu découvres de nombreuses choses. Surtout, la douloureuse recherche du symbole s'illumine d'un contenu infini.

1945

9 janvier

Année étrange, riche. Commencée et finie avec Dieu, avec des méditations assidues sur le primitif et le sauvage, elle a vu quelques créations notables. Ce pourrait être l'année la plus importante que tu as vécue. Si tu persévères en Dieu, certainement. (Il ne faut pas oublier que *Dieu* signifie aussi cataclysme technique — symbolisme préparé par des années d'aperçus.)

16 janvier

Les peuples qui pratiquèrent les sacrifices humains les plus atroces et les plus fréquents furent les peuples agriculteurs (civilisations matriarcales). Ni les pasteurs, ni les chasseurs, ni les artisans ne furent jamais aussi cruels que les paysans.

26 janvier

Tu voulais un prétexte pour ne plus bouger. Le voici. Qui remercier ? Tu attendais un prodige et il est venu.

Pour le moment, humilie-toi. Tu le jugeras d'après les fruits.

28 janvier

Un jardin tropical au milieu de la neige. Magnolias, sapins, ifs, cyprès, citronniers — vert sombre, métalliques et bronzés contre le ciel bleu. Mais ce qui les fait le plus ressortir, c'est le mur rouge brique de l'écurie de la ferme. Il y a là toutes les couleurs naturelles les plus intenses : vert, bleu, rouge, blanc. Est-ce l'insolite qui frappe ou bien y a-t-il une secrète vertu dans ces qualités pures ?

Il est facile pour les couleurs de devenir des symboles. Elles sont la qualité la plus visible des objets mais elles ne sont pas les objets. Te rappelant ce que tu as dit naguère — que le mythe vit dans les épithètes — les couleurs seraient les épithètes des choses. Création pure.

Ce que tu disais de la musique (30 juillet 44) sensation pure qui veut être symbole, on peut le dire de toutes les sensations pures : ce sont des symboles qui tendent à se substituer à la nature.

30 janvier

Celui qui ne sait pas vivre avec charité et embrasser la douleur des autres est puni en ceci qu'il sent avec une violence intolérable sa propre douleur. On ne peut accueillir la douleur qu'en l'élevant à un sort commun et en compatissant aux autres qui souffrent. La punition de l'égoïste c'est de s'apercevoir de cela seulement sous le fouet et de tenter vainement d'apprendre la charité, par *intérêt.*

4 février

Blondel, *L'Action.* « L'homme met toujours dans ses actes, si obscurément qu'il le sache, ce caractère de transcendance. Ce qu'il fait, il ne le fait jamais simplement pour le faire » (p. 353). « Même chez ceux qui se disent affranchis de toute superstition, qu'on remarque ce besoin de rites et cette contrefaçon d'un véritable culte liturgique, la pauvreté trop visible des actions toutes nues » (p. 312). (Cf. 27 août 44.)

13 février

En réalité, pour avoir sa valeur, le *fait unique* au sujet duquel tu t'exaltes tant *ne doit pas* être arrivé. Il doit rester mythe, dans les brumes de la tradition et du passé, c'est-à-dire de la mémoire. De fait, les événements spirites, les miracles, etc., t'embêtent, sans plus. Dans la mesure où ces choses *arrivent,* elles ne sont plus uniques, mais des événements normaux bien qu'en dehors des lois naturelles. (En ce qu'ils se produisent, ils font partie d'une loi, soit-elle même occulte.)

On ne fait que discuter l'authenticité de ces choses, le pour et le contre. Elles sont la négation de l'unicité [1] imaginaire.

18 février

Le *retour des événements* chez Thomas Mann (chap. *Ruben va à la citerne*) est en somme une conception évolutionniste. Les événements essaient de se produire, et chaque fois ils se produisent plus satisfaisants, plus parfaits. Les *moules mythiques* sont comme les *formes des espèces.* Ce qui semble séparer cette conception du déterminisme naturaliste, c'est le fait que ses facteurs ne sont pas le choix sexuel ou la lutte pour l'existence, mais une volonté constante de Dieu qu'un certain projet se réalise. Du reste, la manière de raconter de Mann semble sous-entendre que ce qui détermine peu à peu les

1. Dans le manuscrit : unicité
absolu

événements est l'esprit humain qui, selon ses lois, les perçoit et les *fait se produire* chaque fois pareils en substance mais plus riches. Un formalisme kantien, introduit dans la matière mythologique, pour l'interpréter de façon unitaire. Là derrière, il y a Vico.

2 mars

L. Todesco, *Corso di Storia della Chiesa* (Marietti, 1925), vol. III, p. 539 :

« ... Les principaux moyens de torture étaient : le brasero avec des charbons ardents dont l'accusé approchait ses pieds ; la corde (on soulevait l'accusé et on le laissait retomber) ; et finalement le chevalet : donc, plus qu'autre chose, des exercices gymnastiques... »

12 mars

A la longue, une douleur se libère de l'anxiété, du souvenir, du soupçon qui la provoqua, et elle existe toute seule dans l'âme. Cette nuit, tu souffrais déjà quand, à un certain moment, tu as cherché en toi le motif oublié ou non encore retrouvé de ta douleur.

15 mars

Le premier épanouissement des petites feuilles est un embrasement de petites flammes vertes.

Le bourgeonnement se produit au milieu du bois mort. Des branches brisées, sèches, cassées, mettent du vert et se dressent.

25 mars

Pour exprimer l'admiration, on dit qu'une chose ressemble à une autre. Confirmation du fait que l'on ne *voit* jamais une chose pour la première fois, mais toujours une seconde fois : quand elle se lie à une autre. Confirmation et explication. Dans la mesure où elle est admirée, une chose est une autre, c'est-à-dire qu'elle est vue une seconde fois sous un autre aspect.

5 avril

Vivre quelque part est beau quand l'âme est ailleurs. A la ville, quand on rêve à la campagne, à la campagne quand on rêve de la ville. Partout, quand on rêve de la mer.

Cela pourrait sembler du sentimentalisme, mais ce n'en est pas. Cela prouve par contre l'*all-pervadingness* de l'image. On n'évalue une réalité qu'en la filtrant à travers une autre. Seulement quand elle *passe en une autre.* C'est pourquoi l'enfant découvre le monde à travers les transfigurations littéraires ou légendaires ou, en tout cas, *formelles.* C'est pourquoi « l'image est l'essence de la poésie ».

On pourrait déduire de là que le monde, la vie en général prennent de la valeur uniquement quand on a l'esprit tourné vers une autre réalité, *extra-terrestre.* Disons même, quand on a l'esprit tourné vers Dieu. Est-ce possible ?

6 avril

Tu affirmes ainsi l'existence de Dieu dans la mesure où tu poses d'abord comme prémisse et comme postulat la *valeur* du monde et de la vie. Mais c'est justement cette valeur qui est démontrée.

Cette valeur existe. C'est si vrai que tu la sens, et qu'est d'autre une valeur qu'une qualité que l'*on sent ?* Que signifierait une valeur objective mais non sentie ?

18 avril

Les pétales des pommiers et des poiriers volent. La terre en est parsemée. On dirait des papillons.

23 avril

Rencontrer des présages et nommer des lieux fameux dans le mythe vont de pair dans le Chant III de l'*Énéide*. Les présages sont mythiques et les noms mythiques sont lourds de présages. C'est de la poésie religieuse.

La religion d'Hérodote. Toutes ces patries, tous ces présages qui se sont produits. Ce livre, qui est le livre de la *grande route,* est aussi celui de la recherche anxieuse de la patrie, de chaque trace laissée par les ancêtres.

Le *sacré* dans le monde antique, c'est cela. Et c'est cela et non le beau, que les anciens cherchaient dans la vie et dans l'art.

25 avril

Parcourir sa route et rencontrer des merveilles, voilà le grand thème — spécialement le tien.

2 juillet

Le sexe, l'alcool, le sang.

Les trois moments dyonisiaques de la vie humaine : on n'échappe ni à l'un ni à l'autre.

28 août (puis Rome)

Lorsqu'un mot, un fait, un soupçon a produit en nous une forte agitation passionnelle, il vient un moment où, en nous débattant, nous nous apercevons que nous ne nous rappelons plus ce mot, ce fait, ce soupçon. Mais la passion est de plus en plus intense.

6 septembre

Il n'est pas beau d'être enfant ; il est beau, étant vieux, de penser à quand on était enfant.

13 octobre

On fit des dieux d'animaux, parce que l'animal était *l'autre,* l'étranger ; et parce que l'animal ne semblait pas un individu. Il était *telle* bête, non une bête déterminée.

14 octobre

(La lune frissonnait.)

15 octobre

Que dire si, un jour, les choses naturelles — sources, bois, vignes, campagne — sont absorbées par la ville et escamotées et se rencontrent dans des phrases anciennes ? Elles nous feront l'effet des theoi, des nymphes, du naturel sacré qui surgit d'un vers grec. Alors la simple phrase « il y avait une source » sera émouvante.

18 novembre

Je suis ton amant, donc ton ennemi.

22 novembre

On ne se libère pas d'une chose en l'évitant mais, seulement, en la traversant.

23 novembre

Quand nous chassons un mendiant, nous lui disons : A la prochaine ferme, tu trouveras tout ce que tu veux.

Il sera donné à celui qui a.

26 novembre

Que signifie qu'entre un homme et une femme, il peut y avoir quelque chose de plus important que l'amour ? Cela signifie qu'il est possible de voir une autre personne comme on se voit soi-même : de lui permettre tous les gestes et tous les mouvements que l'on se permet à soi-même, d'être content qu'elle les fasse comme nous le sommes de les faire, de ne pas se sentir frustré de ce qu'elle fait avec autrui comme nous ne nous sentons pas frustrés de ce que nous faisons avec autrui — cela veut dire aimer ce prochain qui est le nôtre comme nous-mêmes. Cet amour s'appelle charité. Mais si l'autre personne disparaît ? Pouvons-nous nous aimer nous-mêmes une fois disparus ? Il faudrait croire que personne ne disparaît jamais. Que la mort n'existe pas.

Elle mourra et tu seras seul comme un chien. Y a-t-il un remède ?

Bien. Mais si tu peux accepter la mort pour toi, pourquoi veux-tu refuser à l'autre de l'accepter pour lui ? C'est encore de la charité. Tu peux arriver au néant, non pas au ressentiment. Non pas à la haine. Rappelle-toi toujours que rien ne t'est dû. En fait, que mérites-tu ? La vie t'était-elle due, quand tu es né ?

27 novembre

Il est venu pour la troisième fois, ce jour. C'est l'aube, une aube de brouillard diffus, d'un mauve frais. Le Tibre a la même couleur. Mélancolie non pesante, prompte à se dissiper sous le soleil. Maisons et arbres, tout dort.

J'ai vu l'aube, il n'y a pas longtemps, de ses fenêtres du mur à côté. Il y avait la brume, il y avait l'immeuble, il y avait la vie, il y avait la chaleur humaine.

Astarté-Aphrodite-Mélita dort. Elle se réveillera de mauvaise humeur. Pour la troisième fois, mon jour est venu. La douleur la plus atroce, c'est de savoir que la douleur passera. Maintenant, il est facile de s'humilier. Et ensuite ?

13 août 37	*25 septembre 40*	*26 novembre 45*
(après-midi)	(soir)	(nuit)

Exactement le contraire de ce qu'on nous a appris. Quand on est jeune, on regrette *une* femme, quand on est d'âge mûr, *la* femme.

Comme elle est grande cette idée que vraiment *rien ne nous est dû.* Quelqu'un nous a-t-il jamais promis quelque chose ? Et alors pourquoi attendons-nous ?

Et pourtant c'est simple. Quand on n'existe plus, on meurt. Et voilà.

Aphrodite est « venue de la mer ».

27 novembre

Le sentiment terrible que tout ce que l'on fait est de travers, et ce qu'on pense, et ce qu'on est. Rien ne peut te sauver, parce que, quelque décision que tu prennes, tu sais que tu es de travers et en conséquence ta décision l'est aussi.

28 novembre

Comment peut-on avoir confiance en une personne qui *ne* se risque *pas* à vous confier *toute* sa vie, jour et nuit ?

2 décembre

La femme qui en couillonne un autre pour venir avec toi, te couillonnera pour aller avec un autre. Quelle que soit la chose qu'une femme soit capable de faire pour te faire plaisir, rappelle-toi qu'elle sera capable de le faire pour faire plaisir à un autre, au lieu de toi. Mais tu sais, toi, que ces choses sont comme le mythe — elles n'ont de valeur que dans leur unicité. Et alors ?

7 décembre

T. t'avait dit seulement que tes poésies te suffisaient

et elle les avait beaucoup aimées,

F. sans en discuter les conséquences pratiques les avait

lues avec une curiosité patiente,

B. te dit que tu n'auras pas autre chose, et, critiquement,

les aime beaucoup.

Cela fait déjà deux fois ces jours-ci que tu mets côte à côte T., F. et B. Il y a là un reflet du retour mythique. Ce qui a été sera. Il n'y a plus de rémission. Tu avais 37 ans et toutes les conditions favorables. Tu *cherches* l'échec.

[...]

Le coup bas que t'a porté ***, tu le gardes toujours dans ton sang. Tu as tout fait pour l'encaisser, tu l'as même oublié, mais cela ne sert à rien d'échapper. Tu le sais que tu es seul ? Tu le sais que tu n'es rien ? Tu le sais qu'elle te plaque à cause de cela ? Parler sert-il à quelque chose ? Sert-il à quelque chose de le dire ? Tu l'as vu, ça ne sert à rien. [...]

9 décembre

Mais tous les fous, tous les maudits, tous les criminels ont été enfants, ont joué comme toi, ont cru que quelque chose de beau les attendait. Lorsque tous, nous avions trois, sept ans, tous, quand *rien* n'était arrivé ou que cela dormait seulement dans nos nerfs et dans notre cœur.

1946

1er janvier

Celle-là aussi est finie. Les collines, Turin, Rome. Brûlé quatre femmes, publié un livre, écrit de beaux poèmes, découvert une nouvelle forme qui synthétise de nombreux filons (le dialogue de Circé). Es-tu heureux ? Oui, tu es heureux. Tu as la force, tu as le génie, tu as à faire. Tu es seul.

Deux fois, cette année, tu as frôlé le suicide. Tout le monde t'admire, te complimente, te fait fête. Eh bien ?

Tu n'as jamais lutté, rappelle-le-toi. Tu ne lutteras jamais. Est-ce que tu comptes en rien pour quelqu'un ?

6 janvier

Les dieux, pour toi, ce sont les *autres,* les individus se suffisant à eux-mêmes et souverains, vus de l'extérieur.

12 janvier

Dans la tragédie grecque, il n'y a pas de *méchants.* On n'y élucide pas une responsabilité, on constate un fait — un destin.

26 janvier

Être endurci — cela veut dire avoir son travail de plus en plus clair devant soi, le voir s'accomplir, savoir que les plus petits élans suffisent à maintenir l'impulsion, et laisser les autres — les autres au féminin — jouer autour de toi avec leurs tentations et leurs avances. On connaît toute la route, l'émotion, le tumulte, la tempête — on laisse éclater ceux-ci sans, au fond, être pris ou dominés par eux. On a autre chose à faire. C'est cela être endurci.

L' « être un dieu » des petits dialogues mythiques est cet « être endurci ». Richesse contenue de leur vocabulaire — destin, dieu, mortel, nom, sourire, etc., ne sont des réalités pleines que sur le plan de ce monde. Milieu, accent, fond sont mythiques de façon cohérente et ne diraient pas tout ce qu'ils disent s'ils étaient réduits à la plausibilité contemporaine.

8 février

Ces jours-ci, l'année dernière, tu ne savais pas quelle masse de vie t'attendait dans le cours d'une année. Mais est-ce que ce fut vraiment de la vie ? Peut-être la triste et morne promenade à Crea te dit-elle symboliquement plus que tant de personnes, de passions et de choses de ces mois.

Certainement, le mythe est une découverte de Crea, des deux hivers et de l'été de Crea. Cette montagne en est tout imprégnée.

Aujourd'hui l'amie de ** est entrée comme d'habitude dans l'atelier et nous a dit bonjour — m'a dit bonjour — et s'est assise tranquillement, et elle me regardait.

Il n'y a pas d'homme qui n'ait une amie, un corps humain, une paix. Tu l'as, toi ?

Mais le mari de l'amie de **, qui est-il ? A-t-il encore une femme, lui ?

Celui qui n'a pas toujours eu une femme n'en aura jamais une.

Bien sûr, avoir une femme qui vous attend, qui dormira avec vous, c'est comme la tiédeur de quelque chose qu'il faudra dire, qui vous réchauffe, qui vous tient compagnie, et qui vous fait vivre.

Tu es seul. Avoir une femme qui parle avec toi n'est rien. Seule compte l'étreinte des corps. Pourquoi pourquoi n'as-tu pas cela ?

« Tu ne l'auras jamais. » Tout se paie.

Et celui qui en a une en cherche une autre *** Et ainsi de suite.

Tant que tu voudras être seul, elles viendront te chercher. Mais si tu tends la main, elles ne voudront rien savoir. Et ainsi de suite.

13 février

Tu te rappelles mieux les voix que les visages des gens. Parce que la voix a quelque chose de tangentiel, de non recueilli. Étant donné le visage, tu ne penses pas à la voix. Étant donné la voix — qui n'est pas rien — tu tends à en faire une personne et tu cherches un visage.

16 février

Choses et personnes ne sont *nôtres,* c'est-à-dire ne *comptent* pour nous, que dans la mesure où elles nous coûtent et non dans celle où elles nous donnent. Pour lier à soi un être, il faut l'exploiter, non le servir.

20 février

(Préface aux petits dialogues.)

Si cela avait été possible, on se serait volontiers passé de tant de mythologie. Mais nous sommes convaincus que le mythe est un langage, un moyen d'expression — c'est-à-dire *non pas* quelque chose d'arbitraire mais une pépinière de symboles qui ont — comme tous les langages — une substance particulière de significations que nul autre ne pourrait rendre. Quand nous rapportons un nom propre, un geste, un prodige mythique, nous disons, exprimons d'abord une chose synthétique et compréhensive, une moelle de réalité qui vivifie et nourrit tout un organisme de passion, d'état humain, tout un ensemble conceptuel. Si, en outre, ce nom, ce geste et ce prodige nous sont familiers depuis l'enfance, depuis l'école — tant mieux. L'inquiétude est plus vraie et plus mordante quand elle anime une matière habituelle. Ici, nous nous sommes contentés de nous servir de mythes helléniques étant donné la pardonnable vogue populaire de ces mythes, leur acceptabilité immédiate et traditionnelle. Nous avons horreur de tout ce qui est informe, hétéroclite, accidentel, et nous cherchons — même matériellement — à nous limiter, à nous donner un cadre, à insister sur une présence conclusive. Nous sommes convaincus qu'une grande révélation peut sortir seulement de l'insistance obstinée sur une même difficulté. Nous n'avons rien en commun avec les voyageurs, les expérimentateurs, les aventuriers. Nous savons que le plus sûr — et le plus rapide — moyen de nous étonner, c'est de fixer, impavides, toujours le même objet. A un certain moment, cet objet, il nous semblera — miraculeux — ne l'avoir jamais vu.

Tant de bonheur sans aventure provient probablement du fait que tu es ouvert à toutes les aventures — tu en vois autour de toi, et tu ne fais rien pour les imposer ou pour les subir. Que fais-tu ? Tu les vois, tu vis ta manie, et tu te connais. Cela changerait-il quelque chose de te trouver dedans ?

Les œuvres de poésie doivent être faites comme l'est ce bonheur qui est tien. Un incroyable équilibre de ouis, d'affirmations toutes sur le point d'être prononcées, toutes riches d'une infinie possibilité qui reste en suspens et ne se décharge jamais. L'art de ne pas jouir, c'est là l'art.

La poésie est non un sens mais un état, non une compréhension mais un être.

22 février

Tu as recommencé à passer seul la soirée, dans le petit cinéma, assis dans un coin, fumant, savourant la vie et la fin du jour. Tu regardes le film comme un gosse — pour l'aventure, pour la petite émotion esthétique ou mnémonique. Et ton plaisir est grand, il est immense. Il en sera ainsi à soixante-dix ans, si tu y arrives.

23 février

Quelque chose finit. Tu t'en aperçois au fait que, quand tu te laisses aller et que tu t'assieds pour fumer, tu es inquiet et anxieux. Redouterais-tu les choses de la vie pratique ? Non. Tu redoutes ton vide.

Cette ville n'a pas de souvenirs.

24 février

De nouveau seul. Tu te fais un home d'un bureau, d'un ciné, de deux mâchoires serrées.

Dans l'histoire d'une passion, la fin devrait être marquée par le besoin retrouvé de la maison, de l'isolement.

26 février

Avec les autres — même avec la seule personne qui émerge — il faut toujours vivre comme si nous commencions alors et devions finir un instant plus tard.

1er mars

Elle a toujours obéi à ses caprices et fait ce qui lui plaisait — elle a demandé, refusé, déchiré — mais elle a été cordiale et se sauve. Lui a donné presque tout, il y a perdu le sommeil et ses peines, il a frôlé la mort — mais tout était sujet à la grande exigence — et que peut-il faire d'autre que se damner ?

Ce sont des cons les ethnologues qui croient qu'il suffit de rapprocher les masses des diverses cultures du passé — et du présent — pour les habituer à comprendre, à tolérer et à sortir du racisme, du nationalisme et de l'intolérance. Les passions collectives sont mues par des exigences d'intérêts qui se travestissent en mythes raciaux et nationaux. Et on n'efface pas les intérêts.

3 mars

Se venger de quelqu'un ! Fais comme si tu lui pardonnais — abandonne-le aux vengeances de la vie. Il n'y a pas d'écoulement de temps qui n'inflige de lui-même, sans poussée de la part de l'offensé, des choses atroces à chacun.

Et pas seulement le temps — les autres eux-mêmes, ces autres peut-être qui t'ont fait offenser, violer, mutiler par ton ennemi. Laisse-les faire, tous. Ils te vengeront. D'autant plus chers qu'ils seront à ton ennemi. Il suffit de les laisser vivre. Tous. Quelle vengeance serait-ce s'ils n'étaient pas tous là ?

4 mars

Tu es pour les femmes que tu aimes comme, pour toi, une de ces femmes qui te font débander.

Il n'y a pas de vengeance plus belle que celle que *les autres* infligent à notre ennemi. Elle a même le mérite de vous laisser le rôle de l'homme généreux.

9 mars

Les dieux n'ont pas de sentiments. Ils savent ce qui doit arriver et ils le font comme il se doit — ils sont utilitaires.

14 mars

Les hommes ne se plaignent pas de souffrir mais de l'autorité qui les domine, les tient et les fait souffrir.

28 mars

Quand on se lave les mains à un robinet, il vous vient l'envie de pisser. Bel exemple de magie sympathique. On comprend comment les sauvages ont cru appeler la pluie en répandant de l'eau ou du sperme.

29 mars

Cette sensation d'être *cornered, à bout,* etc., je ne l'avais jamais éprouvée comme durant ces après-midi et ces soirées. Le vide n'est plus remplacé par la moindre étincelle vitale. Je sais bien que je n'irai pas plus loin et que désormais tout est dit. Échec encore pire en ce que j'ai obtenu quelques résultats et que, de la sorte, je ne puis m'abandonner à un effondrement total. Et je sais que je me relèverai et que je ferai encore des choses. Mais la fêlure est là, évidente. *Hell.*

31 mars

La sagesse du destin est au fond la nôtre même. Parce que nous l'unissons à une conscience incessante de ce que, tout au fond, il nous est permis de faire. Quelques tentations que nous ayons, nous ne nous trompons jamais. Nous agissons toujours dans le sens du destin. Les deux choses en sont une seule.

Celui qui se trompe est celui qui ne comprend pas quelle est la résultante de tout son passé — lequel lui indique l'avenir. Mais qu'il le comprenne ou non, il le lui indique de même. Chaque vie est ce qu'elle devait être.

3 avril

Brune ardente — blonde glaciale — elles forment un couple surprenant. Qui ne dirait pas que j'ai une grande chance ? Avec l'une, c'est le corps qui va, avec l'autre l'esprit — mais pour faire quelque chose, il faudrait inverser — avec la brune l'esprit, avec la blonde le corps. Au lieu de cela, il n'y a rien, et tant mieux.

4 avril

Chaque matin — sous la forme d'une odeur de renfermé, de moiteur, de tiédeur, nous laissons, comme une impression, comme un corps astral, notre fatigue dans notre lit.

8 avril

Si tu es toi, je suis moi — ce qui veut dire que tout cela ne sert à rien.

10 avril

Les intellectuels qui ne sont pas d'accord avec le P.C. sur la question de la liberté devraient se demander ce qu'ils feraient de cette liberté dont ils sont si soucieux. Et alors ils verraient — après avoir écarté les paresses, les intérêts inavoués de chacun (vie commode, méditation indéterminée, sadismes élégants) — qu'il n'existe pas de cas où ils donnent une réponse différente de la réponse collective du P.C.

16 avril

Ce sentiment de force, de pouvoir tout — vient-il de l'argent que je gagne ou de ma maturité ? Si, tremblant pour ta vocation, tu as fait ce que tu as fait, que devrais-tu faire aujourd'hui ? Tu devrais avoir honte.

17 avril

[...]

Voilà : ce qui ne te va pas dans la psychanalyse, c'est cette tendance évidente à transformer les fautes en maladies. Tu comprendrais qu'on les transformât en vertus, en moyens d'être énergiques, mais non — on découvre le trauma qui fait, par exemple, que tu as peur des grenouilles et alors tu attends la guérison. Couillonnades !

Soyons clairs : je n'ai rien contre le formulaire psychanalytique — il a enrichi la vie intérieure — j'en ai contre les salauds qui s'en servent pour excuser leur paresseuse indolence et qui croient que s'entendre dire qu'enculer les petits garçons est un résultat d'une de leur expérience du tire-bouchon, est une justification. Non, Monsieur. *Pas besoin* d'enculer les petits garçons.

25 avril

Chaque soir, une fois le bureau fini, une fois le restaurant fini, une fois les amis partis — revient la joie féroce, le rafraîchissement d'être seul. C'est l'unique vrai bonheur quotidien.

Découvert que, dans chaque petit coin de la nature, il y a un ordre, un plan de rapport. Par exemple, les fleurs d'une même région ont toutes des couleurs d'un ton donné. Ter. suggère que c'est parce qu'il y a une lumière et une humidité particulières. Vrai. Inutile de déranger la providence. Le jeu des lois naturelles suffit.

Ter. est l'habituel *aftermath* de tes passions. Elles sont grandes et elle toute petite ; elles sont dures et elle douce et gaie ; elles sont difficiles et compliquées, et elle ouverte et cordiale ; elles sont des ennemies, et elle une bonne camarade. Elle sort naturellement d'une passion qui l'a laissée épuisée et *wistful*. Comme toutes celles qui l'ont précédée. Finira-t-elle comme elles ?

4 mai

Il est beau d'écrire parce que cela réunit les deux joies : parler tout seul et parler à une foule.

Si tu réussissais à écrire sans une rature, sans un retour, sans une retouche — y prendrais-tu encore plaisir ? Ce qui est beau, c'est de se polir et de se préparer dans le calme à être un cristal.

5 mai

Quelle est la vie de ces types ? Une gaieté, un petit sourire, une bizarrerie vestimentaire ou de parole. En as-tu d'autres, toi ?

8 mai

Rome et sa signification dans ma vie, je l'ai déjà vue en juin-juillet 43. Noter qu'il y a un rapport étroit entre les lectures auxquelles je me livrais depuis plus d'un an (ethnologie) et le fait de Rome. Pourquoi y suis-je venu, et par hasard ?

Une fois mûri tout le monde mythico-ethnologique, voici que je reviens à Rome et que j'invente le nouveau style des dialogues et que je les écris.

23 mai

Rencontré une femme, sans nul doute, exceptionnelle, S.A. Pas éprouvé le moindre embarras. Je la comprends totalement. Je suis plus riche qu'elle. Non seulement parce que plus jeune mais dans l'absolu. Je sais ce qu'est la forme : elle ne le sait pas.

Et pourtant elle est la fleur de Turin 1900-1910. Elle m'émeut comme un souvenir. Il y a en elle Thovez, Cena, Gozzano, Amalia, Gobetti. Il y a Nietzsche, Ibsen, le poème lyrique. Il y a toutes les hésitations et tous les imbroglios de mon adolescence. Lointaine. Il y a la confusion de l'art et de la vie, qui est de l'adolescence, qui est du dannunzianisme, qui est une erreur. Tout cela dominé et passé.

24 mai

Tu ne peux pas supporter un brusque changement irrationnel dans ta journée. Quelqu'un d'autre à déjeuner, un voyage inhabituel, etc. Est-ce que cela ne ressemble pas à ta manie — une fois découvert un genre — de t'en faire un schéma obligatoire (*Mers du Sud, les Sorcières,* etc.) ?

31 mai

Vu beaucoup de choses en arrivant de Rome en Piémont. Les arbres des campagnes et la manière dont ils sont disposés (aulnes, chênes, ormes, saules, vignes, par grandes rangées, comme un rideau de théâtre, dans les plaines), sont ceux de Virgile et d'autres lectures classiques de mon adolescence. Vu qu'en Piémont, plus que l'*arbre,* il y a le *vert,* la mer végétale. Étrange parce que les arbres des classiques étaient certainement ceux de Rome et que, moi, au contraire, je les ai vus piémontais, et je les retrouve seulement ici. Sans doute parce que je lisais en Piémont.

Saisi le caractère abstrait des longues et hautes rues de la ville. Senti, ce matin, l'éternelle vapeur de petite brume qui estompe tout. Rien de la sécheresse, de la couleur nette de Rome.

3 juin

Le charme de voyager c'est d'effleurer d'innombrables et riches décors et de savoir que chacun pourrait être nôtre et de passer outre, en grand seigneur.

18 juin

Il est ridicule de rechercher l'altruisme dans une passion qui est faite tout entière d'orgueil et de volupté.

19 juin

Moi, je commence à faire des poèmes quand la partie est perdue.

On n'a jamais vu qu'un poème ait changé les choses.

23 juin

C'est l'habituel marasme d'une fin de passion — anarchique, harassé et velléitaire. Mais cette fois-ci, il n'y a pas eu de passion — les composantes paresseuses-voluptueuses de mon abandon se voient d'autant mieux. La pure loi de mon mythe. Comme conclusion de ma vie romaine, je ne pouvais rien imaginer de plus à propos.

Quand je dois quitter une ville, elle se met à pourrir. J'ai de la chance.

24 juin

Sa satisfaction amoureuse, c'est la grimace de mépris qu'il réussit à arracher à une femme. Il n'obtient pas d'autre sourire.

27 juin

Tentation de l'écrivain

Avoir écrit quelque chose qui te laisse comme un fusil qui vient de tirer, encore ébranlé et brûlant, vidé de tout toi, où non seulement tu as déchargé tout ce que tu sais de toi-même mais ce que tu soupçonnes et supposes, et les sursauts, les fantômes, l'inconscient — avoir fait cela au prix d'une longue fatigue et d'une longue tension, avec une prudence faite de jours, de tremblements, de brusques découvertes et d'échecs, et en fixant toute sa vie sur ce point — s'apercevoir que tout cela est comme rien si un signe humain, un mot, une présence ne l'accueille pas, ne le réchauffe pas — et mourir de froid — parler dans le désert — être seul nuit et jour comme un mort.

2 juillet

Il suffit de mentir — d'exagérer, de jouer sur la situation donnée — et voici que les résultats sont exceptionnels, voici que tu vois l'autre — elle — hésiter et souffrir. Peux-tu demander plus ? Le jeu charnel ne peut s'évader du mensonge, de l'à-peu-près.

5 juillet

Une fois la liberté sauvée, les libéraux ne savent plus qu'en faire.

7 juillet

Dissolu et gêné, donc grave et austère. « Comédien » dit *. Il ne sait pas combien il a raison. Pourquoi sa femme se frotte-t-elle à moi, pour s'en aller ensuite avec lui ? Évident, non ?

Pourquoi T. me regarde-t-elle avec des yeux qui ne voient pas et qui sont soucieux ? Elle a peur que je les lui ferme.

Y a-t-il eu un adieu plus lugubre ? Plus mérité ?

(fin de Rome)

13 juillet (Milan et Serralunga)

Ce qui émeut dans le spectacle de la distance — par exemple, une plaine accidentée vue d'une colline plus haute — c'est la conscience que ces zones de teinte neutre, ces petits nuages, ces étendues fumeuses et ces taches — cette couleur bleue de lointain — sont autant de choses, des objets, des campagnes achevées et nettement composées. Il est riche ce lointain qui est fait de choses réelles et parfaites.

19 juillet

La confidence que cette fille est très sensuelle, qu'elle ne pense qu'à l'amour — faite maintenant par son amie qui sait tout — ne gonfle-t-elle pas soudain ton cœur de regret, de déception, d'échec ? Elle t'a eu dans ses bras et elle n'a pas voulu de toi. Ou bien est-ce que tu ne l'as pas prise ? Vieille histoire.

20 juillet

« Après chaque gorgée, le buveur hoche la tête, agite son visage comme un nageur, satisfait, recommence à boire, est comique. » Trait qui ne mord pas, qui doit être évité. C'est la fausse élégance, de goût français.

21 juillet

(en relisant Frazer.)

En 1933, que trouvais-tu dans ce livre ? Que le raisin, le blé, la moisson, la gerbe avaient été des drames et qu'en parler était frôler des sens profonds où s'agitaient le sang, les animaux, le passé éternel, l'inconscient. La bestiole qui s'enfuyait dans le blé était l'esprit — tu fondais l'ancestral et l'enfantin, tes souvenirs de mystères et de terreurs campagnards prenaient un sens unique et sans fond.

3 août

Le fait que se produise une fois pour toutes un événement mythique qui exprime un événement cyclique du cosmos (rapt de Proserpine) est analogue à l'expression que l'on donne en art à l'expérience répétée, de nombreuses fois, d'un paysage, d'un geste, d'un événement. Combien de fois as-tu observé la colline de Quarti et de Coniolo avant de l'exprimer ?

18 août

Les leçon ne se donnent pas, elles se prennent.

19 août

Pourquoi, à chacun de tes sursauts mythiques, les troncs, le fleuve, la colline avec la lune derrière, la route et l'odeur de pré et de champ, de ton village, te reviennent-ils à l'esprit.

21 août

Les anciens se plaisaient à placer un dieu dans des lieux exotiques, lointains, ou à lui donner des épithètes dans ce sens, ou à appeler avec des noms de chez eux des lieux lointains et vice versa — ce qui revient à dire qu'eux aussi étaient des hommes de lettres.

9 septembre

Pense du mal, tu ne te tromperas pas.

Les femmes sont un peuple ennemi, comme le peuple allemand.

On a pitié de tout le monde — sauf de ceux qui s'ennuient. Et pourtant l'ennui est considéré comme une peine très grande et on en est menacé par le code — la prison.

15 septembre

Attendre est encore une occupation. C'est ne rien attendre qui est terrible.

16 septembre

Il y a un seul plaisir, celui d'être vivant, tout le reste est misère.

27 septembre

Pour celui qui sait écrire, une certaine forme est toujours quelque chose d'irrésistible. Il court le risque de dire des sottises et de les dire mal, mais la forme qui le tente, prête à s'imbiber de ses paroles, est irrésistible. (Je pense par exemple au genre de tes petits dialogues mythologiques.)

29 septembre

le réalisme, en art, est grec.
l'allégorisme est hébraïque.

5 octobre (à Turin)

Il se peut que soit vrai que la guerre assainisse le monde en le renouvelant. Cela proviendrait du fait qu'en temps de guerre, on réapprend à vivre en souhaitant le lendemain, la fin du présent, et que l'on n'est plus attaché au temps comme des avares. C'est-à-dire qu'on vit comme les jeunes gens. Ce qui est l'effet en général de n'importe quelle douleur.

Les rangées d'une vigne épaisse sont alignées — vertes ou rougeâtres ou jaunes — comme les vagues d'une mer, et contiennent dans leurs remous la richesse d'une mer. Fraîcheur, étonnement, trésors cachés.

26 octobre

J'attaque le roman. Piv. s'est mariée ce matin. Je suis enrhumé. Bien.

27 octobre

Ce qui arrive une fois arrive toujours. Sauf interventions extérieures. Mais alors ce sera un fait négatif.

(Un tel se comportera toujours d'une seule manière.

Il deviendra paralytique et ne pourra plus.

Il n'agira pas d'une autre manière, il ne fera rien.)

Désormais, je sais que ces *notes de journal* ne comptent pas à cause de leur découverte explicite, mais à cause des aperçus qu'elles ouvrent sur la manière que j'ai inconsciemment d'être. Ce que je dis n'est pas vrai mais trahit — par le seul fait que je le dis — mon être.

31 octobre

Dans mes petits dialogues, les hommes voudraient avoir les qualités divines ; les dieux les qualités humaines. La multiplicité des dieux ne compte pas — c'est un colloque entre le divin et l'humain.

5 novembre

Tout symbole vu à travers l'intelligence est allégorie.

16 novembre

Ce printemps, à Rome, l'oncle de Pintor est venu ; il avait copié les passages du journal de Giaime me concernant.
juillet 42 :

« P. est le meilleur des jeunes gens de Turin, sobre et sincère. »

« les " gentlemen " sont un peu comme les femelles. »

Pourquoi faire des conférences ? Journaux et livres sont accessibles à tous — même aux camarades les plus abandonnés. Il y a dans les conférences une manière de se démener spectaculaire et activiste qui plaît beaucoup aux *gogetters.* Quant au fait que les conférences rompent plus facilement le pain de la science, on répond que rien de culturellement valable ne sort jamais d'une conférence, que tout ce qu'on y entend, s'il doit porter des fruits, devra encore être recherché dans les livres... Et alors ? Il reste seulement qu'elles sont une école de facilité et de succès. Que le camarade qui n'est pas disposé à tirer son chapeau devant la culture, et à peiner et à entrer dans un temple (c'est ainsi qu'elle apparaît au début — et puis elle devient votre sang), reste ignorant. Il le mérite.

S'il est vrai que la religion et la magie en objectivant des complexes subconscients (démons, morts, esprits, etc.) en libérèrent l'homme primitif et donnèrent libre cours au moi, il se produira la même chose pour toute l'expérience — avec ce que l'on expérimente (amour, aventure, risque, etc.), on objective et on se libère.

26 novembre

Quand une femme sent le sperme et que ce n'est pas le mien, elle ne me plaît pas.

17 décembre

En Crète, le cyprès était consacré à Artémis.

Le Taygète et l'Erymanthe à Artémis, Cyllène à Hermès.

27 décembre

Ou bien une femme est sérieuse avec les autres, ou bien elle plaisante. Si elle est sérieuse, alors c'est qu'elle appartient à cet autre et ça va : si elle plaisante, alors c'est une salope, et ça va.

1947

1er janvier

Différent de la conclusion dense et active de 38, de celle dédaigneuse, riche et un peu amère de 46 — cette fois elle est dense et riche (*Dialogues avec Leucos, Le camarade*), mais j'y sens une énergie qui bourdonne plus fort que la voix de l'œuvre et qui ne promet pas des œuvres mais de sordides réalités.

Au café Rampione (gratte-ciel) via Viotti, où en 1932, j'ai conçu *Salut Masino.*

26 janvier

Il n'y a que deux attitude — l'attitude chrétienne et l'attitude stoïque. Probablement l'attitude communiste sert à les fondre — elle a la charité et le sens de la dureté, elle sait que tout est dur à la fin et pourtant elle fait le bien.

3 février

Tu parles, parles, parles. C'est parce que tu as été si longtemps silencieux. L'idée qu'un jour plus personne ne t'écoutera t'épouvante-t-elle ? Non.

On oublie seulement ce qu'on avait déjà oublié quand cela se produisait. Tu ne te rappelles rien sauf des états intérieurs, terminés.

Un homme une femme un jeune homme.

9 février

Pour moi, *la* colline-montagne, c'est le Taygète, découvert à quinze ans dans Catulle, c'est l'Erymanthe, le Cyllène, le Pélion découverts dans Virgile, etc., alors, tandis que je voyais les collines de Reaglie et que je me rappelais celles enflammées de S. Stefano, de Moncucco, de Camo, de S. Maurizio, de Luassolo.

24 février

Chronos était monstrueux mais il régnait sur l'âge d'or. Il fut vaincu et l'Hadès (Tartare) en naquit, l'île Heureuse et l'Olympe, malheur et bonheur opposés et institutionnels.

L'âge des titans (monstrueux et d'or) est celui des hommes-monstres-dieux indifférenciés. Toi, tu considères la réalité comme toujours titanesque, c'est-à-dire comme un chaos humain-divin (= monstrueux), qui est la forme éternelle de la vie. Tu présentes les dieux de l'Olympe, supérieurs, heureux, détachés, comme les trouble-fête de cette humanité, à laquelle pourtant les olympiens rendent des services nés de leur nostalgie titanesque, de leur caprice, de leur pitié enracinée dans ce temps. (*Pour les Dialogues.*)

4 mars

Pour toi, un ami n'est plus un moyen synthétique d'être avec quelqu'un, de vivre, mais un passe-temps, une variante du cinéma. Qu'est-ce ? Je travaille tout seul et puis je me distrais. Au temps où je croyais aux amis, je ne travaillais pas.

5 mars

C'est la nuit, comme d'habitude. Tu éprouves la joie d'aller maintenant au lit, de disparaître et que, dans un instant, ce sera demain, ce sera le matin et que recommencera l'extraordinaire découverte, l'ouverture aux choses.

Il est beau d'aller dormir parce qu'on se réveillera. C'est le moyen le plus rapide d'arriver au matin.

9 mars

Route du Salino :

Aujourd'hui tu voyais la grosse colline ravinée, le bouquet d'arbres, le brun et le bleu, les maisons et tu disais : « C'est comme c'est. Comme ce doit être. Cela te suffit. C'est un terrain éternel. Peut-on chercher autre chose ? Tu passes sur ces choses et tu les enveloppes et les vis comme l'air, comme une bave de nuages. Personne ne sait que tout est là. »

Vouloir un état laïque est logique de la part des non-croyants, c'est une conquête, un pas en avant — c'est absurde de la part des chrétiens. Les *prêtres,* les hiérarchies, le pape *doivent* s'occuper de politique : Dante pouvait diviser les sphères d'influence du pape et de l'empereur parce qu'il était sous-entendu que l'empereur faisait une politique chrétienne.

10 mars

Tu avais presque oublié la lune tranquille sur les avenues désertes. Chaque année, on redécouvre les décors naturels et l'émotion est toujours celle-ci : avoir presque oublié, etc.

Difficulté de l'art : donner comme surprise des choses bien connues. Si elles ne t'étaient pas bien connues, tu ne t'y intéressais pas au point de les traiter de façon qu'elles surprennent.

Bonheur de l'art : s'apercevoir que sa propre manière de vivre peut être la loi d'un mode d'expression.

12 mars

Autre chose est de dire que l'Olympe calquait les institutions urbaines grecques, et autre chose de dire que ces institutions calquaient l'Olympe.

14 mars

Hemingway est le Stendhal de notre époque.

15 mars

On écrit ici les choses que l'on ne dira plus, elles sont les copeaux du rabotage. Le rabotage est la journée. Ici c'est, comment dire, un moyen rapide de se débarrasser des travaux d'approche, des échafaudages, des lubies. On fait place nette pour voir clairement le gros morceau qui va apparaître.

Tu as soutenu que les formes, les styles, la page écrite sont une autre réalité que la réalité vécue. C'est banal. Mais c'est une nouvelle dimension. Ce n'est pas qu'on *n'exprime* rien, en écrivant. On construit une autre réalité, qui est parole.

Tous juifs, tous pareils, comme si rien n'était arrivé. Ils parlent des ennuis, des problèmes, du monde, sur le ton de quelqu'un qui se camoufle. On voudrait les voir proclamer qu'ils sont quelque chose, qu'ils comptent en tant que tels, qu'ils ont un mot à dire. Ils l'ont et ils ne le disent pas.

17 mars

Une fois une œuvre terminée, on cherche à en renouveler la forme non le contenu. Le style non les sentiments. Le symbole non la chose symbolisée.

Là où se sent la fatigue, c'est dans le style, dans la forme, dans le symbole. Du sentiment-contenu, on en a toujours en abondance, par le seul fait que l'on vit.

19 mars

Stendhal-Hemingway. Ils ne racontent pas le monde, la société, ils ne donnent pas le sentiment d'atteindre à une large réalité en interprétant au choix, à volonté — comme Balzac, comme Tolstoï, comme etc. Ils ont une constante de tension humaine qui se résout en situations sensorialo-sociales rendues avec une immédiation absolue. Ils ne sauraient pas en rendre d'autres, comme, au contraire, les susdits. Sur cette constante, ils ont construit une idéologie, qui est, du reste, leur métier de narrateurs : l'énergie, la clarté, la non-littérature.

Flaubert choisissait un milieu ; eux non.

Dostoïevsky construisait un monde dialectique ; eux non.

Faulkner stylise des atmosphères et mythologise ; eux non.

Lawrence fouillait une sphère cosmique et l'enseignait ; eux non.

Ce sont les typiques narrateurs à la première personne.

22 mars

Le personnage est une conception théâtrale et non spécifiquement narrative. Raconter ne réclame pas nécessairement les personnages. Le plus grand narrateur grec est Hérodote et non Homère — qui même est du théâtre *antelitteram.*

Le XIXe siècle aspirait au théâtre et n'y parvint pas — il créa par contre un grand roman, qui était du théâtre, c'est-à-dire des personnages. Maintenant on tend à s'intéresser de nouveau à la narration pure. On ne réussit même pas à mettre debout des personnages, c'est un travail banal, n'importe qui le fait. La découverte réside dans le sens du rythme, dans le sens de la réalité remuée d'Hérodote. Nous sommes à la fois plus symbolisants et plus intellectualistes — non pas l'*Iliade,* mais Hérodote (nous expliquons que nous allons raconter le choc des Grecs et des Barbares, nous en donnons les raisons, nous rêvassons — nous ne sommes plus de purs contemplateurs, nous nous mouvons dans notre univers plus richement — passions, figures, mobiles, plaisanteries, etc. — mais en même temps plus isolés.

La poésie épique est un théâtre qui ignore entre le moyens technique, l'institution, la scène.

C'est là pourquoi *Moby Dick* est une découverte de notre temps. Il n'est pas personnages, il est rythme pur.

Celui qui narrera maintenant n'est pas celui qui « connaît la nature humaine » et qui a fait la découverte de psychologies significatives et profondes, mais celui qui possède des blocs de réalité, des expériences angulaires qui rythment, cadencent et forment la trame de son discours. Hemingway a la mort violente, Levi le « confino », Conrad le mystère des mers du Sud, Joyce le stéréoscope des mots-sensations, Proust le caractère insaisissable des instants, Kafka le chiffre de l'absurde, Mann la répétition *mythique* des faits, etc.

Je m'excuse d'y avoir mis Levi.

28 mars

Voici la confirmation du 17 mars. J'ai de riches points de départ sentimentaux pour mes petits dialogues mais je suis bloqué parce qu'il me manque une forme satisfaisante d'approche — un nouveau couple d'interlocuteurs qui ne soient pas le cliché habituel.

2 avril

Les dieux savent-voient magico-rationnellement et avec détachement. Les hommes agissent, non magiquement, avec douleur. Ils donnent les noms, c'est-à-dire qu'ils traduisent en création.

5 avril

Pendant la période de la clandestinité, tout était espoir ; maintenant tout est perspective de désastre.

12 avril

Avoir l'impression que chaque bonne chose qui t'échoit est une heureuse erreur, un hasard, une faveur imméritée, cela ne vient pas d'un bon esprit, de l'humilité et du détachement, mais du long esclavage, de l'acceptation de l'arbitraire et de la dictature. Tu as l'âme d'un esclave, non d'un saint.

Qu'à vingt ans, quand tes premiers amis te quittèrent, tu aies souffert d'une noble souffrance, est une de tes illusions. C'est de devoir interrompre des habitudes agréables qui te déplaît, pas autre chose. Et tu continues maintenant, tel quel.

Tu es seul et tu le sais. Tu es né pour vivre seul sous les ailes d'un autre, soutenu et justifié par un autre, mais qui soit assez gentil pour te laisser faire le fou et te laisser croire qu'il suffit de toi seul pour refaire le monde. Tu ne trouves jamais personne qui supporte cela ; de là, que tu souffres des séparations — non point par tendresse. De là, ta rancœur pour celui qui s'en est allé ; de là, ta facilité à te trouver un nouveau maître — non point par cordialité. Tu es une femme, et en tant que femme tu es têtu. Mais tu ne te suffis pas et tu le sais.

12 mai (Rome)

Ce qui sert le plus à la poésie, à la « littérature » de quelqu'un qui écrit, c'est cette partie de sa vie qui, quand il la vivait, lui semblait le plus loin de la littérature. Des journées, des habitudes, des événements qui non seulement parurent une perte de temps, mais un vice, un péché, un gouffre. Là, la vie de cet homme s'enrichit. Cf. l'enfance dans toutes les biographies. Cf. les mauvaises aventures.

13 mai

L'innocent, l'honnête citoyen, l'homme qui n'avait rien à y voir et qui pourtant fut la victime d'une tragique erreur à l'époque des guerres civiles, devient de moins en moins intéressant et presque comique. A notre époque, personne, en réalité, « n'a rien à y voir ».

27 mai

Entrée de l'Hadès. La route encaissée dans le tuf, couverte d'aulnes et d'ormes, verte et transparente et sombre, qui débouche au soleil au portail de Sovana. Le monde étrusque est par-delà l'Hadès, il est chtonien. Sur cette terre, on sent ce que signifie « sous-terre », c'est-à-dire « creusé dans le tuf ».

On sent aussi ce que signifie que l'Hespérie était la terre des morts. Les visages d'un pays, avant que l'histoire y passe et après, se ressemblent. Ils sont de la nature. « La nature » est le royaume des morts.

Une personne qui te répugne doit être supportée. Au bout d'un instant, apparaît — infailliblement — quelque chose de non commun, de vrai. Cela même si cette personne t'ennuyait à cause de sa banalité et de son insincérité. Même, à cause de cela. Cette femme moustachue et suffisante (« Sampierdarena qui est maintenant Gênes », « Ne me parlez pas de Naples », « L'effet que font les asperges, je ne peux pas vous le dire maintenant », etc.) explique que les asperges doivent être cuites avec la pointe hors de l'eau : ainsi, les pointes cuisent à la vapeur et conservent leur saveur. Elle dit que Cinotti (via XX Settembre) est le meilleur restaurant de Gênes. Elle a mangé de la soupe de poissons à Naples, sur une péniche. Elle est odieuse, mais pleine de choses.

« J'avais une amie qui maintenant joue de la musique. »

« Pendant la guerre, je n'ai pas souffert. Ah non, je n'ai pas souffert. Au besoin une salade, mais, en dessous, il y avait de la viande... » « Chez Ranieri, via delle Carrozze, j'ai trouvé un garçon qui était à Chianciano. Il m'a bien traitée. »)

2 juin

La foule, quand elle est vue comme pépinière humaine de ce qui te fait vivre, te rassérène et te donne du courage.

Il y a des saints, des prêtres énergiques, qui ont l'orgueil enfantin de leur force. Mais pas tellement enfantin : ils en connaissent l'emploi et l'exploitent.

L'intolérance de l'*homme* écrivain, de ses lettres et de ses journaux intimes, de ses gestes, le besoin d'écouter anonymement son œuvre, viennent de l'exigence de trouver quelque chose d'absolu, de regarder un terme de comparaison, une *réalité* opérante. C'est une prémisse de classicité.

4 juin

Si vive que soit la joie d'être avec des amis, avec quelqu'un, celle de s'en aller seul, après, est plus forte. La vie et la mort.

Après tout, G. est un brave homme. Il veut vraiment avoir de la compagnie. Il a de terribles charges d'un goût passé et ne s'en aperçoit pas.

Mais es-tu sûr que tu ne l'aimes pas seulement parce que tu as pu payer et régler l'addition ? « Je serai un cadavre », a-t-il dit, « je suis lâche, faites-moi payer, Seigneur, le plus tard possible. »

23 juin (Turin)

Un discours électoral est de la nature d'un rite religieux. On écoute pour entendre ce que l'on pensait déjà, pour s'exalter dans la commune foi et dans la commune confession.

1er juillet

En somme, pourquoi désire-t-on être grand, être des génies-créateurs ? Pour la postérité ? Non. Pour se promener dans la foule et être montré du doigt ? Non. Pour soutenir la peine quotidienne de la certitude que tout ce que l'on fait vaut la peine, est quelque chose d'unique. Pour aujourd'hui, non pour l'éternité.

10 juillet

Contemplé longuement la colline de l'autre côté du Pô et noté qu'en somme il n'y a là que des parcs, des villas, des routes connues et archiconnues.

Où est l'intérêt pour le *sauvage,* qui pourtant t'inspire ? Ce qui arrive au *sauvage* c'est d'être réduit à un lieu connu et civilisé. Le sauvage comme tel n'a au fond pas de réalité. C'est ce que les choses *étaient*, en tant qu'inhumaines. Mais les choses, en tant qu'elles sont intéressantes, *sont* humaines.

Noté que *Par chez nous* et *Dialogues avec Leucos* naissent du désir du sauvage — la campagne et le titanisme.

Dans ce domaine, peut-on espérer aller plus loin que l'*Appel de la forêt ?* Lequel pourtant t'embête beaucoup.

L'art du XXe siècle donne tout entier dans le *sauvage.* D'abord comme sujets (Kipling, D'Annunzio, etc.), puis comme forme (Joyce, Picasso, etc.). Leopardi avec ses illusions poétiques juvéniles a recherché ce *sauvage,* comme forme psychologique. Anderson, à sa manière, a atteint ce *sauvage* grâce au côté naturel de la vie du Middle-West. Tout ce qui t'a frappé de façon créatrice dans tes lectures avait cette saveur. (Nietzsche avec son Dyonisos...)

Avec la découverte de l'ethnologie, tu es arrivé à historiciser ce *sauvage.* La ville-campagne de tes premiers livres est devenue le titanisme-olympien du dernier. Tu recherches la campagne, le titanisme — le *sauvage* — mais tu apprécies le bon sens, la mesure, l'intelligence claire des Berto, des Pablo, des trottoirs. Le *sauvage* t'intéresse en tant que mystère, non en tant que brutalité historique. Tu n'aimes pas les histoires de partisans ou de terroristes, elles sont trop explicites. *Sauvage* veut dire mystère, possibilité ouverte.

Ton idée du 23-26 août 44, que le *sauvage* est le superstitieux, ce qui n'est plus acceptable moralement, tandis que le simple hasard est naturel (même la cruauté de la nature nous paraît moralement dépassée), va de pair avec ta fable éternelle — le sauvage, le titanesque, le brutal, le réactionnaire sont dépassés par le citadin, l'olympien, le progressiste. Cf. *Par chez nous*, *Dialogues avec Leucos*, *Le camarade*. Toi, tu exaltes l'ordre en décrivant le désordre.

21 juillet

On aspire à avoir du travail, pour avoir le droit de se reposer.

26 juillet

dans Nilsson, *The Minoan Mycenean*, etc.

p. 279 : « La terre est d'une part le lieu de repos des morts qui sont ensevelis dans son sein, de l'autre la donneuse de la fertilité. Les divinités chtoniennes apparaissent sous le double aspect de dames de la mort et de la fertilité.

J'ai déjà exprimé plusieurs fois mes doutes quant à la validité générale de ce système hypothétique, surtout quand on le développe plus avant et que les divinités chtoniennes sont opposées à celles de l'Olympe. »

28 juillet

Id. p. 413 : « Dans l'antiquité... le motif pour lequel on construisait un temple dans un lieu donné était que ce lieu était déjà sacré. Le *caractère sacral* était inhérent à ce lieu, et dépendait spécialement du culte. »

Apollon est le dieu qui envoie les malheurs. Cf. *Fleur* et *Cavales* où il apparaît comme tel, et seulement ainsi.

Les *Petits Dialogues* conservent les éléments, les gestes, les attributs, les nœuds du mythe, mais ils en rejettent la réalité culturelle enracinée dans une histoire de greffes, de calques, de dérivations, etc. (qui nous les rend compréhensibles). Ils en rejettent aussi le milieu social (qui les rendait acceptables aux anciens). Ce qui reste c'est le problème que ton imagination résout.

4 août

Dans Harrison, *Prolegomena,* etc., p. 650.

« Les olympiens s'occupaient aussi peu de l'Avant que de l'Après ; ils ne sont ni la source de la vie ni sa fin. En outre, une autre caractéristique, c'est qu'avec les plus rigides limitations, ils sont *humains.* Ils ne forment pas une seule chose avec la vie qui est dans les bêtes, dans les cours d'eau, dans les bois comme dans l'homme. Eros « qui a les pieds sur les fleurs » qui « dort dans les plis » est de toute la vie, il est Dyonisos, il est Pan. Sous l'influence athénienne, Eros se limite à une forme purement humaine, mais le Phanès d'Orphée était polymorphe, un dieu-bête des mystères. »

(Sans le savoir, tu appliquais cette idée dans les *Petits Dialogues* en polémiquant sur la base du monde titanesque et bestial contre celui de l'Olympe.)

6 août

L'idée surréaliste (dans Herb, Read) que les images, les inspirations sont peut-être des messages télépathiques captés — et toute la théorie du rêve = poésie, de l'automatisme expressif — tend à soustraire le travail littéraire au terrain naturel et social terreux et bien planté, où il a un sens qui intéresse *toute* l'existence, et à le projeter dans un ciel exclusiviste d'illuminations et de trouvailles qui, toutes seules, ne sont que des jeux — de même qu'un cas de télépathie est un numéro de théâtre et non un fait humain.

L'intérêt d'une œuvre pour celui qui la fait — et aussi pour celui qui la comprend — c'est de la voir se former au milieu de tendances opposées, de composer et de greffer ces tendances, de leur donner un sens formel — et la plus grande de ces oppositions est entre l'inconscient et le conscient (exigences sociales, de communication, éthiques, etc.). Une œuvre de pur inconscient — par automatisme — est irrespirable, ou une simple plaisanterie.

10 août (Forte dei Marmi)

Les problèmes qui agitent une génération s'éteignent pour la génération suivante non parce qu'ils ont été résolus mais parce que le manque d'intérêt général les supprime.

Ces montagnes devraient être grecques. De la mer, on voit les premières, sombres et boisées, vert-rouille, et derrière, loin dans le ciel, les profils spectraux, aériens, de celles qui sont tout-rocher, pâles, légères. Leur pâleur surhumaine est faite de veines de marbre. Elles sont un décor sauvage, mais plein de forme et de rythme, âpre, sec, mythique : grec.

16 août (Forte dei Marmi)

La saison la plus douce, la plus calme et la plus molle, l'automne, supplante la précédente et s'installe avec des sursauts peureux, d'énormes orages, des ténèbres sur le matin, des tourbillons et des massacres de feuilles qui font comprendre combien de violence coûte la maturité.

18 août

Une œuvre ne résout rien, de même que le travail de toute une génération ne résout rien. Les enfants — le lendemain — recommencent toujours et ignorent allégrement leurs parents, le déjà fait. La haine, la révolte contre le passé est plus acceptable que cette béate ignorance. Ce que les époques antiques avaient de bon était leur constitution où l'on regardait toujours vers le passé. C'est là le secret de leur inépuisable plénitude. Parce que la richesse d'une œuvre — d'une génération — est toujours donnée par la quantité de passé qu'elle contient.

25 août

La première grande manifestation de « littérature » et à la fois sa fondation exemplaire s'accompagnent du mythe d'un âge d'or, d'une tour d'ivoire (Arcadie virgilienne).

26 août

Qu'il arrive toujours les mêmes choses à chacun n'est pas une affirmation déterministe. Au contraire. Si ces choses arrivent, cela ne veut pas dire que le sujet est déterminé par la nécessité naturelle de ces choses, mais qu'en chaque occasion, il apporte ce qu'il a de constant, sa nature, sa personne, son essence, etc., et c'est celle-ci qui choisit les occasions, qui les façonne toujours de même. Le moi humain a beau entrer dans ces occasions, elles sont libres.

7 novembre

Publié *Le camarade* et *Leucos*.

Travaux de 46 — de mes 38 ans. Tu as plus que jamais envie d'écrire. Tant mieux.

Cet amour tranquille, sans problème, est le plus grand de tes problèmes. Tu l'as dans le sang plus que les autres. Est-ce celui-là le vrai ? Qui sait.

8 novembre

Je réponds que l'abandon de soi-même, absolu et confiant, à l'humilité, à la grâce, à Dieu, a le défaut d'être un geste présomptueux, un orgueil, un espoir injustifié. Une hypothèse commode.

On me répond. Tout homme est ainsi. Il tombe par terre et tend la main. Il se sent mourir et se fie à n'importe qui. La *vraie* expérience contraint à la totale abdication et à l'espoir. Quand nous sommes perdus, nous espérons.

Je réponds que ce n'est pas encore une raison pour que la chose espérée soit réelle, existante.

On me répond d'accepter mon geste instinctif. Je ne peux pas me tromper. Le problème de se tromper n'existe plus, parce que, de cette façon, tout m'est donné, même la foi.

Je réponds qu'alors...

On me répond...

Je réponds...

11 novembre

Si la personne que tu attends ne revenait pas, ne venait plus jamais te voir, restait où elle est, son courage aurait l'inutile effet de la faire regretter. Toi qui aimes tant te faire regretter, apprends combien l'effet est futile.

La *Maison sur la colline* est peut-être l'expérience qui a culminé dans *Retour à l'homme*.

21 novembre

Savoir que quelqu'un t'attend, que quelqu'un peut te demander compte de tes gestes et de tes pensées, que quelqu'un peut te suivre des yeux et attendre un mot — tout cela te pèse, te gêne, te blesse.

Voilà pourquoi le croyant est sain, même charnellement — il sait que quelqu'un l'attend, son Dieu. Toi tu es célibataire — tu ne crois pas en Dieu.

7 décembre

On a tant parlé, tant écrit, tant donné l'alarme sur notre vie, sur notre monde, sur notre culture, que voir le soleil, les nuages, que sortir dans la rue et trouver de l'herbe, des cailloux, des chiens, émeut comme une grande grâce, comme un don de Dieu, comme un rêve. Mais un rêve réel, *qui dure,* qui est là.

11 décembre

« Les mères » disent les latins, en parlant des bacchantes. N'est-ce pas étrange ? Non, si l'on pense que l'orgie bachique est un rite d'initiation des époques matriarcales.

« *...the hunting, fighting, or what not, the thing done, is never religious; the thing re-done with heightened emotion is on the way to become so. The element of action re-done, imitated, the element of* μιμεσιε *is, I think, essential... Not the attempt to deceive, but a desire to re-live, to re-present* » (Harrison, *Themis,* p. 43).

Est-ce que cela ne correspond pas à ta vision mythique, à ta « seconde fois » ? Et dans cette mimesis il y a le secret de la poésie. Représenter une chose faite, une chasse, une bataille, n'est-ce pas la raconter ? La représenter avant qu'elle ait lieu, pour la faire se produire (magie), n'est-ce pas la prophétiser ? C'est là la poésie qui est magie et rite — religion.

Le charme des mythes grecs provient du fait que des positions initialement magiques, totémiques, matriarcales, initiatiques furent — par la vigoureuse élaboration de la pensée consciente qui se produisit aux siècles X-VIIIe avant J.-C. — réinterprétées, torturées, contaminées, greffées, selon la raison, et de la sorte nous sont parvenues riches de toute cette clarté et de toute cette tension spirituelles mais en restant néanmoins mêlées d'anciens sens sauvages symboliques.

20 décembre

Que le rite précède toujours le mythe et le dogme, c'est la grande loi des choses spirituelles de l'esprit. Si au lieu de rite tu dis *vie* et au lieu de mythe et dogme *poésie et philosophie,* la chose est claire.

Même le rite de l'agape et de l'eucharistie a précédé les Évangiles et en a déterminé la forme.

28 décembre

Le mythe grec enseigne que l'on lutte toujours contre une partie de soi-même, celle qui s'est dépassée. Zeus contre Typhon. Apollon contre Python. Inversement, ce contre quoi on lutte est toujours une partie de soi-même, un ancien soi-même. On lutte surtout pour *ne pas* être quelque chose, pour se libérer. Celui qui n'a pas de grandes répugnances ne lutte pas.

1948

1er janvier

Matinée romaine de soleil sur la terre et sur l'eau, mordante, savoureuse, vivante. Un premier janvier comme je n'en ai jamais vu. Une année terrible va-t-elle suivre ?

Le 3, opération qui me donnera une paix nouvelle. En 47, je n'ai rien écrit (quelques dialogues et début d'un roman). Je n'ai rien *fait.* Mes deux livres sont sortis. Je suis allé à Rome et à la mer, toujours vif, toujours un peu haletant. Peur ou envie ?

Mais aujourd'hui, quelle journée. On ne dirait pas Turin. C'est un hiver plus étrange que celui de 43-44. On dirait une ville nouvelle où l'on arrive le matin par le train, et l'on sait que l'on va se promener, voir, vivre. Une ville au bord de la mer avec le soleil qui éclaire les derniers étages des maisons, des palais, et les collines ouvertes.

10 janvier

Ton exigence de conserver à la parole sa ligne parlée, sa légitimité expressive, sa matérialité. Puisque l'art n'est pas autre chose que l'exploitation de la matérialité des moyens (sons, marbres, couleurs, etc.) pour en tirer l'expression, sans violer les lois de cette matérialité. Le langage est soumis à une syntaxe, à une cohérence grammaticale, à une tradition en somme — comme les sons à des rapports mathématiques, les pierres à des lois de gravité, et les couleurs à des rapports chromatiques. Voilà pourquoi tu repoussais instinctivement les paroles-libres futuristes.

L'inconscient pour l'inconscient, la forme obscure et allusive qui devrait rendre les fulgurations subconscientes (automatiques), qu'ont-ils de différent des vieilles normes de l'art imitateur de la nature ? Ils sont une adaptation de la conscience à son objet…

(En lisant L. Rusu, *Essai sur la création artistique*, Alcan, 1935, p. 307.)

12 janvier

Si une petite opération fait autant souffrir…

Pourquoi quand tu réussis à écrire sur Dieu, sur la joie désespérée de cette soirée de décembre au Trevisio, te sens-tu surpris et heureux comme quelqu'un qui arrive dans un pays nouveau ? (aujourd'hui, page du chap. XV de la *Colline*).

16 janvier

Les Grecs ont créé la *représentation théâtrale,* les Latins la *littérature.* (Cf. Bérard et Snell.) Voir, du reste, le 22 mai 47. Narrateurs, les Grecs l'ont été seulement avec leurs historiens (Hérodote, Thucydide) et même Hérodote composait pour *lire* aux Olympiades. Homère était déclamé, les lyriques étaient chantés, les tragiques joués, les orateurs prononcés, la philosophie discutée. Toujours la voix et le geste.

La *narration,* qui est un épanchement sur la page au milieu des choses et des événements, ce sont les Latins qui l'inventèrent avec les poèmes, les romans, les histoires, bien que chez eux aussi se maintînt la conception *oratoire,* par exemple, de l'histoire. Le célèbre « naturel » des Grecs naît de l'utilisation d'un langage *parlé,* au sens propre. On ne peut pas *parler* de façon non naturelle ; on sentirait tout de suite la dissonance avec l'acteur, avec le parleur en chair et en os. Le langage *littéraire,* composé, s'obtient seulement quand le discours est filtré et déshumanisé, *dépersonnalisé,* sur la page écrite.

La tendance contemporaine à narrer à la première personne est un effort inconscient vers le naturel qui, pourtant, veut rester page, récit et non geste. C'est une façon de se rebarbariser, la seule permise maintenant puisque le théâtre sent trop, chez nous, le schéma académique.

19 janvier

Aujourd'hui, journée mauvaise, perdue. Rencontres tolérées, éreintantes, inutiles. Situations graves inavouables, idiotes. Rien inventé, rien fait. Et pourtant vu beaucoup de gens : Natalia, Balbo, Maria, Piero, le conteur existentiel, Simone, d'autres. Journaux du soir menaçants. C'est tout. Ou on le dirait. Acheté un nouveau stylo.

On dirait certaines journées du 46 romain. En y repensant, je les sens belles. Si je lis ces jours, seulement, je comprends comme j'étais à terre. Dans le souvenir, on goûte spécialement les périodes qui semblaient intolérables quand on les vivait. Rien ne se perd. Le malaise, le dégoût, l'angoisse acquièrent de la richesse dans le souvenir. La vie est plus grande et plus pleine que nous ne le pensons.

20 janvier

Aujourd'hui consécration. On me supplie d'écrire, d'accorder ma signature. Si je l'avais su à vingt ans ! Quelque chose compte-t-il maintenant ? De nouveau, hiver 46, romain. Je suis triste, inutile, comme un dieu.

21 janvier

Le jeune ... à l'expression dure et intense, est un échantillon désagréable et redoutable. Il se tait sur les choses qu'il a faites et laisse parler d'elles, avec une importance suprême. Il est têtu, renfermé, perceptif et fanatique. Fanatique de lui-même, de ce qu'il fait. On ne peut pas badiner avec lui ; même sa sottise est une chose sérieuse qui a des profondeurs imprévues. « Il a un complexe de supériorité » dit Calvino, et il a raison, parce qu'il y a aussi en lui une gêne, une sorte d'ennui, ce que l'on appelle un complexe. Un homme désagréable.

25 janvier

Ce n'est pas que des choses arrivent à chacun selon un certain destin, mais que chacun interprète les choses qui sont arrivées, s'il en a la force, les disposant selon un certain sens — ce qui revient à dire, selon un certain destin.

Il y a des rues, des avenues de Turin où marchaient et vivaient des gens que la guerre a ballottés et tués. Des gens heureux, intelligents, qui comptaient alors, que tu connaissais à peine. C'était toute une société. A quoi bon a-t-elle existé ?

30 janvier

Nuit d'étoiles rares, nettes. Vues entre les branches des arbres, elles ont l'air de pierres pré·cieuses, de bourgeons. Les premières de l'année. (12 octobre 43 — 25 juillet 44 — 15 mars 45 — 18 avril 45, que peut-on faire de ces cinq fragments ? Rien. Chacun serait-il parfait ? Oui. Effet des choses rares.)

4 février

Lundi 2, cessé, comme ça, par jeu. Ça ne semble pas difficile.

Il est certain que Falqui lutte bien. Le *Laboratorio* de la « Fiera Letteraria [1] » est toujours très intelli-

1. Hebdomadaire littéraire italien.

gent. La prose de Foscolo rapprochée de la prose leopardienne et opposée à la prose romantico-dialectale, c'est une belle découverte.

5 février

Mon antipathie croissante pour N. provient du fait qu'elle prend pour *granted,* avec une spontanéité *granted* elle aussi, trop de choses de la nature et de la vie. Elle a toujours le cœur sur la main — le cœur muscle — son accouchement, ses règles, les petites vieilles. Depuis que B. a découvert qu'elle est naturelle et primitive, on ne vit plus.

En religion, on ne considère pas la vie mais la mort, parce que les choses de la vie reçoivent leur valeur du fait d'être vues dans l'éternité, c'est-à-dire par-delà ou au-dessus de la mort.

10 février

Mardi, (enrhumé-fièvre), recommencé depuis deux jours à fumer et senti de nouveau cette démangeaison terrible, intolérable. Cessé — Cessé. Même jeu qu'à vingt ans, quand fumer la cigarette m'étouffa et que je dus cesser. Trouverai-je un succédané ?

13 février

« Une philosophie épurée de tout arôme spéculatif et réduite à de la pure histoire ou historicité ou à un pur humanisme » (la philosophie de la praxis, *Gramsci*) ne ressemble-t-elle pas à la poétique de la poésie pure, épurée de tout contenu et réduite à une pure forme, à un pur chant ?

1er mars

Quand vient le triste soir, le cœur écrasé, sans raison, la consolation est encore dans l'habituelle pensée que même le soir gai, ivre, exalté, n'a pas de raison, sauf peut-être une rencontre déjà fixée, une idée qui vous est venue brusquement pendant le jour, une petite chose qui pouvait ne pas être. C'est-à-dire que vous console la pensée que rien n'a de pourquoi, que tout est fortuit. Étrange chose. Sur un autre plan, cette pensée est glaçante. Tu supportes la couleur changeante de tes humeurs parce qu'elle est futile.

Cela présuppose un énorme optimisme, une confiance dans le simple événement. Tant que les choses arrivent seulement, et qu'il n'y a rien dessous, tu es tranquille. C'est le renoncement épicurien, c'est vivre tranquille. Est-ce possible ?

2 mars

Ce besoin d'être seul, de ne pas sentir qu'on te demande quelque chose, qu'on t'attire avec soi... Cette horreur qu'on ait le moindre droit sur toi, qu'on te le fasse sentir... Cette évidente maladresse des autres, d'attendre quelque chose, de *take for granted* quelque chose de toi.

Tu deviens tout de suite incapable, tu t'éteins, tu te raidis, tu regimbes. Tu n'es plus capable de dire une bonne parole. Tu coupes court et tu abandonnes.

La rancœur contre celui que tu as ainsi éliminé et que, par pitié, par sacrifice, tu dois encore bien traiter.

La santé intérieure que donnent la profession politico-morale, le contact avec la masse, n'est pas différente de celle qui naît de n'importe quel travail, de n'importe quelle activité à laquelle on se consacre. Quand tu écris quelque chose et que tu t'y adonnes, tu es serein, équilibré, heureux.

Et si tout est seulement santé, exister efficacement ? Que diras-tu au moment de la mort ?

5 mars

L'école romaine — ce rendez-vous de journalistes, d'aventuriers, d'écrivains, de peintres, etc., a inventé un art réfléchi, de type alexandrin, le goût de refaire un style, une technique, un monde qui « font date » et qui mettent en relief l'intelligence et le non-agencement. Longanesi et « Omnibus , Cecchi et Praz, Cardarelli et Bacchelli, Moravia et Morante. En dehors, Landolfi et Piovene. Ce fut en somme l'art fasciste ; ce qui naquit de vivant et de vrai — de cynique — pendant la période fasciste. Ils fuient les extrêmes, la Sicile et le Piémont, qui ne furent pas fascistes, qui se barbarisèrent et découvrirent l'outre-mer — Vittorini et Pavese. Pour ceux-ci, il faut une autre formule.

Au fond, l'intelligence humaniste — les beaux-arts et les lettres — n'a pas souffert sous le fascisme ; elle a pu se singulariser, accepter cyniquement le jeu. Là où le fascisme fut vigilant, ce fut dans les échanges entre l'*intelligentsia* et le peuple ; il maintint le peuple dans l'obscurité. A présent, le problème est de sortir du privilège — servile — dont nous jouissions et non pas d' « aller vers le peuple » mais d'« être le peuple », de vivre une culture qui ait ses racines dans le peuple et non pas dans le cynisme des affranchis romains.

Balbo disait que tu es païen. Non, stoïque.

9 mars

Les quatre plus grands — mondes complexes et inépuisables, ambigus, modernes — ce sont Platon, Dante, Shakespeare et Dostoïevsky. Chaque nation en donne un seul. Si une nation est un ensemble de souvenirs communs, de coutumes, d'habitudes et de mythes, il est naturel que se produise une seule fois le moment où tout s'équilibre et vit ensemble vraiment.

23 mars

Pourquoi l'éternité ? Nous ne comprenons pas ce qu'elle est. A l'objection que, quel que soit le terme que nous mettions à l'existence, notre pensée bondirait tout de suite au-delà, on répond que cela ne prouve pas qu'*au-delà* il y ait une vraie réalité : le petit pion pensant sur la sphère saute toujours plus loin et cela n'empêche pas que, pour lui, la sphère soit limitée. Nous sommes ainsi faits que notre esprit saute toujours plus loin — voilà tout — mais il n'est pas dit que le temps existe vraiment, et donc le problème de notre caducité tomberait.

Il reste — comment se fait-il si le temps n'existe pas, que nous soyons faits sur un schéma temporel ? Si la réalité est toujours pareille et immobile, comment se fait-il que nous soyons toujours différents et mobiles ?

27 mars

Moi-même et, je crois, beaucoup d'autres, nous recherchons non pas ce qui *est vrai* dans l'absolu, mais ce que *nous sommes*. Dans ces pensées, tu tends avec une sournoise nonchalance à laisser affleurer ton vrai être, tes goûts fondamentaux, tes réalités mythiques. Une réalité qui n'aurait pas de lien radical dans ton essence, dans ton subconscient, etc., tu ne sais qu'en faire.

Au fond, ce qui te déplaît justement en Dieu, c'est sa plus grande qualité — c'est qu'il est détaché, différent de toi, le même pour tous, et pourtant une chose suprême.

Mais pourquoi acceptes-tu ton *moi* — ce moi quelconque qu'il t'est donné d'être ? Dans un certain sens, ton moi n'est-il pas tout autant objet que le moi divin ? Je ne crois pas que ce soit par ambition. Peut-être par paresse ? Ou par la conviction qu'il ne sert à rien de t'appuyer sur autre chose — de cultiver des qualités que tu n'as pas, de traiter des histoires que tu ne sens pas, etc. ? Peut-être le défaut provient-il justement de ton éducation poétique, qui t'a habitué à croire seulement à ta *vraie* nature.

28 mars

Ce soir, une étoile entre les branches d'un arbre, lumineuse comme une prune jaune.

Aujourd'hui, un incendie de l'autre côté de la colline — un nuage de fumée, dans le ciel clair — la première bombe atomique.

Ce printemps ressemble à celui de 46 à Rome. Cf. 19, 20 janvier, 1er mars, etc. C'est la tristesse ambiguë *après l'œuvre finie*[1].

1. En français dans le texte original

30 mars

L'odeur de la première pluie nocturne, sous le ciel clair. Saison ouverte, retour.

Dans la vie, il n'y a pas de retour. Beauté de ce rythme discordant — sur le retour périodique des saisons, la progression des années qui colorent de façon toujours différente un thème semblable — mesure et invention, constance et découverte — l'âge est une accumulation de choses semblables que l'on enrichit et que l'on approfondit de plus en plus.

31 mars

On ne comprend pas comment aux temps où le monde n'avait pas d'autre explication que l'explication chrétienne — au Moyen Âge — quelqu'un osait être méchant, mourir impénitent.

1er mai

Vu clairement la question des Chinois, non sans sourire. Expliqué à M. L. devant la colline — étonnante — que de ne pouvoir rien en faire, d'être contraint à l'admirer et un point c'est tout, me mettait en rogne. L'idée de la posséder, d'en faire ma chose, d'en boire le secret, de l'incarner en moi, je ne réussissais même pas à l'exprimer. Je me suis expliqué par la comparaison avec le fruit : de même qu'un fruit se mange et s'assimile, de même la colline. Mais, et après ? disais-je ; en attendant, il n'y a plus de fruit.

Admis que le problème était seulement littéraire ; j'ai expliqué à M. L. les raisons de la lyrique naturiste chinoise — 4000 ans de lyrique identique — j'ai expliqué la structure magique de la pensée et de la société chinoises, la correspondance entre le pouvoir et l'identification avec le territoire, la réalité continuelle de montagne, de forêt, de marais, de fleuve, d'animaux, etc. qui forme la substance de la réalité humaine. Eux, ils ont déjà tout fait — ai-je dit — et le résultat ? Ils ont décrit des paysages. C'est tout.

L'Occident a toujours préféré l'homme à la nature. Poésie narrative avec des héros. Il a découvert le paysage avec le romantisme, c'est-à-dire avec l'identification (magique) avec la nature (Schelling, etc.).

11 mai

Finie celle-ci aussi. Depuis le 13 septembre 47. Je croyais rester plus indifférent. Elle me fait de la peine. Elle est plus sincère parce que plus passionnée.

13 mai

Commencer : c'était la première fois que C. plaquait une femme sans avoir le désir de claquer la porte...

Recueillir toutes ses propres situations typiques (c'est pour cela que tu es né) :

violence et sang dans les champs
fête sur la colline
promenade sur la crête
bord de mer...

Heureusement, elles sont nombreuses.

26 novembre 49

N'est-ce pas là le thème de la Lune et les feux ?

27 mai

Celui qui décrit la campagne, les choses, des couleurs et des formes, des détails et des sensations, on ne voit pas pourquoi il ne décrit pas de la même manière également des corps de femmes — couleur, fermeté, toison, creux, sexe. C'est la même attitude.

15 juin

« Un païen d'avant le Christ peut faire son salut s'il se conforme au bien naturel. »

Alors à quoi sert la révélation du Christ ?

a) Si celui qui l'entend et la pratique a plus de mérite que celui qui ne l'entend pas — alors c'est une injustice.

b) Si celui qui ne l'entend pas mais pratique le bien naturel a le même mérite — alors elle est inutile.

26 juin

Plus une personne supporte difficilement les chaînes et a besoin de liberté, plus elle est maniaque. L'insaisissabilité est ladre.

Le souvenir d'un sommet atteint dans le passé — le champ de marguerites qui, pour ton enfance, était toute la nature — t'émeut aussi profondément aujourd'hui parce qu'il te paraît un symbole d'une grande expérience, de toute cette somme infinie d'expériences qui s'annonçait dans le sommet d'alors. Tu y trouves maintenant, en te le rappelant, un symbole de toutes les expériences possibles, tu respires l'atmosphère de *sommet,* et cela tu le fais aisément, étant donné la compréhensibilité et la disponibilité de ce petit souvenir. *Symbole* signifie cela. Objectiver devant soi comme avec le petit bout d'une longue-vue un vaste paysage ; en disposer comme d'une chose tout entière possédée et implicitement allusive à d'infinies possibilités.

Cela vaut pour les créations imaginaires archaïques, lesquelles sont simples, humbles, infiniment moins complexes que la vie que nous vivons maintenant, et qui, pourtant, vous ravissent comme authentique expérience de sommet.

3 juillet

Notre crise, c'est que nous ne croyons plus à la distinction entre choses sacrées et choses profanes. (Les choses sacrées seraient celles qui sont chargées de puissance, uniques, mythiques). Donc, ou tout profane (matérialisme mécaniste) ou tout sacré (christianisme réformé, de l'esprit et non de la lettre).

L'ascèse, qui est se détacher des choses profanes pour se rapprocher des choses sacrées, change d'aspect. Il faut se détacher de *tout*, pour se rapprocher de *tout*. Jouir de *chaque chose* profanement mais avec un détachement sacré. Avec un cœur pur.

24 juillet

Une personne qui te laisse entendre qu'elle vit à sa façon, qu'elle a des idées, qu'elle te juge toi et les autres, qu'elle se passe de toi — est déprimante. Il n'y a qu'à l'ignorer — à la traiter comme elle te traite.

La belle compagnie. Cri dans la nuit.

3 septembre

Elle parlait, parlait, disait de très belles choses et toi tu avais à faire et ça t'embêtait. Elle disait que les loups-garous sont des enfants d'hydrophobes. Elle disait que le chien et la vipère ont la même échine, et la même puanteur, et que la peau de la vipère rend le chien furieux. Elle disait que l'heure de Pan est sentie par les bêtes. Que le loup-garou hurle à la lune parce que c'est un chien enragé. Elle disait qu'elle passe son temps à chercher les relations et les liens entre les choses, etc.

Elle parlait de *Par chez nous,* qui a une charpente.

3 octobre

A Hemingway

Did you ever see Piedmontese hills? They are brown, yellow and dusty, sometimes « green »... You'd like them.

Yours C. P.

7 octobre

Le 4 octobre, fini le *Diable sur la colline.* Ça a l'air de quelque chose d'important. C'est un nouveau langage. Au dialectal et à l'écriture soignée, il joint la « discussion d'étudiants ». Pour la première fois, tu as vraiment planté des symboles. Tu as récupéré la *Plage* en y greffant les jeunes gens qui découvrent, la vie de discussion, la réalité mythique.

8 octobre

[...]

Étrange. Les femmes supportées et haïes, dans la *Peur,* commencent par E ; celles courtisées et intangibles par C. Elena Elvira ; Concia Cate.

Relu, au hasard, un fragment du *Camarade.* Effet de toucher un fil électrique. Il y a une tension supérieure à la normale, folle, due à la cadence glissante des phrases. Un élan continuellement bloqué. Un halètement.

10 octobre

La réputation qu'ils te prêtent de personne solide, dure, volontaire et ayant réussi, comporte le sous-entendu qu'ils veulent s'appuyer sur toi, s'enraciner dans ta force, la faire dévier à leur profit. En somme la détruire. Il semble qu'ils ne sachent pas que tu t'es créé ta solidité dans *un* but, qui est de ne pas les aider.

Un vieux rêve. Être à la campagne avec une belle femme — Greer Garson ou Lana Turner — et mener une vie simple et perverse. Choses passées. Tu n'y penses plus.

14 octobre

« … Je me fous du contenu… » dit Nat. Elle veut la vie vraie, des histoires de pauvres femmes.

15 octobre

Avant que le coq chante.

16 octobre

Comme tu es égoïste, tout le monde te fait la cour par intérêt. (Cf 24 juillet.)

24 octobre

« C'est un honneur pour nous » t'a dit ... Alors. Au printemps de 45. Ces choses-là n'arrivent qu'une seule fois. Comptent-elles ? Tant que le monde oscille dans la crise, tu peux jouer ce jeu, mais ensuite ?

Es-tu prêt à mourir obscurément ? Cela devra arriver un jour.

Considérer la mort comme un incident. Alors que c'est une chose énorme.

31 octobre

Découvert que V. ne *sent* pas les situations gênantes. Étrange chez quelqu'un qui aspire à être un homme du monde. Il insiste, insiste quand on lui répond évasivement. Pourquoi ? Par affection ou par intérêt (faire salon). Par simple grossièreté ? En tout cas, découvrir cela t'a fait plaisir.

11 novembre

Découvert le plaisir d'entrer dans un café de banlieue jamais vu, d'y voir des joueurs, peu de gens, de frôler la vie d'un monde que tu as toujours senti à distance et qui te paraît contenir tellement ton passé et tes espoirs. Café presque vide, moderne. En fait, peu après, est entrée une fille fauve, presque sauvage, avec un homme non étrange. Tu es sorti, heureux.

Depuis quelque temps, les impressions générales, les idées se raréfient. Tu notes des instants.

19 novembre

Si l'on sait ce que l'on veut dans la journée — c'est-à-dire si l'on travaille sérieusement — on se fait aussi une mesure pour évaluer les situations et les hommes. B. se fourre dans des situations pénibles, dans lesquelles il se débat avec perte de temps et d'énergie, parce qu'il ne travaille pas sérieusement, et alors il ne se rend pas compte des situations — qui peuvent uniquement être élucidées en tendant clairement à une fin et en agissant techniquement dans ce but. Nouvelle preuve que, pour connaître, il faut agir, que, pour *connaître* le monde, il faut *le construire.* Attention de ne pas croire que construire signifie bouleverser, *changer* à tout prix. La science de la réalité est la science du possible, du progressif, non de l'agitation violente et vaine.

Que celui qui ne tend pas vers une fin ne comprenne pas la réalité, c'est-à-dire qu'il n'y voie pas un ordre rationnel, il semble que cela signifie beaucoup de choses. Cela signifie-t-il que la rationalité est seulement un instrument pour l'action (Bergson) ou que notre nature est rationnelle et que l'action tend vers la vérité (saint Thomas et Marx) ?

L'avant et l'après ne comptent pas. Nous *existons* dans une *sphère rationnelle.* On n'échappe pas à cela. Logique de l'irréversibilité de la culture, du progrès, de la connaissance. Lamentation leopardienne de ne pas pouvoir échapper à l'amer vrai. Pourquoi amer ? A cause de la difficulté de s'affranchir de l'habitude. Rien d'autre. La nouvelle génération vient et s'y trouve très bien. Autant valait que s'y adaptât déjà la précédente.

27 novembre

Situation à rideaux blancs de dentelle sur les fenêtres du Valentino ; chambre chaude, matinale (dehors, c'est l'hiver) ; le rêve qui s'est réalisé —

découverte soudaine (elle est entrée la nuit, quand il faisait noir) la femme et l'amour.

3 décembre

Le plaisir — l'un des plus authentiques — de s'apercevoir que quelqu'un est contraint de choisir, qu'il ne peut pas avoir deux choses à la fois. C'est un rappel du *caractère tragique* de la vie, lequel consiste dans le fait qu'une valeur ne se concilie pas avec une autre. Il résulte de cela que tu as renoncé à tant de choses pour en avoir une seule — et il te plaît que cette loi écrase tout le monde.

Les personnes qui *take for granted* quelque chose te heurtent, en ce qu'elles prétendent échapper à ce caractère tragique. Les personnes qui jouissent païennement de quelque chose idem, en ce qu'elles nient, par leur avidité, l'incertitude de l'occasion. Aspirer à quelque chose, y prétendre, est en soi blessant, en ce qu'il abolit l'ironie de la vie.

On hait les autres parce qu'on se hait soi-même.

Pourtant, toi, tu *take for granted* ce qu'il ne faut pas *take for granted.* Ici vient à point la pureté du cœur, l'humilité, l'acceptation du monde de Dieu.

5 décembre

Un lieu qui te plaît (Turin avec des nuages hivernaux rouges, des campagnes, des parcs, etc.) ne doit pas être décrit avec enthousiasme comme tu le faisais étant jeune, mais ce qui doit être représenté, d'une façon nette et claire, c'est la vie que mène celui qui y vit, qui en est l'expression. Exemple, Dostoïevsky. De la sorte, par la tangente, ces lieux resteront dans l'imagination du lecteur. On obtient ce qu'on ne cherche pas.

8 décembre

L'esprit grec naît de la rencontre d'une « qualité » avec une culture préexistante (achéens pélasgiens). De là l'effort critique pour adapter et comprendre. De là *la critique* (Homère, Hésiode — Ioniens, etc. Tragiques) — Les autres peuples (Orientaux) ne firent pas cet effort — ils succombèrent ou détruisirent ou végétèrent ensemble.

De l'effort naît le détachement, l'ironie, la plasticité, la rationalité, la liberté individuelle. Les autres peuples ne sortirent jamais du magma maternel (autochtonie, satrapie, esclavage universel. En art : fable et décoration hiératique).

La culture ionienne est déjà une renaissance (découverte d'une *autre* culture, rencontre et acquisition). L'autre culture était la culture minoenne.

11 décembre

Les Hébreux qui, de leur temps, exaltèrent la morale et la justice en les appelant Esprit divin, Sagesse, finirent sans s'en apercevoir par exalter l'intelligence qui, elle aussi, se nomme l'esprit. Histoire récente.

18 décembre

« Ça ne plaira ni aux prolétaires ni aux bourgeois » dit R. Bien.

20 décembre

La fille qui travaille en se voyant dans la glace. L'homme qui la voit, la voit et lui parle. Ils vont ensemble en société.

La fille qui prie à la caisse. Elle prie, prie pour les clients. Elle va avec l'un d'eux au Valentino, il la renverse et la viole.

La fille est laide et se voit dans la glace. Toute la journée. L'homme lui dit que lui rit et se réconforte dans la glace.

21 décembre

L'homme la croit écrasée et froide. Elle est terrible et orgiaque. Elle se déchaîne. L'homme a peur.

(en lisant Lukács).

L'art du XIXe siècle est centré sur le développement des situations (Bildungsroman, cycles historiques, carrières, etc.) ; l'art du XXe siècle sur les essences statiques. Le héros était différent au début de celui qu'il est à la fin de l'histoire ; maintenant, il est toujours le même.

L'enfance préparation de l'homme (XIXe siècle) ; l'enfance contemplée en soi (XXe siècle).

25 décembre

Celui qui renonce avec conviction et avec méthode a construit sa vie sur les choses auxquelles il renonce. En somme, il ne voit que celles-ci.

Étrange manie de vouloir un double de chaque chose : du corps l'âme, du passé le souvenir, de l'œuvre d'art l'appréciation, de soi-même l'enfant... Sinon, les premiers termes nous sembleraient dépréciés, vains. Et les seconds alors ?

Est-ce parce que tout est imparfait ? ou parce qu' « on voit les choses seulement la seconde fois ? »

« J'arrivai à Turin, pendant le carnaval, comme le faisaient jadis les étudiants et les saltimbanques... »

30 décembre

Les épithètes latines sont impressionnistes, lyrico-fabuleuses, des inventions exquises ; les épithètes grecques sont des résidus de l'antique, hiératiques, des caillots obscurs.

Première conséquence de la conception poésie = terre inconnue, c'est que le poète travaille et découvre *tout seul,* et les conseils qu'on lui donne sont sur des thèmes déjà connus (= littérature).

31 décembre

Année très sérieuse, de travail définitif et sûr, de situation technique et matérielle acquise. Deux romans. Un autre en gestation. Dictateur éditorial. Reconnu par tous comme un grand homme et comme un homme bon. Par tous ? Je ne sais pas.

Tu iras difficilement plus loin. Ne pas croire que tout cela soit grand-chose. Tu ne l'espérais pas dans le passé et cela t'étonne. Continue, prêt à l'idée que les fruits seront peut-être demain de cendre. Cela doit t'être indifférent. Ainsi seulement, tu expieras ta bonne fortune et tu t'en montreras digne.

1949

3 janvier

Autre coup. *La poésie est liberté,* goûté et apprécié.

8 janvier

Touché par la conviction obstinée de *** que son livre [...] est important. Lui et sa femme en parlent comme de *notre* livre... Il semble qu'il ait plu à A. *** dit que, moi, je suis un écrivain hermétique, difficile... Lui aurait écrit pour le peuple, pour tout le monde. Il y a un accord entre sa poétique et la poétique socialiste. (Tu as envie de dire ce que R. — 18 décembre 48 — disait du *Diable sur la colline :* ça ne plaira ni aux prolétaires ni aux bourgeois).

Cette découverte que tu as faite en 38, que le message des Américains est le sens d'une mystérieuse réalité sous les mots (préface à *Alice Toklas*) est vraie, mais doit être étendue à l'époque d'Emerson, de Hawthorne, de Melville et de Whitman. Tu l'attribuais alors à Anderson, Stein, etc. Cela montre que le *revival* de 1916 est authentique, qu'il a repris le grand thème national. Nouveau sens de la démocratie américaine par rapport à l'illuminisme. L'individu libéré découvre la réalité cosmique — une correspondance entre les choses et l'esprit, un jeu de symboles qui transfigurent les choses quotidiennes et leur donnent une valeur et une signification, sinon le monde serait réduit à l'état de squelette.

11 janvier

Le con que tu as entendu ce soir (« tous, nous cherchons notre avantage, les partisans idem, les idéalistes sont des cons, je ne tiens pas à mourir pour que demain on soit bien »), c'est toi-même aux moments de prudence. Si tu avais réfuté cela dans le passé (*id est,* agi) maintenant peut-être tu ne serais plus là (Leone). Tragédie. Et pourtant dans cent ans, il croira en toi. Non, il croira au conformisme d'alors.

13 janvier

Vivre au milieu des gens, c'est se sentir comme une feuille dans le vent. Le besoin de s'isoler vient, le besoin d'échapper au déterminisme de toutes ces billes de billard.

19 janvier

Article de Cecchi, article de De Robertis, article de Cajumi. Tu es consacré par les grands maîtres de cérémonies. Ils te disent : tu as quarante ans et tu as réussi, tu es le meilleur de ta génération, tu passeras à l'histoire, tu es original et authentique... Rêvais-tu autre chose à vingt ans ?

Eh bien ? Je ne dirai pas « c'est tout et maintenant ? » Je savais ce que je voulais et je sais que cela vaut maintenant que je l'ai. Je ne voulais pas que cela. Je voulais continuer, aller plus loin, avaler une autre génération, devenir éternel comme une colline. Donc, pas de déception. Seulement une confirmation. A partir de demain (toujours si la santé le permet), on continue, imperturbable. Je ne dirai pas qu'on commence, parce que personne ne commence jamais. Il y a toujours un passé, une première fois en ceci également. Demain, je foncerai, comme hier.

Mais quelle sûreté de flair, quelle coïncidence de volonté et de destin ? Si la valeur était là et non dans les œuvres ?

28 janvier

L'état de vague, d'incertaine recherche, dure. Le problème déjà souvent effleuré se rouvre : tu ne t'aperçois pas que tu vis parce que tu cherches le nouveau thème, tu passes, hébété, les jours et les choses. Quand tu auras recommencé d'écrire, tu penseras seulement à écrire. En somme, quand est-ce que tu vis ? que tu touches le fond ? Tu es toujours distrait par ton travail. Tu arriveras à la mort, sans t'en apercevoir.

Voilà pourquoi l'enfance et la jeunesse sont la source éternelle : alors, tu n'avais pas un travail et tu voyais la vie avec désintéressement.

Efficacité de l'amour, de la douleur, des péripéties : on interrompt son travail, on redevient adolescent, on découvre la vie.

Pourquoi l'écrivain ne doit-il pas vivre de son travail d'écrivain ? Parce qu'alors il devrait fournir une marchandise donnée. Il n'est plus libre devant soi-même. L'écrivain doit pouvoir dire : non, cela je ne l'écris pas. C'est-à-dire avoir un autre métier.

Qu'y a-t-il de plus risqué que d'entretenir une famille avec ses romans ou, en général, avec sa plume ?

8 février (*San Stefano Belbo*)

Pour que la gloire soit agréable, il faudrait que les morts ressuscitent, que les vieux rajeunissent, que reviennent ceux qui sont loin. Nous l'avons rêvée dans un petit cadre, parmi des visages familiers qui, pour nous, étaient le *monde* et nous voudrions voir, maintenant que nous avons grandi, le reflet de nos entreprises et de nos paroles dans ce cadre, sur ces visages. Ils ont disparu, ils sont dispersés, ils sont morts. Ils ne reviendront jamais plus. Et alors nous cherchons autour de nous, désespérés, nous cherchons à reconstituer ce cadre, ce petit monde qui nous ignorait mais qui nous aimait et devait être étonné par nous. Mais il n'existe plus.

13 février

Étrange moment (à treize ou douze ans) où tu te détachais de ton pays natal, où tu entrevoyais le monde, où tu partais sur des imaginations (aventures, villes, noms, rythmes emphatiques, inconnu) et où tu ne savais pas que commençait un long voyage qui, à travers villes, aventures, noms, ravissements, mondes inconnus, te ramènerait à découvrir *combien riche de tout cet avenir* était justement ce moment du détachement — le moment où tu étais plus ton village que le monde — quand tu regarderais en arrière. C'est parce que maintenant, l'avenir, le monde, tu l'as en toi comme passé, comme expérience, comme technique, et l'éternel et riche mystère se retrouve être ce toi enfantin que tu n'as pas eu le temps de posséder.

Tout est dans l'enfance, même la séduction qui sera avenir, qu'alors seulement on ressent comme un choc merveilleux. (Cf. 26 juin 48, II.)

27 février

Nuit limpide, nettoyée, mordante. Naguère, cela m'excitait les sens. Maintenant non. Il faut que je me rappelle et que je me dise « C'est comme alors » pour la sentir. Et cette envie de dire, de m'imposer ne m'envahit plus non plus. Est-ce dû à l'éternelle angoisse, à la névrose du déjà advenu, du cataclysme imminent ? Est-ce dû à l'âge, à la gloire-sécurité plus ou moins atteinte par moi ?

En réalité, l'unique chose qui me touche et me secoue, c'est la magie de la nature, le coup d'œil fixé sur la colline. Si je n'ai pas dans la tête ce thème mais un thème humain, un jeu citadin et moral, mon imagination est paresseuse.

1er mars

Un rire — qui met en doute tes mobiles, qui proclame le soupçon que, sans en avoir l'air, tu as habilement manœuvré pour atteindre un but donné (publier ton livre). Ne se peut-il pas que ce rire cache le dépit d'entendre parler de toi, vise — faussement — à te discréditer, à découvrir que tu es un calculateur mesquin ? C'est-à-dire t'attribue les propres mobiles de celui qui a ri ?

7 mars

Elle dit « La façon dont un homme s'intéresse, ou non, à une femme, montre tout son système de vie ». Toi, tu dis « je m'en passe », et de la sorte tu te dérobes devant tout engagement de vie qui gêne ton travail. Un autre dit « je ne dois pas perdre ma virginité, dans la crainte qu'ainsi la sainteté me soit interdite » et ainsi, dans cette crainte, il voudrait arrêter l'histoire. Un autre se laisse aller, jouit ingénument, et voit ainsi ses rapports quotidiens. Celui qui se complaît à analyser et à avilir toutes les choses du sexe fait la même chose avec la vie et dans la vie : il avilit les choses parce qu'il voit en elles des orgasmes matériels, etc. Sottise banale.

11 mars

Ne pas analyser, mais *représenter*. Mais d'une manière tout à fait vivante selon une analyse implicite. Donner *une autre* réalité, sur laquelle pourrait naître une nouvelle analyse, de nouvelles normes, une nouvelle idéologie.

Il est facile d'*énoncer* une nouvelle analyse, de nouvelles normes, etc. Le difficile c'est de *les faire naître* d'un rythme, d'une appréhension cohérente et complexe de la réalité.

L'idéal dialectal est le même à toutes les époques. Le dialecte est de la sous-histoire. Il faut au contraire courir le risque et écrire en langue littéraire, c'est-à-dire entrer dans l'histoire, c'est-à-dire élaborer et choisir un goût, un style, une rhétorique, un danger. Dans le dialecte, on ne choisit pas — on est immédiat, on parle d'instinct. En langue littéraire, on crée.

Bien entendu, le dialecte utilisé à des fins littéraires est un moyen de faire de l'histoire, c'est un choix, un goût, etc.

Important le 27 mars 48. On prend toujours ce que *nous* sommes pour la *vérité*. C'est là qu'est l'erreur (?) historiste, le relativisme idéaliste. On peut chercher à la justifier en donnant de l'importance à ce que nous *devons être* selon la dure nécessité historique. C'est le matérialisme dialectique. Là, sinon autre chose, on reconnaît l'obligation de connaître à fond la nécessité dans laquelle nous tombons. Mais épuise-t-on ainsi la réalité tout entière ? En attendant, on tend ainsi à placer l'absolu dans l'avenir, dans la révolution. Mais n'existe-t-il pas aussi un profond plaisir du moment présent — *hic et nunc ? Travailler fatigue ?*

13 mars

L'adolescent : ce que je n'obtiens pas tout de suite, je ne le veux plus.

Les gens du XVIe siècle « jouaient les gens du XVIe siècle ». C'est le premier cas de culture consciemment et critiquement basée sur une autre, une culture d'adaptation, donc de pose. Même les Romains hellénisés ne furent pas aussi « réfléchis », parce qu'en réalité ils n'avaient pas une culture précédente suffisante pour se heurter avec leur nouvelle culture d'emprunt.

23 mars

Sans en avoir l'air, commencé mon nouveau roman. *Entre femmes seules.* Travail paisible, plein d'assurance, qui présuppose un solide agencement, une inspiration devenue habitude. (Il reprend la *Plage,* la *Tente,* de nombreux poèmes sur les femmes.) Il devrait découvrir du nouveau.

3 avril

Avant le Christ et le Logos grec, la vie était un continuel contact et un continuel échange magique avec la nature ; de là sortaient des forces, des décisions, des destins ; on revenait à elle, on s'y régénérait.

Après le Christ et après le Logos, la nature devient détachée de la source mystique de la force et de la vie (qui vient maintenant de l'Esprit). Le terrain est prêt pour la science moderne qui constate et codifie la matérialité, l'*indifférence* de la nature.

5 avril

Toutes les passions passent et s'éteignent, sauf les plus anciennes, celles de l'enfance. Les mythes ambitieux ou libidineux de l'enfance sont insatiables parce que l'âge mûr — le seul qui pourrait les rassasier — n'a plus les occasions — fraîcheurs des sens, moyens et vrai climat où ces passions tendaient originairement à s'épancher.

10 avril

Ta situation solide et l'estime où l'on te tient t'arrivent exactement comme tu les imaginais étant jeune. Cela étonne — que l'âge mûr soit juste comme on l'imaginait quand on était sans expérience. A moins que tu aies oublié les rêves fous d'alors et que peu à peu, tu te sois déplacé et transformé en ce que tu crois avoir désiré d'être auparavant ? En tout cas, il y a une chose sur laquelle tu ne t'étais pas trompé, et c'était de croire que tu te sentirais maintenant satisfait de ton début et de ton espoir.

Beaucoup — tous peut-être — montrent la corde, laissent voir leur fêlure. Natalia, Balbo, même les nouveaux (D'Amico) — personne ne te charme plus. Si tu n'avais pas ta confiance dans le fait de faire quelque chose, dans ton métier, dans la pâte que tu traites, dans les pages que tu écris, quelle horreur, quel désert, quel vide, serait la vie ? Les morts échappent à ce sort. Eux se conservent intacts. Leone, Pintor, même Berto. Au fond, tu écris pour être comme mort, pour parler d'en dehors du temps, pour faire de toi un souvenir pour tous. Ceci pour les autres mais pour toi ? Être pour toi, souvenir, de nombreux souvenirs, te suffit-il ? Être *Par chez nous, Travailler fatigue,* le *Camarade,* les *Dialogues,* le *Coq ?*

12 avril

Un journal noir de titres comme un orage.

14 avril

« Et elle poursuit et revient. Elle n'a pas de répit
puisque son œuvre est éternelle,
puisque son souffle glacé éteint
la lampe qui se rallume glorieuse... »

écrits à quinze ans, en réponse à un sonnet de St. où était décrite la Mort qui montait sur une colline.

17 avril (Pâques)

Découvert aujourd'hui qu'*Entre femmes seules* est un grand roman. Que l'expérience de l'engloutissement dans le monde faux et tragique de la *haute* est vaste et convenable et se joint aux souvenirs *wistful* de Clelia. Partie à la recherche d'un monde enfantin (*wistful*) qui n'existe plus, elle trouve la grotesque et banale tragédie de ces femmes, de ce Turin, de ces rêves réalisés. Découverte d'elle-même, de la vanité de son monde habituel. Et elle se sauve comme destin (« tout ce que je voulais, je l'ai obtenu »).

20 avril

Chacun s'éduque à sa manière. Il semble qu'il se trompe : en fait, il agit (toi et M.).

26 avril

Ils ne visent pas à faire des œuvres. Ils théorisent une poétique qui soit l'exact reflet du moment présent (bombe atomique, communications mondiales, physique nucléaire, etc.) et ensuite pourquoi faire l'œuvre ? Le temps de la faire, elle serait déjà vieillie, *imitable,* un compromis avec la réalité, la tradition, elle serait de l'histoire objective ; et eux au lieu de cela bougent parce qu'ils ont étudié ou entendu dire ce qu'est l'histoire (= choses *faites,* styles) et, en conséquence, ils sont impatients — ils veulent *le style de l'époque,* non des œuvres, ils sont abstraits, attentifs seulement à ne pas prendre la correspondance abstraite et précise pour le moment présent. Jamais ils ne diraient : « En somme, j'ai un style et je m'en sers avec plaisir. Il faut bien qu'il serve à quelque chose... » Position romantico-hégélienne idéaliste luciférienne.

28 avril

Les Américains ne sont pas des réalistes. Découvert cela en voyant un film américain qui est un remake d'un vieux film français. Ce qui là était *atmosphère vraie* est ici un décor reconstitué. Leur réalisme 1920-40 si vanté était un romantisme particulier du *vivre la réalité.* L'idée que tout est réalisme (Dos Passos). Position non tragique mais volontariste. La tragédie, c'est de se heurter contre la réalité ; le volontarisme c'est de s'en faire un réconfort, une fuite devant la réalité vraie.

29 avril

Elle est extraordinaire l'idée que chacune de tes maladresses, chacune de tes incertitudes, chacune de tes rages — en somme tout ce qui est négatif — peut toujours, demain, d'un point de vue différent et plus sagace, se révéler une valeur, une qualité, un trésor positif. (Cf. néanmoins le III, 11 mars.)

Mais l'inverse est, aussi, valable. Chacune de tes qualités peut échouer, peut se dérober sous toi. Qu'importe ?

7 mai

Dans n'importe quel métier et dans n'importe quelle profession, on peut vivre selon le *cliché* de ce métier ou de cette profession, « en jouant » ce rôle. Les écrivains et les artistes non. On serait des *bohémiens*, cons et insupportables. Pourquoi ? Parce que l'art et écrire ne sont pas des métiers. Du moins à notre époque. (Cf. 28 janvier.)

26 mai

Fini aujourd'hui *Entre femmes seules.* Les derniers chapitres écrits chacun en un jour. C'est venu avec une facilité extraordinaire, suspecte. Et pourtant cela s'est éclairci peu à peu et les grandes découvertes (voyages dans le monde rêvé étant petit et maintenant vil et infernal) sont venues presque au bout d'un mois, au début d'avril. J'ai eu un fameux courage. Mais je crains d'avoir joué avec des figurines, des miniatures, sans la grâce du stylisé. Le plan n'était-il pas tragique ?

22 juin

Le prurit fini, le vide cérébral a commencé. Celui-ci fini, commencent les rhumatismes ou l'arthrite. Est-ce que ces choses viennent l'une après l'autre ou bien est-ce toi qui les inventes ?

Que de choses tu as faites pendant ce mois. Vide cérébral, San Stefano (une semaine), et donc soleil et eau, simples esquisses, idée d'un nouveau livre, etc. C'est probablement ta saison la plus intense, et elle commence à pourrir — c'est si vrai que tu t'en aperçois. Que découvrirons-nous de nouveau — c'est-à-dire que vivrons-nous, pour ensuite le découvrir quand cela commencera à puer ?

La fin viendra bien. Et alors ?

Il y a des gens qui n'ont jamais connu cette maturité, cette efficacité, cette riche plénitude. Que savent-ils de la vie ? La vie n'est que cela. Et puis ? Le bonheur de la pêche, de la grappe de raisin. Qui lui demande davantage ? Je suis, et ça suffit.

Pour chacun, c'est une scène différente qui plaît ou qui intéresse. Les R. : la via Calandra ; les R. : Ivrée ; Nat. : le *foulard.* Bon signe.

G. et son amie se ressemblent. Ils ne parlent que d'eux-mêmes Caractère de la grande vie un peu rétrécie, les *viveurs*[1] qui ont des problèmes, qui tournent comme des écureuils sentant la cage. Les autres — les insouciants — non. Mais ceux-ci sont des *viveurs* qui ne respectent plus les règles de leur jeu — mal élevés. Le dannunzianisme détériore.

25 juin

La vieille Mentina, à la Cabianca, que voit-elle dans la vie ? Que sait-elle de la masse énorme de

1. En français dans le texte original.

pensées, de faits du monde ? Elle n'a jamais changé le sens, le rythme qu'avaient pour toi les jours lointains de l'enfance. Et maintenant que tu la revois, septuagénaire, prête à mourir, et qu'on ne pense même pas qu'elle puisse avoir une autre vie que cette vie statique et immobile, qu'est-ce qu'elle a de moins que toi ? Qu'est toute ta multiple expérience devant cela ? Pendant 70 ans elle a vécu comme toi dans l'enfance. Il y a là quelque chose qui vous donne le frisson. Cela veut dire ignorer l'histoire.

1er juillet

Une personne sérieuse et véridique, privée de l' « Esprit », sera, dans sa vie, têtue. Cela parce que, sans l'esprit, la lettre tue. Elle s'attachera à la lettre des choses, des pensées, des sentiments, comme pour leur donner une consistance, une réalité qu'autrement ils n'auraient pas.

Ce soir, à Pavarolo, pendant le dîner avec les trois G., E., N. et M., senti pour la première fois — objectivement — ma déchéance physique, mon incapacité de faire un effort, une prouesse, un *exploit.* Ai été mal et grognon toute la soirée. Pour me sauver, je haïssais le monde, l'homme, la compagnie. Vieille histoire.

Aujourd'hui est venue Fil, qui connaît Fed., qui connaît Mar. Dit qu'elle me garde de la rancune parce que je suis célèbre et parce que toujours nommé par Mar. Trait facile, commun — l'ingénuité impudente. Rien à faire.

27 juillet

Le mot qui décrit (fait écho à) un rite (action magique) ou un fait oublié ou mystérieux (évocation) est le seul art qui m'intéresse. Rendre directement la vie — si c'était possible, ce serait inutile — parce que l'homme s'intéresse seulement à un rite ou à une réalité occulte.

30 juillet

Parcourant les brouillons de *Travailler fatigue*, trouvé dans les feuilles d'août-septembre 32 (*Fumeurs de papier*) les vers suivants barrés :

... J'ai revu la lune d'août parmi les aulnes et les cannaies
sur les graviers du Belbo et s'emplir d'argent chaque
filet de ce courant. Mais le camarade renfermé
qui était assis sur un tronc avec moi, ne voyait pas ce ciel.
ne sentait pas les arbres. Je savais qu'autour tout
autour se dressaient les grandes collines...

18 août

Littérature ne s'oppose pas à *sens pratique* mais à *sens du réel.*

Le fait que les choses décrites *existent* vraiment leur donne un sens et un pouvoir supérieur. Si elles n'existent pas, alors la littérature nous suffit ; si elles existent, il nous faut la poésie-mythe.

22 août

Des fragments mis au rebut (*Échecs* 41-47), ce début (15 novembre 39) :

2) Cinina, sans se soucier du brouillard, marchait comme si elle était seule sur la route. Il était doux et dominical de ne sentir ainsi personne autour de soi. 1) Cinina allait dans des directions inattendues, suivant vaguement les étendues de brouillard mieux éclairées par le matin.

Elle s'arrêta sur une place...

(prélude à la *Tente*
ou au *Bel été*)

23 août

En art on ne doit pas partir de la complication. Il faut arriver à la complication. Ne pas partir de la fable symbolique d'Ulysse, pour étonner ; mais partir de l'homme commun et, peu à peu, lui donner le sens d'un Ulysse.

2 septembre

L'instinct répond :

Toutes les explications chrétiennes de l'histoire (que la Palestine est le théâtre du monde, etc.) sentent le replâtrage.

(Les voir dans Lowith, *Meaning of history*, p. 188.)

La nature n'est pas un souffle, un rêve, une énigme destinée à s'évanouir — c'est une chose lourde et substantielle.

7 septembre

La ressource ancestrale est seulement celle-ci : *faire bien un travail parce que c'est ainsi qu'on doit le faire.*

(En lisant *Piémont* de A. Monti dans le « Ponte[1] ».)

12 septembre

Les vrais structures absorbantes mythico-résiduelles sont dans les livres qui appliquent une méthode de recherche analytique : Propp, Philippson, Toynbee, etc. Probablement aussi dans les livres de science. C'est là qu'on trouve la vraie, l'authentique prose de recherche (récit = voir comment quelqu'un s'en tire dans une situation donnée), analogue à la structure du roman policier. Nous pouvons croire à ces structures parce que ce sont les seules qui nous *tiennent en suspens,* qui nous donnent envie de voir comment ça va finir. (Et le récit est ceci : non pas des caractères, non pas de la psychologie, non pas de la chronique, mais une série de constatations réunies ensemble pour nous amener à une constatation finale qui inclut toutes les précédentes.)

N'est-ce pas cela, Hérodote ?

30 septembre

Tu n'as plus de vie intérieure. Ou plutôt, ta vie intérieure est objective, c'est le travail (épreuves, lettres, chapitres, conférences) que tu fais. Cela est effrayant. Tu n'as plus d'hésitations, plus de peurs, plus d'étonnements existentiels. Tu es en train de te dessécher.

Où sont les angoisses, les hurlements, les amours de tes 18-30 ans ? Tout ce que tu utilises fut accumulé alors. Et ensuite ? Que fera-t-on ?

C'est là que le destin doit intervenir et montrer qui

1. Revue littéraire italienne.

tu es. Tout est implicite en toi. Même l'intolérance de cette situation et du désordre et du chaos qui en résultent. Récurrences à la Vico.

16 octobre

Existe-t-il quelqu'un en dehors de toi ? Tu ne parles que de toi et de ton travail. Nous sommes revenus à une position enfantine d'*avant de découvrir le monde* (adolescence) quand on était soit-même et son propre jeu et rien d'autre. Quelque chose se termine. Et ensuite ?

La lune et les feux. C'est le titre pressenti depuis *l'époque du Dieu-bouc.* Depuis seize ans. Il faut y aller à fond.

Combien de fois dans ces dernières notes as-tu écrit *Et ensuite ?* Nous commençons à être en cage, non ?

Je suis trop heureux. Polycrate et Amasis.

17 novembre

9 novembre, fini la *Lune et les feux.*

Depuis le 18 septembre, cela fait moins de deux mois. Presque toujours un chapitre par jour. C'est certainement l'*exploit* le plus fort jusqu'à maintenant. Si ça répond, tu as réussi.

Tu as conclu le cycle historique de ton époque : *Prison* (antifascisme et « confino », *Camarade* (antifascisme clandestin), *Maison sur la colline* (résistance), *La Lune et les feux* (post-résistance).

Faits latéraux : guerre 15-18, guerre d'Espagne, guerre de Libye. La saga est complète. Deux jeunes gens (*Prison* et *Camarade*), deux quadragénaires

(*Maison sur la colline* et *Lune et feux de joie*). Deux hommes du peuple (*Camarade* et *Lune et feux*), deux intellectuels (*Prison* et *Maison sur la colline*).

20 novembre

Chute de G. Cela te fait-il quelque chose ?

Amour comme tu l'as toujours voulu. Cela te fait-il quelque chose ?

Célébrité solitaire. Cela te fait-il quelque chose ?

On pourrait continuer.

Des pensées précises, nouvelles, stylisées, efficaces naissent. Maturité. Si tu l'avais su quand tu te faisais de la bile (36-39) ! Maintenant, la hantise, c'est que tout cela finira. Avant tu désirais ardemment l'avoir, maintenant, tu crains de le perdre.

Tu as même obtenu le don de la fécondité. Tu es maître de toi, de ton destin. Tu es célèbre comme quelqu'un qui ne cherche pas à l'être. Et pourtant tout cela finira.

Cette profonde joie qui est tienne, cette ardente satiété, est faite de choses que tu n'as pas calculées. *Elle t'est donnée.* Qui, qui, qui remercier ?

Qui blasphémer le jour où tout s'évanouira ?

24 novembre

Chute de B. « Il faut un minimum d'honnêteté » dit-elle... Je n'ai jamais dit cela, mais je l'ai toujours mis en pratique sans le savoir. Par crainte des complications. Pour vivre tranquille. Pourquoi est-ce que je ne dépense pas, que je ne lève pas de femmes, que je ne descends pas dans un grand hôtel, etc. — sinon pour ne pas avoir l'ennui de vaincre le malaise de ces efforts ? Oui, je n'ai pas de facilité pour vivre en grand — j'en souffre. Question d'éducation. Mais je n'ai même pas les exigences auxquelles j'ai été habitué — le modeste bien-être, les vêtements en ordre, le bon renom — les exigences extérieures — mais j'ai par contre celles qui sont fondamentales : la tranquillité solide du lendemain. Donc mon honnêteté est intéressée. Sinon quel sens aurait-elle ?

Aujourd'hui, premier exemplaire de l'*Été*. Beau. Virginal. Fête respectueuse des collègues. Position d'homme arrivé. Donné des conseils, du haut de mon âge, au jeune Calvino : je me suis excusé de travailler très bien : moi aussi, à ton âge, j'étais en retard et en crise. Quelqu'un m'a-t-il jamais tenu ces propos quand j'avais vingt-cinq ans ? Non, j'ai grandi dans une *wilderness,* sans attaches, avec l'orgueil de préparer mon atoll dans cet inconnu et de surgir un jour et, quand les autres s'en apercevraient, d'être déjà très grand. Il semble que cela me réussisse. C'est ma force (c'est pourquoi je ne veux ni lire ni décrire un de mes livres à autrui, avant qu'il soit fini).

D. a remarqué que mes femmes sont des putains et s'en est étonnée. Mon étonnement qu'il en soit ainsi : je n'y avais jamais pensé.

26 novembre

Cf. 28 janvier 42. Levi disant que les « souvenirs » sont les moments où nous nous sommes sentis opposés aux choses, aux autres, où nous nous sommes individualisés. C'est la raison de l'extase du souvenir : on retrouve les instants de réveil, de connaissance du monde.

Travailler fatigue 1930
1933
1936 paroles et sensations
1938
1940

Prison *Par chez nous* 1938, 1939
Bel été *Plage* 1940, 1941 naturalisme

Vacances d'août 1941
1942 poésie en prose et
1943 conscience des mythes
1944

La terre et la mort 1945
Dialogues avec Leucos 1945

Camarade 1946 les extrêmes : naturalisme et symbole détachés

La maison sur la colline 1947-48
Le diable sur les collines 1948
Entre femmes seules 1949 réalité symbolique
La lune et les feux 1949

28 novembre

La nuit, quand je commence à m'assoupir. Chaque bruit — craquement de bois, fracas dans la rue, cri lointain et inattendu — m'aspire comme un gouffre, un gouffre soudain et ondoyant, dans lequel s'écroule mon cerveau et s'écroule le monde. A cet instant, j'attends le tremblement de terre, la fin du monde. Est-ce un résidu de la guerre, des bombardements aériens ? Est-ce une conscience à laquelle je suis parvenu de la possible fin universelle ? Épuisement — c'est un mot — mais que signifie-t-il ? C'est agréable, un sursaut léger comme d'ivresse, et je me reprends les dents serrées. Mais si un jour je ne parviens pas à me reprendre ?

1er décembre

Me promenant sur les quais du Pô, devant le Monte dei Cappuccini. La nuit tombe, brumeuse, les villas disparaissent et il reste les échines sombres, hirsutes des collines, sauvages, estompées. A quoi sert cette beauté — du moins, que signifie-t-elle ? Mes pensées sur le sauvage superstitieux (été 44), sur l'irréalité du sauvage (20 juillet 47), sur le paysage magique (1er mai 48) me reviennent à l'esprit — il en résulte que le sauvage n'est rien sans une conception magique du monde, sans la possibilité que celui-ci influe sur nous de façons non rationnelles, non mesurables, non prévisibles. A quoi se monte ce sentiment lancinant du sauvage, cette beauté sobre et rude, cette émotion, si elle n'influe justement sur nous que comme beauté, comme impression ? Tout cela n'est-il pas un raffinement de civilisé ? Le sauvage, pour *être,* doit influer vitalement également sur l'analphabète, sur le paysan, sur l'homme économique, il doit être puissance non beauté.

Découvert l'autre soir combien m'a formé la lecture de *Sun* et de *The woman who rode away* de Lawrence (36-37 ?).

3 décembre

L'idée de Graves (*The common Asphodel*) de développer en un sonnet rhétorico-descriptif une poésie télégraphique de Cummings, pour montrer combien celui-ci avait raison d'écrire d'une façon désossée et impressionniste en évitant le *cliché* tout entier contemplé et prévu dans le sonnet développé — démontre une seule chose : que ni le sonnet ni la poésie futuristes n'étaient écrits. En fait, la poésie de Cummings n'est pas autre chose qu'un jeu sensoriel de sensations et d'images (sa paraphrase le démontre) qui ne dit rien d'autre qu'un *cliché.* La poésie doit *dire* quelque chose et, en conséquence, il est inutile qu'elle viole la logique et la syntaxe, modes universels de l'expression. Le reste est littérature.

Condamnation générale de tout l'art d'avant-garde.

Il faut que tu trouves : W.H.I. Bleek et L.C. Lloyd. *Specimens of Bushman Folk-lore,* Londres 1911.

Il contient les histoires des mères et de la lune — le monde magique des chasseurs, des choses et des animaux vrais — de l'époque d'Aurignac.

5 décembre

Au fond, le plaisir de baiser ne dépasse pas celui de manger. Si manger était interdit comme l'autre, toute une idéologie serait née, une *passion* du manger, avec des normes chevaleresques. Cette extase dont on parle — le fait de *voir,* le fait de rêver quand on baise — n'est rien de plus que le plaisir de mordre dans une nèfle ou dans une grappe de raisin. On peut s'en passer.

Ce sentiment *snug* de l'hivre 44 (décembre), ce recueillement dans une pièce, entre l'odeur de la cuisine et la fenêtre embuée devant les collines neigeuses, ces retours des collines en goûtant à l'avance la tiède paix — reviendra-t-il encore ? Et les pensées de tranquille lecture spirituelle, l'espoir d'une paix suprême, qui était la même que celle de la cuisine, ne manquaient pas non plus.

6 décembre

Ce qui est insupportable, ce n'est pas qu'il y ait une culture formelle élémentaire et moyenne de type imposé, de type mot d'ordre et *righteous* — livre de lecture — mais qu'il y ait *seulement* celle-là, que n'existe pas la possibilité d'en sortir et de la voir de l'extérieur — du monde où l'on fait des découvertes.

La pensée du 1er décembre explique un peu comment sont nés les fascismes. La culture irrationnaliste du XIXe siècle a dû sortir de la contemplation et devenir puissance, économie. Cesser de servir seulement à l'homme cultivé et influer aussi sur l'analphabète. Origine de nos barbaries.

15 décembre

Le fait est que tu es devenu cette étrange bête : un homme fait, un nom qui fait autorité, un *big*. Où est passé le jeune garçon qui se demande comment on fait pour parler, l'adolescent qui se ronge et pâlit en pensant à Homère et à Shakespeare, le jeune homme de vingt ans qui veut se tuer parce qu'il est chômeur, l'homme trompé qui serre les poings en se demandant s'il pourra jamais confondre sa bien-aimée par sa grandeur, etc., etc. ? Il est évident qu'il n'y a que les jeunes gens que tu réussisses dans tes récits — c'est la seule expérience à fond et désintéressée que tu aies faite. Le *big,* tu le traiteras quand tu seras vieux.

Les deux expériences adultes — succès et importance, désarroi et néant — tu les as eues (45-49 et 43-44) et tu les as déjà traitées (*Entre femmes seules* et *Maison sur la colline*). Il faut que tu les exprimes davantage.

17 décembre

Qui eût dit que ce serait justement Spagnoletti (l'étrange Spagnoletti de Pintor !) qui découvrirait ta *Terre et la Mort?* Ce petit poème fut l'explosion d'énergies créatrices bloquées depuis des années (41-45), non assouvies par les « fragments » de *Vacances d'août* et excitées par les découvertes de ce journal, par la tension des années de guerre et de campagne (Crea !) qui te rendirent une virginité passionnelle (à travers la religion, le détachement, la virilité) et saisirent l'occasion à la fois de la femme, de Rome, de la politique et de la turgescence Leucos.

En général, tu dois garder présent à l'esprit que, pendant les années 43-44-45, tu es né de nouveau par l'isolement et par la méditation (en fait, tu as théorisé et vécu *alors* ton enfance). C'est ainsi que s'explique la saison ouverte en 46-47 avec *Leucos* et le *Camarade,* et puis le *Coq* et puis l'*Été* et puis *La Lune et les feux* et etc. et etc.

La grandeur n'est pas interdite, est interdite la grandeur sans la sanction de la classe hégémonique.

18 décembre

Hier soir vent chaud, lu des mythes et des légendes africaines. C'est le matin, un matin bleu, frais et jaune de soleil. Les légendes sont l'histoire de ce qui arrive la première fois et elles en ont la simplicité et le côté étonnant. Même si elles racontent un fait non initial, le ton est celui-ci : simple désignation, jamais de description, pas d'adjectifs ; structure rythmique qui constitue le drame, le *suspense*.

23 décembre

Ça commence... Gigli : *Triptyque de Pavese*[1].

29 décembre

Escapade à Milan, tour à Rome. Est-ce le plaisir de bouger, de voyager qui revient ? Rentrant de Milan après 24 heures d'absence, redécouvert Turin. Serait-ce toujours là ce qu'il y a de beau dans le fait de voyager : redécouvrir son propre lieu ?

Je suis sincèrement agité (demain on va à Rome). Sera-ce comme juillet 45 ?

La renommée américaine de Vittorini t'a-t-elle rendu envieux ? Non. Moi, je ne suis pas pressé. Je le battrai sur la distance. Au fond, Vittorini a été la voix (anticipée — c'est là ce qui est grand) de la période clandestine — amours nues et vitales, abs-

1. Première critique du *Bel été*.

traites fureurs qui s'incarnent, tout le monde en mission héroïque. Il a *pressenti* l'époque et lui a donné son mythe. Comme D'Annunzio pressentit l'époque « impériale » et la « civilisation littéraire » des vingt années du fascisme. Tous les deux sont et furent des porte-voix. Ils ont créé un style de vie, de discours, de sentir, de *faire*.

Toi, tu vises à un style d'*être*.

R. t'a dit *(Diable sur les collines)* qu'en toi, on sent le jeune homme — et que tu fais peur à cause de cela. Que tu travailles une matière qui vole en éclats. Cela, je ne l'ai pas compris. Mais était-ce entièrement un compliment ?

30 déc.-7 janv.
tour à Rome

1950

1er janvier

Rome est un groupe de jeunes gens qui attendent de se faire cirer les souliers.

Promenade matinale. Beau soleil. Mais où sont les impressions de 45-46 ? Retrouvé à grand-peine les points de départ, mais rien de neuf.

Rome se tait. Ni les pierres ni les arbres ne disent plus grand-chose. Cet hiver extraordinaire : sous le mordant ciel sans nuages, les baies de *Leucos*. L'histoire habituelle. Même la douleur, le suicide étaient vie, étonnement, tension. Au fond, dans les grandes périodes, tu as toujours éprouvé la tentation du suicide. Tu *t'étais abandonné.* Tu avais dépouillé ton armure. Tu étais un gosse.

L'idée du suicide était une protestation de vie. Quelle mort que ne plus vouloir mourir.

2 janvier

Retourné via Uffici del Vicario. Vieux visages (les filles, les hommes, moi). On sait que les choses arrivent, quand elles sont déjà arrivées. La plénitude de 45-46, c'est maintenant que je la connais. Alors, je la vivais.

Idem dans l'histoire. Goût du passé, de la conversation. Le destin, c'est de *s'abandonner* et de vivre cette plénitude qui, *ensuite,* se révèle cohérente et constructive. Est destin ce qu'on fait sans le savoir, en s'abandonnant. En un certain sens, *tout* est destin : on ne sait jamais ce qu'on fait. Il y a une petite conscience rationnelle qui mord superficiellement et que nous avons le devoir d'approfondir le plus possible. Ce qui reste inconnaissable (la postérité le comprendra — dans ce sens, ce n'est pas l'irrationalisme), c'est le destin. Exemple historique : la vraie signification de l'œuvre de Robespierre, que lui-même croyait l'édification politique de la vertu, c'est l'historisme scientifique qui l'a comprise — mais, pour lui, c'était son destin. Bien entendu, les postérités ultérieures verront un sens encore plus profond dans l'œuvre de Robespierre, et alors l'interprétation historiste fera elle aussi partie de son destin, *elle aura été* son destin (le non encore résolu transformé en conscience).

Rapport du *destin* avec le *superstitieux.* Le premier est le fait instinctif, non encore connu ni prévu.

le second le fait instinctif une fois connu. Le premier est une manière d'être vivant, le second d'être mort.

3 janvier

Les directions que le destin pouvait prendre ne jouent pas. Nous constatons que celle qui a été prise (dans *certains cas* ou toujours ?) est bonne — qu'elle soude ensemble tous les jours selon un certain développement — qu'elle était, au début, un bouton de fleur qui a dû accomplir son évolution et exister.

4 janvier

Vu et flairé tout ce que Rome a de pire. Amitiés faciles, vie d'occasion, argent gagné et dépensé comme s'il n'existait pas, et pourtant tous les critères, tous les goûts, toutes les envies, etc., sont en fonction de gagner de l'argent.

L'âge de trente ans aussi commence à t'apparaître comme une enfance (adolescence). C'est-à-dire que tu peux faire aussi de ta culture une matière à récit. La virilité peut se deviner (« se fabuler ») quand elle apparaît comme une enfance.

Avoir digéré une expérience, connaître le détachement, cela veut dire la voir comme une ingénuité enfantine. La grande poésie est ironique.

7 janvier

A Rome, tu as expliqué à l' « oncle Sandro » que tout ce qui est valeur doit être sauvé — toutes les aspirations, les goûts, les humanités — le libéralisme, la bonne éducation, etc. Il s'agit de trouver le canon historico-politique qui le permet. A présent, son canon à lui sauve-t-il les choses que sauve le tien à toi ? On ne le dirait pas ? Etc., etc.

9 janvier

La passion excessive pour la magie naturelle, pour le sauvage, pour la vérité démoniaque des plantes, des eaux, des roches et des pays, est un signe de timidité, de fuite devant les devoirs et les obligations du monde humain.

L'exigence mythique de sentir la réalité des choses restant ferme, il faut le courage de fixer avec les mêmes yeux les hommes et leurs passions. Mais c'est difficile, c'est incommode — les hommes n'ont pas la fixité de la nature, sa vaste interprétabilité, son silence. Les hommes viennent à notre rencontre, s'imposant, s'agitant, s'exprimant. Toi, tu as cherché de différentes manières à les pétrifier — les isolant à leurs moments les plus naturels, les plongeant dans la nature, les réduisant à un destin. Et pourtant tes hommes parlent — en eux, l'esprit se débat, affleure. C'est là ta tension. Mais cet esprit, toi, tu le subis, tu voudrais ne le rencontrer jamais. Tu aspires à l'immobilité naturelle, au silence, à la mort. Faire d'eux des mythes polyvalents, éternels, intangibles, qui jettent pourtant un charme sur la réalité historique et lui donnent un sens, une valeur.

10 janvier

L'idée féconde que le destin est le mythe, le sauvage (l'émotion de la *Vigne*) et que, à cause de cela — une fois expliqué — il se survit sous sa forme archaïque devenue la superstition. Est destin ce qu'une existence entière, un drame, a de mythique. C'est ce qui arrive et dont on ne sait pas encore que c'est arrivé. Ce qui semble liberté et qui se révèle au contraire, ensuite, exemplaire, inébranlable, fixé à l'avance. Est destin l'historique avant d'être considéré dans ses rapports et dans sa nécessité-liberté. Quand elle traite des hommes, la poésie considère toujours les destins — elle se meut sur les destins, et au besoin les comprend, les explique, en fait des histoires.

Mais toi (9 janvier) tu pars des hommes expliqués et, pour les exprimer poétiquement, tu les réduis à un destin. Cela semble le processus inverse de l'art qui, d'un mythe, fait du logos. Ou alors. On peine pour effectuer ce passage. On le discute. Tendant à la forme, à la fable, il tend à la *forme naturelle,* à l'organisme autonome, et en conséquence, il reconstruit sur la compréhension rationnelle la figure du mythe-destin. En voulant *refaire la vie,* il recourt aux formes naturelles, c'est-à-dire qu'il se replonge dans le gouffre mythique, dans les formes qui étonneront comme la nature, la vie étonnent, inépuisablement.

14 janvier

Dégoût de ce qui est fait, de l'*opera omnia.* Sensation d'être en mauvaise santé, de déchéance physique. Courbe déclinante. Et la vie, les amours, où sont-ils ? Je conserve un certain optimisme : je n'accuse pas la vie, je trouve que le monde est beau et digne. Mais je tombe. Ce que j'ai fait je l'ai fait. Est-ce possible ? Envie, désir ardent, besoin anxieux de prendre, de mordre, de faire. Y arriverai-je encore ?

(Tout cela parce que pleuvent les jugements négatifs sur le *Diable sur les collines.*)

Repensant aux sœurs D., je sais que j'ai raté une belle occasion de faire des bêtises. Voici que Rome se colore dans le souvenir.

17 janvier

Rapport du *destin* avec le *superstitieux*. Après la *Poétique du destin* — je suis, le destin, la vraie mythicité de la vie humaine ; le superstitieux, la mythicité connue, donc fausse. Est *fatale* une vie qui a une cadence mythique, un rythme que l'on peut fixer à l'avance, mais qui ne se fond pas en connaissance rationnelle (qui le détruirait) ; est *superstitieuse* une vie qui s'obstine à se voir comme schéma mythique, quand elle sait bien qu'elle ne l'est pas et qui se comprend traditionnellement. Une vie dont le rythme, dont les retours, sont voulus, intentionnels.

Nous sommes au monde pour transformer le destin en liberté (et la nature en causalité).

(*Corrigé le 30 janvier.*)

Reprenant le II du 10 janvier.

La poésie est répétition. Calvino, joyeux, est venu me le dire. Il pensait à l'art populaire, aux enfants, etc. Pour moi, elle est répétition en ce qu'elle est célébration d'un schéma mythique. C'est là que réside la vérité de l'inspiration par la nature, du fait de modeler l'art sur les formes et sur leurs suites naturelles. Elles sont récurrentes (depuis le dessin des éléments isolés — des feuilles, organes, veines minérales — jusqu'au fait que les éléments sont répétés à l'infini). Et alors *on vainc la nature* (mécanisme) en *l'imitant de façon mythique* (rythmes, retours, destins). Mais chaque génération doit tenir compte de tout ce qu'elle sait de la nature, et la dépasser par des schémas mythiques irréductibles par cette connaissance. (Élément évolutif inconnu de l'art archaïque qui avait à cause de cela la tâche plus facile en ce que, ses notions rationnelles étant fermes, il appliquait des schémas mythiques déjà familiers depuis longtemps.)

30 janvier

Est superstitieux celui qui *croit* encore en un mythe qui a déjà été dépassé par l'histoire — un mythe qu'il y a désormais les moyens de dissiper. Corrigé le 17 janvier. Celui qui brandit un mythe et qui n'y croit plus est un hypocrite, un réactionnaire. Le superstitieux peut être fanatique, le réactionnaire cynique. Est sceptique celui qui ne croit à aucun mythe. Est fatal celui qui réalise en lui-même un mythe authentique auquel il croit. L'homme fatal n'est pas libre.

Créer un personnage entièrement libre est impossible. Les cadences de sa vie (inéliminables) seront son destin.

Pourra-t-on aller un jour plus loin et considérer aussi la liberté comme un mythe ? C'est-à-dire la voir d'un point où elle aussi se révèle destin ?

1er février

L'intuition fait du mythe-religion
la volonté fait de l'histoire-poésie ou de la théorie.

Erreurs :

avec l'intuition vouloir faire de l'histoire
avec la volonté vouloir faire du mythe.

La volonté s'exerce sur les mythes et les transforme en histoire. Destins qui deviennent liberté.

9 février

Corollaire. Une vérité, un concept, un document, etc., ne peuvent pas être le thème d'une œuvre d'art, mais toujours seulement un mythe. Directement du mythe à la poésie, sans passer à travers la théorie ou l'action.

15 février

« P. n'est pas un bon communiste »... Intrigues partout. Louches manœuvres, qui sont peut-être du reste les propos de ceux qui te tiennent le plus à cœur.

La vie historique se développe à partir du mythe, non à partir de la religion. Mythe préhistoire, religion sur-histoire.

Ils parlent de gueuletons, de faire la fête, de se voir... Braves amis, amies, gens sains et braves. Toi, tu n'en éprouves même pas l'envie, le regret. Autre chose presse.

Quelle petite chose que la vie, les plaisirs, les œuvres de ces filles... C'est ce que doivent penser leurs parents. Vues de l'extérieur, elles t'étaient apparues comme de riches mystères... Ainsi, elles ne sont que de banales babioles domestiques.

Tu dis toujours : *les choses avant d'être connues, les choses une fois connues...* Le problème est toujours celui-là — raisonner, *prendre conscience,* faire de l'histoire.

En attendant, tu as réduit à l'image du sang sous le

figuier, à la vigne tout ce qui arrive et ne se *comprend* pas encore : les paysages, les étranges coïncidences, les groupes psychologiques, les cadences d'une existence, les destins.

(Si la poésie est pour toi dans ces images, il est clair que, te reconnaissant dans une doctrine qui *explique* tout, tu deviennes incapable de poésie.)

Bien entendu, il ne suffit pas de constater que le nœud n'est pas tranché — la poésie c'est de représenter ce nœud comme tel, d'en faire sentir le mystère, le sauvage. Mais alors, où est l'effort de *connaissance* de l'expression poétique ?

18 février

La culture doit commencer par le contemporain et le documentaire, *par le réel,* pour remonter — si c'est possible — aux classiques.

Erreur humaniste : commencer par les classiques. Cela habitue à l'irréel, à la rhétorique, et, en définitive, au mépris cynique de la culture classique — d'autant qu'elle ne nous a rien coûté et que nous n'en avons pas vu la valeur (la contemporanéité avec leur époque).

26 février

Tour Toscane-Émilie. Pensé à l'essai sur la poésie et la culture populaire. Pensé surtout au rapport entre pays natal et culture, aux racines paysannes (botaniques et minérales) de l'art. A Florence (Rovezzano) et dans le Val Pesa, Elsa, etc. — Sienne — *senti* comment de cette terre est né un art. Campagne qui devient *grâce* florentine et siennoise. Mais quand une civilisation n'est pas paysanne, quels seront les rapports radicaux de sa culture ?

Sommes-nous désormais hors de l'influence botanique, minérale, saisonnière du pays sur l'art ? On le dirait.

27 février

Revu S. Sec, dur, taciturne, las. Il a parlé de ses plaisirs, promenades dans la campagne et la montagne à la recherche de coléoptères, sous la pluie ; il a écouté dans un silence absent mes discours sur la Toscane, mes saillies, mes poses. Il ne faisait jamais de commentaire. Jadis, l'embarras que j'éprouvais eût été un sentiment d'effondrement, de tragédie. Qu'est-ce qui me soutient ? Le travail fait, le travail que je fais.

6 mars (Cervinia)

Ce matin à cinq ou six heures. Puis l'étoile du matin, large et scintillante, sur les montagnes de neige. Angoisse, battements de cœur, insomnie. C. a été douce et soumise, mais, finalement, détachée et ferme. Palpitations toute la journée et ce n'est pas encore fini. (Ça fait trois nuits que je ne dors presque pas. Je parlais, parlais.) Ce que l'on appelle la passion, ne serait-ce pas tout simplement cette agitation du cœur, cette tare nerveuse ?

Depuis 34 et depuis 38, je me suis beaucoup détérioré. Alors, j'étais très agité mais non pas *malade*.

Et pourtant tout cela me semble un wandepunkt momentané. Tout. Mais son personnage à elle, socialement et moralement ? S'il y avait un malentendu ?

Et moi ? Est-ce que je ne m'illusionne pas de la vieille manière, quand je prends pour des valeurs humaines de simples qualités de distinction, de glamour, d'aventure, de « haut monde » ? L'Amérique elle-même, son retour ironique et doux, intervient comme valeur humaine, n'est-ce pas ?

9 mars

Battements de cœur, tremblements, soupirs sans fin. Est-ce possible à mon âge ? Quand j'avais vingt-cinq ans, ça ne se passait pas autrement. Et pourtant j'ai un sentiment de confiance, de (incroyable) tranquille espoir. Elle est si bonne, si calme, si patiente. Si faite pour moi. Après tout, c'est elle qui est venue me chercher.

Mais pourquoi n'ai-je pas osé lundi ? Peur ? [...] C'est un pas terrible.

16 mars

Le pas a été terrible et pourtant il est franchi. Son incroyable douceur, paroles d'espoir. Darling, sourire, longuement répété le plaisir d'être avec moi. Les nuits de Cervinia, les nuits de Turin. C'est une enfant, une enfant normale. Et pourtant elle est elle — terrible. Du fond du cœur : je ne méritais pas tant.

20 mars

Mon cœur reste encore à toi[1]. Phrase de condescendance de supérieur à inférieur. Pourquoi se réjouir autant ? Il est clair que c'est moi le bénéficiaire. *Echomai ouch echo.* Comment posséder sans être possédé ? Tout dépend de cela.

De la conversation de ce soir (avec P.), il résulte clairement que moi « je suis possédé » *parce que* je

1. En français dans le texte original.

me plais à jouer le rôle intéressant de l'homme possédé. Je dois jouer celui, impassible, du maître. Je serai aimé davantage. C'est seulement ainsi que je serai aimé. Mais y prendrai-je encore du plaisir ? Toutes les fois que c'est moi qui ai possédé, je n'y ai pas éprouvé de plaisir [...] Vieille histoire.

Il faut être possédé sans le laisser voir. Est-il possible de faire cela avec une « compréhension sage et résignée » ?

21 mars

Dure journée. Situation internationale, situation italienne de guerre civile latente, bruits divers de réaction atomique en chaîne pour avril. Tout tend à me séparer d'elle, à la renvoyer en Amérique, à bloquer Rome, à tout déménager.

Souffrais-je ainsi *avant ?* Oui, alors je souffrais de la peur de mourir. Maintenant, je souffre de celle de la perdre. C'est toujours une manière de souffrir. Résigne-toi. Le stoïcisme, c'est *cela* qui compte. Si fractus illabatur orbis...

22 mars

Rien. Elle n'écrit pas un mot. Elle pourrait être morte.

Je dois m'habituer à vivre comme si cela était normal.

Que de choses je ne lui ai pas dites. Au fond, la terreur de la perdre maintenant n'est pas l'anxiété « de la possession » mais la peur de ne plus pouvoir lui dire ces choses. Ce que sont ces choses, maintenant je ne le sais pas. Mais elles arriveraient comme un torrent si tu étais avec elle. C'est un état de création. Oh mon Dieu, fais-la-moi retrouver.

23 mars

L'amour est vraiment la grande affirmation. On veut *être*, on veut *compter*, on veut — si l'on doit mourir — mourir valeureusement, avec éclat, *rester* en somme. Et pourtant la volonté de mourir, de disparaître en lui, est toujours liée à lui : peut-être parce qu'il est si tyranniquement vie que, si l'on disparaissait en lui, la vie serait encore plus affirmée ?

25 mars

On ne se tue pas par amour *pour* une femme. On se tue parce qu'un amour, n'importe quel amour, nous révèle dans notre nudité, dans notre misère, dans notre état désarmé, dans notre néant.

25 (matin)

Avant de partir pour Milan :

Rien. Toujours rien. Comment m'y habituer? Maintenant, dans la rue, tout seul, je parle très bien l'anglais.

27 (soir)

Rien. J'ai un charbon dans le corps, des braises sous la cendre. Oh C., pourquoi, pourquoi ?

28 mars

Bien. Elle avait écrit. Je lui ai parlé, de loin. Elle ne veut pas que je vienne tout de suite. Eh bien, voilà qui est bien. Travaille.

20 avril (Après Rome)

Sans doute est-elle en train de voler au-dessus de l'Atlantique. Pendant deux mois. Comment attendre aussi longtemps ? Et attendre quoi ? Tout le monde — Lalla, Nat, Doris, etc. — tout le monde dit que ça ne peut pas marcher, que nous sommes différents, qu'il n'y a rien à gagner. « Qu'est-ce que tu veux ? » Je te veux, toi, pour la vie. Se peut-il que cela suffise ?

26 avril mercredi

Bien sûr, en elle, il n'y a pas seulement elle, mais toute *ma* vie passée, l'inconsciente préparation — l'Amérique, ma modération ascétique, mon intolérance des petites choses, mon métier. Elle *est* la poésie, au plus littéral des sens. Est-il possible qu'elle ne l'ait pas senti ?

Curieuse cette procession de femmes I., L., R., L. et — inconscientes — V. et D. Toutes savent ou pressentent qu'un mystère sacré se célèbre en moi et elles admirent.

L'opinion de toutes celles qui sont au courant, c'est qu'elle a été touchée, qu'elle pense plus à moi que je ne le crois. Se peut-il qu'elles se trompent toutes ? Elles sont femmes.

27 avril

Et maintenant. Tout arrive à la fois. Vraiment il sera donné à celui qui a. Mais celui qui a ne prend pas. Vieille histoire.

8 mai

La cadence de la souffrance a commencé. Chaque soir, à la tombée de la nuit, mon cœur se serre — jusqu'à la nuit.

10 mai

L'idée se précise peu à peu pour moi que, même si elle revient, ce sera comme si elle n'était pas là. « *I'll never forget you* », c'est ce que l'on dit à quelqu'un que l'on a l'intention de lâcher.

Du reste, comment me suis-je comporté moi-même avec celles qui me pesaient, qui m'embêtaient — dont je ne voulais pas ? De la même manière.

Le geste — le geste — ne doit pas être une vengeance. Il doit être une calme et lasse renonciation, une clôture de comptes, un fait privé et rythmique. La dernière réplique.

12 mai

Écrit un autre scénario : *Amour amer.* Et après ? Il aura le même dessin, et même s'il en avait un meilleur, servira-t-il à autre chose qu'à la détacher encore plus ?

13 mai

Au fond, au fond, au fond, n'ai-je pas saisi au vol cette extraordinaire aventure, cette chose inespérée et fascinante, pour me rejeter vers ma vieille idée, vers mon ancienne tentation — pour avoir un prétexte d'y repenser... ? Amour et mort — *c'est là* un archétype ancestral.

16 mai

Maintenant, la douleur envahit aussi le matin.

27 mai

La béatitude de 48-49 est entièrement payée. Derrière cette satisfaction olympienne, il y avait ceci

— mon impuissance et mon refus de m'engager. Maintenant, à ma manière, je suis entré dans le gouffre : je contemple mon impuissance, je la sens dans mes os, et je me suis engagé dans la responsabilité politique, laquelle m'écrase. Il n'y a qu'une seule réponse : le suicide.

Dilemme. Dois-je être un ami absolu, qui fait tout pour *son bonheur,* ou un homme résolu et possédé du diable qui se déchaîne ? Question inutile — c'est déjà décidé par tout mon passé, par le destin : je serai un ami possédé du diable qui n'obtiendra rien — mais qui peut-être aura le courage. Le courage. Le tout sera de l'avoir au bon moment — quand je ne lui nuirai pas — mais qu'elle le sache, qu'elle le sache. Peut-on renoncer à cela ?

Je sais certainement plus de choses sur elle qu'elle n'en sait sur moi.

30 mai

Toutes ces lamentations ne sont pas stoïques.

Et alors ?

22 juin

Demain matin, je pars pour Rome. Combien de fois dirai-je encore cela ?

C'est une joie. Indubitable. Mais combien de fois la connaîtrai-je encore ? Et ensuite ?

Ce voyage a l'air de vouloir être mon plus grand triomphe. Récompense mondaine. D. qui me parlera — tout le doux dans l'amer. Et ensuite ? et ensuite ?

Tu le sais que les deux mois sont passés ? Et que, *any moment,* elle peut revenir ?

14 juillet

Rentré de Rome, depuis un certain temps. A Rome, apothéose. Et alors ?

Nous y sommes. Tout s'écroule. L'ultime douceur, c'est à D, que je la dois et non à elle.

Le stoïcisme, c'est le suicide. Du reste, sur les fronts, les gens ont recommencé de mourir. Si jamais il doit y avoir un monde pacifique, heureux, que pensera-t-il de ces choses ? Sans doute ce que nous pensons nous des cannibales, des sacrifices aztèques, des procès de sorcellerie.

All is the same,
Time has gone by.
Some day you came,
some day you'll die.

Some one has died
long time ago.

20 juillet

On ne peut pas finir avec style. Maintenant la tentation d'elle.

13 août

C'est bien autre chose. C'est elle, celle qui est venue de la mer.

14 août

Et elle aussi finit de la même manière. Elle aussi. Très bien. Ce sont des vagues de cette mer.

16 août

Chérie, peut-être es-tu vraiment la meilleure — la vraie. Mais je n'ai plus le temps de te le dire, de te le faire savoir — et puis, même si je le pouvais, il reste la preuve, la preuve, l'échec.

Aujourd'hui, je vois clairement que, de 28 ans à aujourd'hui, j'ai toujours vécu sous cette ombre — certains diraient que c'est un complexe. Et qu'ils le disent donc : c'est quelque chose de beaucoup plus simple.

Toi aussi, tu es le printemps, un printemps élégant, incroyablement doux et flexible, doux, frais, fugace — corrompu et bon — « une fleur de la très douce vallée du Pô » dirait quelqu'un que je connais.

Et pourtant, toi aussi, tu es seulement un prétexte. La faute, en plus d'être mienne, en est seulement à « l'inquiète angoissante, qui sourit toute seule ».

Pourquoi mourir ? Jamais je n'ai été aussi vivant que maintenant, jamais aussi *adolescent*.

Rien ne s'additionne au reste, au passé. Nous recommençons toujours.

Un clou chasse l'autre. Mais quatre clous font une croix.

Mon rôle public, je l'ai accompli — j'ai fait ce que je pouvais. J'ai travaillé, j'ai donné de la poésie aux hommes, j'ai partagé les peines de beaucoup.

17 août

Les suicides sont des homicides timides. Masochisme au lieu de sadisme.

Le plaisir de me raser après deux mois de prison — de me raser moi-même, devant une glace, dans une chambre d'hôtel, et dehors il y avait la mer.

C'est la première fois que je fais le bilan d'une année non encore terminée.

Dans mon métier, donc, je suis roi.

En dix ans, j'ai tout fait. Quand je pense aux hésitations de jadis.

Dans ma vie, je suis plus désespéré et plus perdu qu'alors. Qu'ai-je assemblé ? Rien. Pendant quelques années, j'ai ignoré mes tares, j'ai vécu comme si elles n'existaient pas. J'ai été stoïque. Était-ce de l'héroïsme ? Non, je n'ai pas eu de mal. Et puis, au premier assaut de l'« inquiète angoissante », je suis retombé dans les sables mouvants. Depuis mars, je m'y débats. Les noms sont sans importance. Sont-ils autre chose que des noms de hasard, des noms fortuits — sinon ceux-là, d'autres ? Il reste que, maintenant, je sais quel est mon plus grand triomphe — et à ce triomphe, il manque la chair, il manque le sang, il manque la vie.

Je n'ai plus rien à désirer sur cette terre, sauf cette chose que quinze années d'échecs excluent désormais.

Voilà le bilan de cette année non terminée et que je ne terminerai pas.

Tu t'étonnes que les autres passent à côté de toi et ne sachent pas, quand toi, tu passes à côté de tant de gens sans savoir, cela ne t'intéresse pas, quelle est leur peine, leur cancer secret ?

18 août

La chose le plus secrètement redoutée arrive toujours.

J'écris : ô Toi, aie pitié. Et puis ?

Il suffit d'un peu de courage.

Plus la douleur est déterminée et précise, plus l'instinct de la vie se débat, et l'idée du suicide tombe.

Quand j'y pensais, cela semblait facile. Et pourtant de pauvres petites femmes l'ont fait. Il faut de l'humilité, non de l'orgueil.

Tout cela me dégoûte.

Pas de paroles. Un geste. Je n'écrirai plus.

DU MÊME AUTEUR

Aux Éditions Gallimard

AVANT QUE LE COQ CHANTE.

LE BEL ÉTÉ.

LE MÉTIER DE VIVRE.

DIALOGUES AVEC LEUCO.

LA LUNE ET LES FEUX, *précédé de* LA PLAGE.

LE CAMARADE.

POÉSIE, I : TRAVAILLER FATIGUE, *édition bilingue.*

POÉSIE, II : LA MORT VIENDRA ET ELLE AURA TES YEUX, *suivi de* POÉSIES VARIÉES, *édition bilingue.*

NOUVELLES ET RÉCITS, *suivi de* GRAND FEU, *roman, en collaboration avec Bianca Garufi.*

LETTRES, 1924-1950.

NUITS DE FÊTE ET AUTRES RÉCITS, *suivi de* GRAND FEU.

SALUT MASINO.

COLLECTION FOLIO

Dernières parutions

2175.	Henry Fielding	*Histoire de Tom Jones, enfant trouvé*, II.
2176.	Jim Thompson	*Cent mètres de silence.*
2177.	John Le Carré	*Chandelles noires.*
2178.	John Le Carré	*L'appel du mort.*
2179.	J. G. Ballard	*Empire du Soleil.*
2180.	Boileau-Narcejac	*Le contrat.*
2181.	Christiane Baroche	*L'hiver de beauté.*
2182.	René Depestre	*Hadriana dans tous mes rêves.*
2183.	Pierrette Fleutiaux	*Métamorphoses de la reine.*
2184.	William Faulkner	*L'invaincu.*
2185.	Alexandre Jardin	*Le Zèbre.*
2186.	Pascal Lainé	*Monsieur, vous oubliez votre cadavre.*
2187.	Malcolm Lowry	*En route vers l'île de Gabriola.*
2188.	Aldo Palazzeschi	*Les sœurs Materassi.*
2189.	Walter S. Tevis	*L'arnaqueur.*
2190.	Pierre Louÿs	*La Femme et le Pantin.*
2191.	Kafka	*Un artiste de la faim* et autres récits (Tous les textes parus du vivant de Kafka, II).
2192.	Jacques Almira	*Le voyage à Naucratis.*
2193.	René Fallet	*Un idiot à Paris.*
2194.	Ismaïl Kadaré	*Le pont aux trois arches.*
2195.	Philippe Le Guillou	*Le dieu noir (Chronique romanesque du pontificat de Miltiade II pape du XXIe siècle).*

2196. Michel Mohrt — *La maison du père* suivi de *Vers l'Ouest (Souvenirs de jeunesse).*
2197. Georges Perec — *Un homme qui dort.*
2198. Guy Rachet — *Le roi David.*
2199. Don Tracy — *Neiges d'antan.*
2200. Sempé — *Monsieur Lambert.*
2201. Philippe Sollers — *Les Folies Françaises.*
2202. Maurice Barrès — *Un jardin sur l'Oronte.*
2203. Marcel Proust — *Le Temps retrouvé.*
2204. Joseph Bialot — *Le salon du prêt-à-saigner.*
2205. Daniel Boulanger — *L'enfant de bohème.*
2206. Noëlle Châtelet — *A contre-sens.*
2207. Witold Gombrowicz — *Trans-Atlantique.*
2208. Witold Gombrowicz — *Bakakaï.*
2209. Eugène Ionesco — *Victimes du devoir.*
2210. Pierre Magnan — *Le tombeau d'Hélios.*
2211. Pascal Quignard — *Carus.*
2212. Gilbert Sinoué — *Avicenne (ou La route d'Ispahan).*
2213. Henri Vincenot — *Le Livre de raison de Glaude Bourguignon.*
2214. Émile Zola — *La Conquête de Plassans.*
2216. Térence — *Théâtre complet.*
2217. Vladimir Nabokov — *La défense Loujine.*
2218. Sylvia Townsend Warner — *Laura Willowes.*
2219. Karen Blixen — *Les voies de la vengeance.*
2220. Alain Bosquet — *Lettre à mon père qui aurait eu cent ans.*
2221. Gisèle Halimi — *Le lait de l'oranger.*
2222. Jean Giono — *La chasse au bonheur.*
2223. Pierre Magnan — *Le commissaire dans la truffière.*
2224. A.D.G. — *La nuit des grands chiens malades.*
2226. Albert Camus — *Lettres à un ami allemand.*
2227. Ann Quin — *Berg.*
2228. Claude Gutman — *La folle rumeur de Smyrne.*
2229. Roger Vrigny — *Le bonhomme d'Ampère.*

2230. Marguerite Yourcenar — *Anna, soror...*
2231. Yukio Mishima — *Chevaux échappés (La mer de la fertilité, II).*
2232. Jorge Amado — *Les chemins de la faim.*
2233. Boileau-Narcejac — *J'ai été un fantôme.*
2234. Dashiell Hammett — *La clé de verre.*
2235. André Gide — *Corydon.*
2236. Frédéric H. Fajardie — *Une charrette pleine d'étoiles.*
2237. Ismaïl Kadaré — *Le dossier H.*
2238. Ingmar Bergman — *Laterna magica.*
2239. Gérard Delteil — *N'oubliez pas l'artiste !*
2240. John Updike — *Les sorcières d'Eastwick.*
2241. Catherine Hermary-Vieille — *Le Jardin des Henderson.*
2242. Junichirô Tanizaki — *Un amour insensé.*
2243. Catherine Rihoit — *Retour à Cythère.*
2244. Michel Chaillou — *Jonathamour.*
2245. Pierrette Fleutiaux — *Histoire de la chauve-souris.*
2246. Jean de La Fontaine — *Fables.*
2247. Pierrette Fleutiaux — *Histoire du tableau.*
2248. Sylvie Germain — *Opéra muet.*
2249. Michael Ondaatje — *La peau d'un lion.*
2250. J.-P. Manchette — *Le petit bleu de la côte Ouest.*
2251. Maurice Denuzière — *L'amour flou.*
2252. Vladimir Nabokov — *Feu pâle.*
2253. Patrick Modiano — *Vestiaire de l'enfance.*
2254. Ghislaine Dunant — *L'impudeur.*
2255. Christa Wolf — *Trame d'enfance.*
2256. *** — *Les Mille et une Nuits*, tome I.
2257. *** — *Les Mille et une Nuits*, tome II.
2258. Leslie Kaplan — *Le pont de Brooklyn.*
2259. Richard Jorif — *Le burelain.*
2260. Thierry Vila — *La procession des pierres.*
2261. Ernst Weiss — *Le témoin oculaire.*
2262. John Le Carré — *La Maison Russie.*
2263. Boris Schreiber — *Le lait de la nuit.*
2264. J. M. G. Le Clézio — *Printemps et autres saisons.*
2265. Michel del Castillo — *Mort d'un poète.*
2266. David Goodis — *Cauchemar.*
2267. Anatole France — *Le Crime de Sylvestre Bonnard.*

2268. Plantu — *Les cours du caoutchouc sont trop élastiques.*
2269. Plantu — *Ça manque de femmes !*
2270. Plantu — *Ouverture en bémol.*
2271. Plantu — *Pas nette, la planète !*
2272. Plantu — *Wolfgang, tu feras informatique !*
2273. Plantu — *Des fourmis dans les jambes.*
2274. Félicien Marceau — *Un oiseau dans le ciel.*
2275. Sempé — *Vaguement compétitif.*
2276. Thomas Bernhard — *Maîtres anciens.*
2277. Patrick Chamoiseau — *Solibo Magnifique.*
2278. Guy de Maupassant — *Toine.*
2279. Philippe Sollers — *Le lys d'or.*
2280. Jean Diwo — *Le génie de la Bastille (Les Dames du Faubourg, III).*
2281. Ray Bradbury — *La solitude est un cercueil de verre.*
2282. Remo Forlani — *Gouttière.*
2283. Jean-Noël Schifano — *Les rendez-vous de Fausta.*
2284. Tommaso Landolfi — *La bière du pecheur.*
2285. Gogol — *Taras Boulba.*
2286. Roger Grenier — *Albert Camus soleil et ombre.*
2287. Myriam Anissimov — *La soie et les cendres.*
2288. François Weyergans — *Je suis écrivain.*
2289. Raymond Chandler — *Charades pour écroulés.*
2290. Michel Tournier — *Le médianoche amoureux.*
2291. C. G. Jung — *" Ma vie " (Souvenirs, rêves et pensées).*
2292. Anne Wiazemsky — *Mon beau navire.*
2293. Philip Roth — *La contrevie.*
2294. Rilke — *Les Carnets de Malte Laurids Brigge.*
2295. Vladimir Nabokov — *La méprise.*
2296. Vladimir Nabokov — *Autres rivages.*
2297. Bertrand Poirot-Delpech — *Le golfe de Gascogne.*
2298. Cami — *Drames de la vie courante.*
2299. Georges Darien — *Gottlieb Krumm (Made in England).*
2300. William Faulkner — *Treize histoires.*
2301. Pascal Quignard — *Les escaliers de Chambord.*

2302.	Nathalie Sarraute	*Tu ne t'aimes pas.*
2303.	Pietro Citati	*Kafka.*
2304.	Jean d'Ormesson	*Garçon de quoi écrire.*
2305.	Michel Déon	*Louis XIV par lui-même.*
2306.	James Hadley Chase	*Le fin mot de l'histoire.*
2307.	Zoé Oldenbourg	*Le procès du rêve.*
2308.	Plaute	*Théâtre complet, I.*
2309.	Plaute	*Théâtre complet, II.*
2310.	Mehdi Charef	*Le harki de Meriem.*
2311.	Naguib Mahfouz	*Dérives sur le Nil.*
2312.	Nijinsky	*Journal.*
2313.	Jorge Amado	*Les terres du bout du monde.*
2314.	Jorge Amado	*Suor.*
2315.	Hector Bianciotti	*Seules les larmes seront comptées.*
2316.	Sylvie Germain	*Jours de colère.*
2317.	Pierre Magnan	*L'amant du poivre d'âne.*
2318.	Jim Thompson	*Un chouette petit lot.*
2319.	Pierre Bourgeade	*L'empire des livres.*
2320.	Émile Zola	*La Faute de l'abbé Mouret.*
2321.	Serge Gainsbourg	*Mon propre rôle, 1.*
2322.	Serge Gainsbourg	*Mon propre rôle, 2.*

Impression Bussière à Saint-Amand (Cher),
le 20 novembre 1991.
Dépôt légal : novembre 1991.
1er dépôt légal dans la collection : mai 1977.
Numéro d'imprimeur : 3274.
ISBN 2-07-037895-0./Imprimé en France.